Manual Imprescindible de

Office 2007

MANUAL IMPRESCINDIBLE

RESPONSABLE EDITORIAL:
Eugenio Tuya Feijoó

DISEÑO DE CUBIERTA:
Blanca López-Solórzano Fernández

Manual Imprescindible de

Office 2007

Manuela Peña Alonso

Todos los nombres propios de programas, sistemas operativos, equipos hardware, etc. que aparecen en este libro son marcas registradas de sus respectivas compañías u organizaciones.

© EDICIONES ANAYA MULTIMEDIA (GRUPO ANAYA, S.A.), 2007
Juan Ignacio Luca de Tena, 15. 28027 Madrid
Depósito legal: M.6.387-2007
ISBN: 978-84-415-2154-4
Printed in Spain
Imprime: Gráficas Hermanos Gómez S.L.L.

Índice

Introducción

Guía de uso del manual

Con este manual se pretende el mejor aprovechamiento de una de las más extendidas y eficaces herramientas ofimáticas existentes en el mercado: Microsoft Office 2007. Los usuarios que hayan trabajado anteriormente con las versiones precedentes del paquete de aplicaciones Office encontrarán en esta obra todas las claves de la nueva edición del producto, conocerán sus novedades más destacadas y descubrirán la mejor manera de explotar sus posibilidades. Quienes no cuenten con esta experiencia encontrarán en estas páginas los datos necesarios para comenzar su andadura en el manejo de este tipo de software.

Resulta difícil abarcar todas las posibilidades ofrecidas por los potentes programas integrados en esta familia en una sola obra. Sin embargo, el objetivo de este manual es que, tras su lectura, le sea posible no solo trabajar con sus funciones básicas sino también con las más avanzadas permitiéndole, incluso, grabar macros que faciliten la automatización de su trabajo.

Estas páginas introductorias le indicarán cómo usar el manual y le ofrecerán una visión global del paquete Office 2007 y de las principales aplicaciones que lo componen.

A continuación, vamos a repasar las principales novedades que la nueva edición de Office ofrece respecto a ediciones anteriores, destacando de manera especial su nueva interfaz.

Los dos primeros capítulos hacen referencia a los elementos comunes en algunas de las aplicaciones integradas en Office 2007, características como la gestión de documentos, el empleo de la ayuda o la integración entre programas serán especialmente tratadas.

Una vez presentados los rasgos comunes, analizaremos cada componente del paquete. Comenzaremos con el procesador de textos, Word, con el que aprenderá a crear documentos y las distintas maneras de aplicar los formatos necesarios para que el texto resultante sea satisfactorio. Continuaremos con Excel, el programa con el que utilizará hojas de cálculo y abarcará desde los más sencillos cálculos a aquellos complejos procesos para los que será necesario recurrir a fórmulas y funciones implantadas previamente en la aplicación. Podrá verificar la corrección de los resultados generados y, con el fin de hacer más atractiva la representación de los mismos, se iniciará en el uso de gráficos. Seguiremos con la aplicación de PowerPoint que nos ayuda a realizar atractivas presentaciones por pantalla.

Utilizaremos continuación el gestor de correo e información personal de Office 2007, Microsoft Office Outlook. En los dos capítulos que se le dedican a este programa haremos hincapié en los aspectos más interesantes: desde la configuración de su cuenta de correo hasta el análisis de utilidades como la agenda. Pasaremos después al gestor de bases de datos de Office, Access. Conocerá los conceptos fundamentales de las bases de datos relacionales y cada uno de los objetos que conforman Access.

A continuación se presenta el programa Microsoft Office Publisher, útil para la creación de publicaciones que le permite crear, diseñar y publicar materiales de comunicación y marketing de aspecto profesional. Con este programa puede crear materiales para imprimirlos, enviarlos por correo electrónico y a través de la Web con un entorno intuitivo.

El último capítulo se dedica a presentar un resumen de las otras aplicaciones incluidas en Microsoft Office Ultimate 2007, OneNote, InfoPath y Groove.

Convenios utilizados en este libro

Este libro se caracteriza por su facilidad de uso y comprensión. En la página de presentación de cada capítulo podrá leer una introducción de los contenidos tratados en él y de su relación con el resto de la obra.

Con el fin de agilizar el proceso de aprendizaje hemos diseñado algunas características especiales que le vamos a detallar a continuación:

- Las figuras que aparecen a lo largo del manual muestran la apariencia de la pantalla de su ordenador según se desarrollan las diferentes tareas con el programa.

- Los menús, cuadros de diálogo, ventanas y sus opciones correspondientes se representan con un tipo de letra distinto. Por ello, hablaremos de la opción Abrir del menú del **Botón de Office**.

- Algunos comandos se activan mediante combinaciones de teclas. En este manual las teclas que forman parte de dichas combinaciones se separan con un guión (-), por ejemplo, **Control-E** significa que debe mantener pulsada la tecla **Control** y, sin soltarla, pulsar la tecla **E**. Una vez ejecutado el comando, soltará ambas teclas más o menos al mismo tiempo.

- Si hay que seleccionar un conjunto de menús y comandos de menús, en el libro aparecen seguidos en el orden de selección. Para separarlos se usa el signo mayor que (**>**) entre ellos. Así, para seleccionar hablaremos de seleccionar Documento de Word del menú Guardar como hablaremos de seleccionar Guardar como>Documento de Word del **Botón de inicio**.

Además de todos estos puntos, el manual también incorpora una serie de iconos para resaltar determinada información y avisarle de posibles problemas. Estos iconos son los que presentamos a continuación.

Advertencia:

Posibles problemas y fallos de los programas. También se emplea cuando es posible que lo explicado en el libro no coincida con lo que aparece en su ordenador.

Truco:

Ideas o recetas que, procedentes en su mayoría de la experiencia, pueden resultarle útiles en el trabajo con su ordenador o que sirven para ahorrar tiempo en las distintas acciones con el programa.

Nota:

Información adicional que no está incluida en el texto y que puede resultar interesante o necesaria.

Qué es Microsoft Office y cuáles son sus componentes

Microsoft Office es un conjunto de aplicaciones informáticas tanto para empresas como para usuarios que deseen elaborar sus propios documentos. Una familia de programas como esta ofrece la ventaja de la compatibilidad entre los distintos programas que la componen. Las aplicaciones Office integran las herramientas necesarias para desarrollar tareas ofimáticas de cualquier naturaleza.

Microsoft Office 2007 presenta varias versiones. La versión Microsoft Office Standar 2007 incluye Word, Excel, Outlook y PowerPoint. Las ediciones profesionales, Microsoft Office Professional 2007 y Professional Plus 2007, contienen todas las anteriores además de Access, Publisher y Outlook con Business Contact Manager, incluyendo además esta última versión los programas InfoPath y Comunicator. Existen además otras versiones personalizadas para el trabajo en casa, en una pequeña oficina o en una oficina de tamaño superior: Office Home and Student 2007, Office Small Business 2007 y Office Enterprise 2007.

La versión de Microsoft Office 2007 que vamos a ejecutar sobre el sistema operativo Windows Vista en este manual es Microsoft Office 2007 Ultimate, que contiene los programas Word, Excel, PowerPoint, Publisher, Access, Outlook con Business Contact Manager, OneNote, InfoPath y Groove.

Las características más destacadas de los programas que componen dicha versión son:

- Word es el procesador de textos más usado en el entorno Windows. Se emplea para crear y gestionar todo tipo de documentos de texto.
- Excel es la hoja de cálculo con la que realizará cálculos y analizará la información que desee.
- Access es un gestor de bases de datos relacionales con el que podrá controlar y administrar la información.
- PowerPoint es la aplicación que le permitirá diseñar, crear y editar sus presentaciones con el ordenador que podrá emplear en charlas o discursos.
- Outlook es el programa que podrá utilizar para gestionar su información personal y para administrar su correo electrónico. Mantendrá al día su agenda, contactos y tareas más relevantes.
- Publisher es otra posibilidad que ofrece Office para crear y modificar algunos tipos de documentos como boletines, folletos y hasta sitios Web.
- OneNote será su agenda personal para tomar notas privadas o de trabajo.
- InfoPath es el programa que le hará posible diseñar y rellenar formularios dinámicos con los que recopilar y reutilizar la información de todo un grupo.
- Groove es una aplicación para implementar, administrar e integrar el software de Microsoft Office Groove 2007 en su organización para ayudar a sus equipos de negocios a ganar visibilidad, perspectiva y control sobre sus carteras.
- Herramientas de Microsoft Office incluye una serie de programas auxiliares que complementan a los principales con funciones específicas.
  - Certificado digital para proyectos VBA de firma personal para las macros elaboradas por el usuario.

- Diagnósticos de Microsoft Office 2007.
- Configuración de idioma.
- Galería multimedia de Microsoft.
- Microsoft Office Picture Manager le servirá para editar, organizar y compartir sus archivos de imagen.

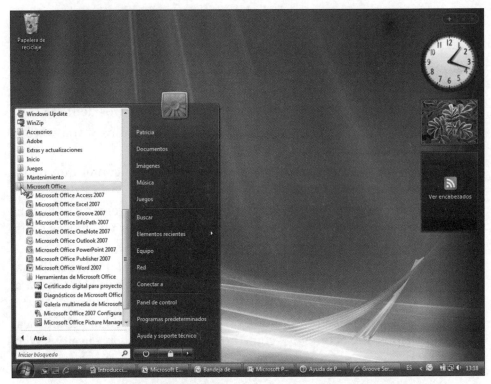

Figura I.1. Aspecto del menú de programas de Microsoft Office 2007 en el botón Iniciar de Windows Vista.

Capítulo 1

Novedades
de Office 2007

En este capítulo aprenderá a:
- Conocer la nueva apariencia de programas conocidos.
- Utilizar la cinta de opciones para ejecutar tareas habituales.
- Utilizar los nuevos métodos abreviados.
- Conocer los nuevos formatos de archivo.
- Conocer las opciones para preparar un documento para su distribución.

Al abrir Microsoft Office Word 2007, Office Excel 2007, Office PowerPoint 2007 y Office Access 2007, o crear un mensaje nuevo en Office Outlook 2007, reconocerá muchos de los elementos que le son familiares, como los documentos de Word o las hojas de cálculo de Excel. Pero también verá algo nuevo en la parte superior de la pantalla.

El diseño de menús y barras de herramientas se ha sustituido por la cinta de opciones, ubicada en la parte superior de la ventana. La cinta de opciones contiene fichas que incluyen los comandos que ya conoce.

Con un poco de tiempo y de práctica, comprobará que la cinta de opciones es muy útil ya que dicha cinta se ha desarrollado como respuesta a lo que los usuarios de Office han pedido a lo largo de estos años: programas de uso más sencillo, con comandos que se encuentren más fácilmente.

Elementos de la cinta de opciones

¿Qué es la cinta de opciones? En la parte superior de los programas ya mencionados, podrá ver una cinta compuesta de fichas que contienen los comandos utilizados con más frecuencia como puede ver en la figura 1.1.

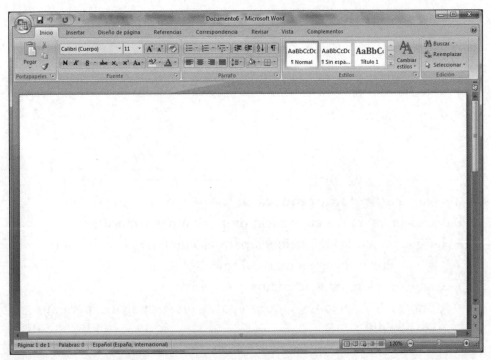

Figura 1.1. Ventana de Microsoft Word 2007 con la nueva cinta de opciones.

Podríamos considerar la cinta de opciones como un centro de control ya que agrupa todos los elementos básicos y los presenta en primer plano, al alcance de la mano. Esta ficha de opciones está compuesta por tres elementos:

- **Fichas:** Se encuentran en la parte superior y recogen las tareas principales que se ejecutan en un determinado programa.
- **Grupos:** Conjuntos de comandos relacionados que agrupan todos los comandos más necesarios para ejecutar una determinada tarea y permanecen expuestos y disponibles, lo que constituye una rica ayuda visual. Algunas veces, al reducir el tamaño de la ventana, los grupos pueden aparecer como botones con flechas desplegables para mostrar los comandos que contiene.
- **Comandos:** Están organizados en grupos y pueden ser un botón, un menú o un cuadro en el que se especifica información.

Otros comandos aparecen sólo cuando se pueden necesitar, como respuesta a alguna acción. Por ejemplo, si inserta una imagen en Word, aparecerán las Herramientas de imagen ofreciendo la ficha Formato con todos los comandos necesarios para trabajar con la imagen (véase la figura 1.2). Al dejar de trabajar con la imagen, las herramientas desaparecerán. Al seleccionar de nuevo la imagen, las herramientas volverán a estar disponibles.

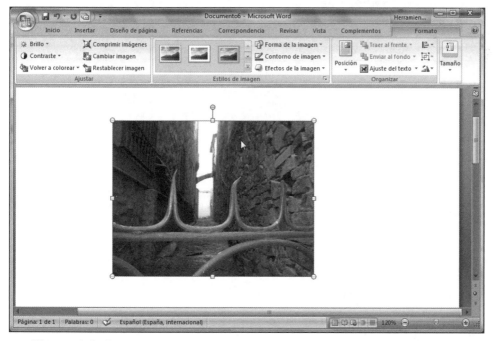

Figura 1.2. Barra de Herramientas de imagen en Microsoft Word 2007.

Algunos grupos muestran el icono de una pequeña flecha en su esquina inferior derecha ☒, denominado **Iniciador de cuadro de diálogo**, que abre un cuadro de diálogo o un panel de tareas con comandos utilizados con menos frecuencia.

Otra de las nuevas e interesantes opciones es poder ver una vista previa activa de una elección antes de seleccionar la opción finalmente, evitando así la necesidad de deshacer cambios y probar de nuevo.

Para usar la vista previa activa, sitúe el puntero ratón sobre una opción tras una selección de datos. El documento cambia para mostrar la opción antes de seleccionarla realmente. Cuando encuentre la opción deseada, sólo tiene que hacer clic sobre ella para seleccionarla (véase la figura 1.3).

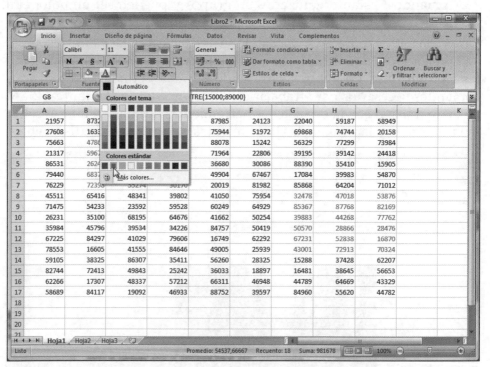

Figura 1.3. Vista previa activa de colores de fuente en Microsoft Excel.

Añadir comandos a la barra de herramientas de acceso rápido

Si utiliza con frecuencia comandos que no se encuentran disponibles con facilidad, puede agregarlos de una manera muy sencilla a la barra de herramientas de acceso rápido, que se encuentra sobre la cinta de opciones. En dicha barra, los comandos se mantienen siempre visibles y rápidamente disponibles. De manera predeterminada, esta barra de herramientas de acceso rápido contiene los botones **Copiar**, **Deshacer** y **Rehacer**.

Para añadir un comando a la barra de herramientas de acceso rápido, haga clic en la flecha desplegable que está a la derecha de la barra de herramientas de acceso rápido y seleccione uno de los comandos disponibles o haga clic en Más comandos. Seleccione uno de los comandos y haga clic en **Agregar**.

Para seleccionar un comando desde un grupo, haga clic con el botón derecho del ratón sobre el comando y seleccione Agregar a la barra de herramientas de acceso rápido.

Nota:

Para eliminar un elemento de la barra de herramientas de acceso rápido, haga clic con el botón derecho del ratón sobre dicho elemento y seleccione Eliminar de la barra de herramientas de acceso rápido.

Nuevos métodos abreviados de teclado

Ahora, los métodos abreviado de teclado se denominan sugerencias de teclas (véase la figura 1.4). Al presionar la tecla **ALT**, aparecerán todos los identificadores de las sugerencias de teclas para todas las fichas de la cinta de opciones, la barra de herramientas de acceso rápido y el **Botón de Office**.

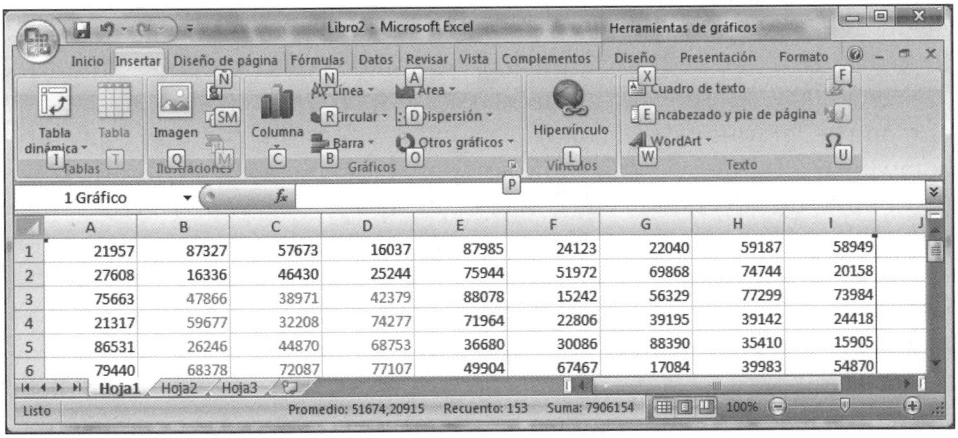

Figura 1.4. Sugerencias de teclas de la ficha Insertar en Microsoft Excel.

Al presionar la tecla de la ficha que desea mostrar, aparecerán todos los identificadores de sugerencias de teclas para los botones de la ficha. A continuación, puede utilizar la tecla correspondiente al botón que desea.

Los métodos abreviados anteriores que comenzaban con **Control** siguen intactos, por ejemplo, **Control-C** sirve para copiar en el Portapapeles y **Control-V** para pegar desde el Portapapeles.

Nota:

*Gran parte de los antiguos métodos abreviados formados con la tecla **Alt** siguen funcionando. Sin embargo, deberá sabérselos de memoria, ya que no existen indicadores en la pantalla para saber qué teclas debe presionar.*

Nota:

En los programas "sin cinta de opciones" de la versión de Office 2007, los métodos abreviados de teclado funcionan como siempre lo han hecho. Para obtener más información, acuda a la Ayuda de Microsoft Office.

Nuevos formatos de archivo

Word, Excel y PowerPoint 2007 presentan un nuevo formato de archivo para incrementar la seguridad de los archivos, reducir la posibilidad de que se dañen, reducir su tamaño y otra serie de características nuevas.

En Office 2007 se puede abrir un archivo creado en las versiones de Office 95 hasta 2003. Al guardar un archivo creado en una versión anterior, la opción predeterminada el cuadro de diálogo Guardar como es guardarlo como un archivo de la versión anterior, pero también puede guardarlo como un archivo de la versión 2007 con la extensión `*.docx` en Word, `*.xlsx` en Excel y `*.pptx` en PowerPoint. Al guardar un archivo con una versión anterior, un comprobador de compatibilidad le informará de las características de la versión 2007 que estarán deshabilitadas o que van a coincidir.

También Access presenta un nuevo formato de archivo: `*.accdb`. Las bases de datos creadas en Access 2007 utilizarán automáticamente dicho formato. Si los archivos se guardaron en Access 2000 o Access 2002-2003, podrá abrirlas y trabajar con ellas en el antiguo formato `*.mdb`. Sin embargo, para utilizar las nuevas características de Access 2007 en archivos *.mdb, primero debe utilizar el comando Guardar como para convertir la base de datos al nuevo formato. Sólo podrá abrir el nuevo formato con la versión Access 2007.

Preparar un documento para su distribución

En Word, Excel y PowerPoint, Microsoft Office 2007 ofrece la posibilidad de preparar un documento para su distribución ofreciendo las siguientes opciones en la opción Preparar del menú del **Botón de Office** como puede ver en la figura 1.5:

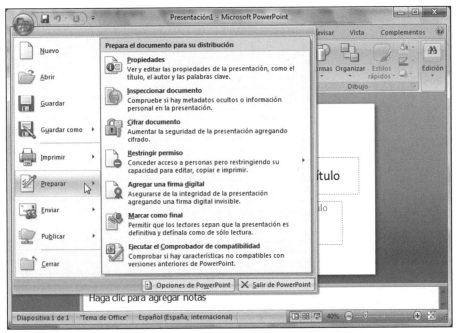

Figura 1.5. Opciones de distribución de documento en PowerPoint 2007.

- **Propiedades:** Muestra y edita las propiedades del documento, como el título, el autor, la fecha de creación, etc.
- **Inspeccionar documento:** Comprueba la información privada o los metadatos ocultos del documento.
- **Cifrar documento:** Aumenta la seguridad del documento mediante el cifrado.

- **Restringir permiso:** Concede acceso a los usuarios y restringe su capacidad para editar, copiar e imprimir.

- **Agregar una firma digital:** Garantiza la integridad del documento con una firma digital invisible.

- **Marcar como final:** Informa a los lectores de que el documento es definitivo y lo convierte en un documento de sólo lectura.

- **Ejecutar el Comprobador de compatibilidad:** Comprueba características no compatibles con versiones anteriores de la aplicación.

A lo largo del libro se analizarán con detalle todas estas nuevas opciones según el programa que se explique.

Capítulo 2

Características básicas de Office 2007

En este capítulo aprenderá a:

- Iniciar Office y trabajar con documentos nuevos o existentes.
- Conocer los elementos y herramientas comunes a las aplicaciones de Office.
- Utilizar las fichas, grupos, comandos y cuadros de diálogo de Office.
- Recurrir a la ayuda implementada en las distintas aplicaciones.
- Imprimir los documentos generados con Office.
- Organizar y trabajar con archivos y carpetas.

En este capítulo vamos a conocer las características básicas de Office, que son comunes a casi todas las aplicaciones que lo conforman. Ejecutaremos el programa, trabajaremos con documentos, conoceremos las ventanas de las distintas aplicaciones y analizaremos los elementos más importantes que integran la interfaz de usuario.

A continuación, aprenderemos a utilizar la ayuda de Office y a imprimir documentos. Para terminar, repasaremos la organización y gestión de archivos y carpetas.

Iniciar un programa de Office

En primer lugar, presentaremos la apariencia del escritorio de Microsoft Office Windows 2007 cuando se inicia el ordenador y comienza a ejecutarse el sistema operativo sobre el que hemos instalado Office 2007: Windows Vista (véase la figura 2.1).

Figura 2.1. Ventana de Windows Vista.

Advertencia:

Tenga en cuenta que los iconos que se muestran en pantalla no tienen que coincidir exactamente con los de su ordenador. Como sabe, el número y disposición de accesos directos en el escritorio de Windows dependen de cómo lo configure el usuario.

Nota:

Si no tiene instalado Microsoft Office 2007, consulte el apéndice A, donde encontrará el procedimiento para su instalación.

Microsoft Office es una herramienta muy flexible que permite obtener el mismo resultado a través de diferentes caminos. Por ello, vamos a proponerle algunos de los métodos más usuales para realizar las tareas propuestas. Existen diversos métodos para ejecutar una aplicación Office, y los principales son dos:

1. Utilizar el menú **Iniciar** de la barra de tareas de Windows Vista y seleccionar la aplicación deseada desde Todos los programas>Microsoft Office.
2. Abrir cualquier documento previamente elaborado con alguna de las aplicaciones Office.

Crear un nuevo documento

Para acceder a la creación de un documento de Office en Word, Excel, PowerPoint, Access y Outlook (en las ventanas de redacción y lectura), tras el inicio de la aplicación, se utiliza el **Botón de Office**. Este botón reemplaza al menú Archivo de las versiones anteriores y está situado en la esquina superior izquierda de los mencionados programas de Microsoft Office. Haga clic en el **Botón de Office** y posteriormente en **Nuevo** para poder acceder a la creación de cualquier tipo de documento en alguna de las aplicaciones mencionadas (véase la figura 2.2).

El cuadro de diálogo se abre mostrando la opción En blanco y reciente de Plantillas. Seleccione el tipo de documento que desea crear entre las opciones disponibles. Tenga en cuenta que Office le ofrece la posibilidad de utilizar plantillas predeterminadas con las que creará documentos específicos. Solo tiene que hacer clic en la opción correspondiente de Plantillas o de Microsoft Office Online para encontrar todo tipo de plantillas de documentos.

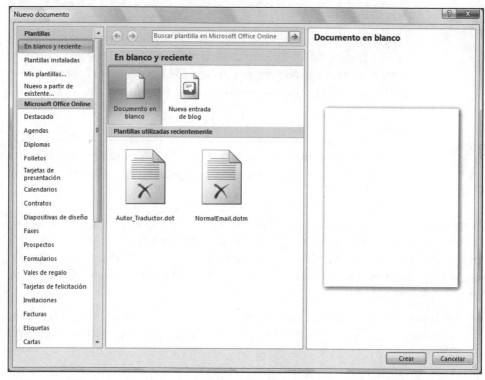

Figura 2.2. Aspecto del cuadro de diálogo Nuevo documento de Microsoft Word Office 2007.

Truco:

*Puede utilizar la sugerencia de teclas **Alt-A-N** para abrir rápidamente un documento nuevo.*

Si le resulta más fácil abrir una aplicación desde el escritorio, puede crear un icono de acceso directo para simplemente hacer clic sobre él cuando desee abrir la aplicación. Para ello, siga estos pasos:

1. Sitúese en el escritorio Windows.

2. Seleccione la aplicación que desea que aparezca representada en el escritorio haciendo clic en el botón **Iniciar** de Windows Vista y seleccionando Todos los programas >Microsoft Office.

3. Coloque el cursor sobre el programa deseado y haga clic en el botón derecho del ratón.

4. Aparecerá el menú contextual.

5. Seleccione la opción Enviar a y, posteriormente, Escritorio (crear acceso directo).

6. El icono ya está creado y solo tendrá que hacer doble clic sobre él para que se ejecute el programa.

7. Si desea cambiar el nombre que aparece bajo el icono, haga clic con el botón derecho del ratón sobre él y seleccione Cambiar nombre del menú contextual. Se activará automáticamente el cuadro de texto del nombre para que escriba lo que desee.

Abrir un documento existente

El usuario puede necesitar utilizar en distintas ocasiones el mismo documento. De ser así, no precisará crearlo sino simplemente abrirlo. Para ello, puede utilizar la opción Documentos del menú **Iniciar** de la barra de tareas de Windows Vista para localizar un documento y abrirlo haciendo doble clic sobre él.

Otra alternativa rápida para abrir documentos es la opción Elementos recientes del mismo menú de Windows Vista (véase la figura 2.3). Windows guarda en memoria el acceso directo a los últimos quince documentos utilizados en el ordenador. Si ha utilizado recientemente el archivo que desea abrir, esta es la manera más directa de volver a hacerlo. No olvide que solo podrá recuperar desde esa opción los últimos documentos.

En caso contrario, es mejor utilizar la opción Abrir del menú del **Botón de Office** de la aplicación, buscar y seleccionar el archivo que desea abrir y hacer clic en el botón **Abrir**.

Las ventanas de las aplicaciones

Las ventanas de las distintas aplicaciones Office comparten una serie de características que le permitirán, una vez conocidos todos los elementos que las componen, usar sin esfuerzo adicional cualquiera de ellas. De hecho, la interfaz gráfica de un usuario de Office es muy similar a la de Windows.

Las figuras 2.4 y 2.5 presentan, respectivamente, las ventanas que se obtienen al crear un documento nuevo de Word y de Excel.

Figura 2.3. Opción Elementos recientes de Windows Vista.

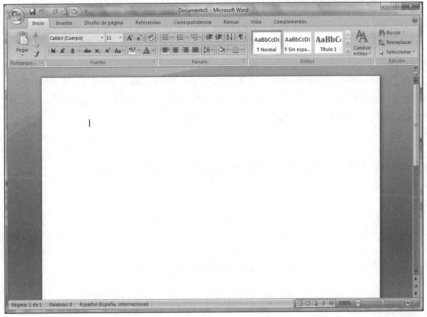

Figura 2.4. Ventana de Word al iniciar el programa.

Utilizaremos la ventana de Word para enumerar los elementos principales de Word, Excel, PowerPoint, Access y Outlook (en las ventanas de redacción y lectura) de Microsoft Office 2007.

- La barra de título que aparece en la parte superior de la ventana, es una banda de color azul que contiene el nombre de la aplicación concreta que se esté ejecutando, en este caso, Microsoft Word. También se observa en ella el nombre del archivo que está en uso, si es que lo tiene. En caso de que no tenga aún asignado el nombre, la aplicación propondrá uno por defecto que dependerá de cada una de ellas: `Documento1` en Word, `Presentacion1` en PowerPoint, `Publicacion1` en Publisher, etc.

  Además de facilitarnos esta información, la barra de título puede utilizarse para mover la ventana en la que aparece el documento. En ese caso, haremos clic en dicha barra y, sin soltar el botón izquierdo del ratón, desplazaremos la ventana a la posición deseada. Tenga en cuenta que esto no es posible si la ventana está maximizada.

- La **Barra de herramientas de acceso rápido** ofrece la posibilidad de incluir algunos comandos de uso más frecuente para acceder a ellos rápidamente. Para personalizar dicha barra, sólo tiene que hacer clic en su flecha desplegable y seleccionar el comando o la opción deseada.

- Los botones **Minimizar**, **Restaurar/Maximizar** y **Cerrar** se encuentran en la parte derecha de la barra de título.

  El botón **Minimizar** es el primero de los tres que encontrará, de izquierda a derecha, y le permite dejar en segundo plano la ventana de la aplicación con la que está trabajando. Al hacer clic sobre él, la ventana desaparece y su testigo queda en forma de botón de aplicación que contiene la información presente en la barra de título en la barra de tareas de Windows. Cuando desee volver a usar el documento, solo debe hacer clic en dicho botón y la ventana reaparecerá en el mismo estado en el que se encontraba cuando la minimizó.

Advertencia:

Tenga presente que el hecho de minimizar no significa que el archivo deje de utilizar recursos del sistema, especialmente, memoria. Observará que si minimiza muchos documentos puede que su ordenador funcione más lentamente. En su mano está decidir si prefiere cerrar los documentos que no vaya a utilizar inmediatamente.

El botón **Restaurar/Maximizar** es el botón que se encuentra en el centro y es el único de los tres que cambia de apariencia cada vez que se hace clic sobre él. **Maximizar** hace que la ventana que contiene el documento activo en ese momento ocupe la totalidad de la pantalla disponible en la aplicación que se está empleando. De esta forma, trabajará con mayor comodidad y aprovechará todo el espacio de visión que le ofrece el monitor. **Restaurar** se ejecuta haciendo clic en el mismo botón y le permite que la ventana recupere el tamaño que tenía antes de maximizarla.

El botón **Cerrar** es el que aparece en último lugar, en forma de cruz, y le permite cerrar y salir de la aplicación. En otro apartado de este capítulo veremos otras posibles formas de cerrar archivos.

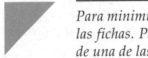

Truco:

Puede cerrar la aplicación haciendo clic con el botón derecho del ratón en el icono de la aplicación que aparece en la barra de título y seleccionando **Cerrar** *del menú contextual. También puede restaurar el tamaño de la ventana haciendo clic con el botón derecho del ratón sobre cualquier parte de la barra de título para abrir el menú de control de la ventana de la aplicación con el que también podrá ejecutar diferentes acciones, como restaurar, mover, determinar el tamaño, minimizar y maximizar y cerrar la ventana.*

- La barra de menús y las barras de herramientas de estos programas se han sustituido por la cinta de opciones. La cinta de opciones le ayuda a encontrar fácilmente los comandos necesarios para ejecutar una tarea. Los comandos se organizan en grupos, que se reúnen en fichas. Cada ficha se relaciona con un tipo de actividad (como escribir o diseñar una página). Algunas fichas sólo se abren cuando es necesario. Por ejemplo, Herramientas de imagen sólo se abre al seleccionar una imagen. El uso de estas fichas y grupos merece un apartado propio que podrá consultar más adelante.

Truco:

Para minimizar la cinta de opciones, haga doble clic sobre una de las fichas. Para volver a abrirla, haga doble clic sobre el nombre de una de las fichas.

- El **Botón de Office** es el botón que se encuentra en la esquina superior izquierda, encima de la cinta de opciones. Al hacer clic en este botón, verá los mismos comandos básicos disponibles en versiones anteriores de Microsoft Office para abrir, guardar e imprimir el archivo, pero en esta nueva versión de Office 2007 se ofrecen más comandos, como Finalizar y Publicar. Por ejemplo, en Word, Excel y PowerPoint, si hace clic en Finalizar y selecciona Inspeccionar documento, puede buscar metadatos ocultos o la información personal de un archivo.

  En Microsoft Office Outlook 2007, este botón lo podrá ver al leer o crear un mensaje, una tarea, un contacto o un elemento del calendario, verá el nuevo botón de Microsoft Office.

- El botón **Ayuda de Microsoft Office [Nombre de la aplicación]** está en el extremo superior derecho de la cinta de opciones, debajo de los botones **Minimizar**, **Restaurar/Maximizar** y **Cerrar**. Es una forma rápida de consulta a la ayuda.

- El área de trabajo es la parte central de la ventana en la que el usuario puede introducir, dar formato y operar con los datos de su interés. En la figura 2.4 se observa un gran espacio en blanco que es la superficie que se corresponde con el área de escritura. En dicha área de escritura aparece siempre una barra parpadeante que se denomina punto de inserción. En otras aplicaciones, el aspecto del área de trabajo varía según sea su naturaleza. Así, Excel, como muestra la figura 2.5, se caracteriza por una cuadrícula de celdas; PowerPoint, por una diapositiva en blanco, etc.

- Las barras de desplazamiento se encuentra a la derecha (barra de desplazamiento vertical) y debajo (barra de desplazamiento horizontal) del área de trabajo del documento y permiten el desplazamiento vertical y horizontal por el documento.

- La barra de estado se sitúa en la parte inferior de la ventana de la aplicación y aporta información acerca de su estado como, por ejemplo, el número total de páginas, el número total de palabras, la página que se visualiza en ese momento, el idioma seleccionado, etc. Asimismo, en esta barra, a la derecha, se encuentran los distintos botones de vistas y la barra de Zoom.

Trabajar con distintas ventanas y aplicaciones

En la figura 2.5 puede ver que la ventana de aplicación de Excel contiene las tres hojas de cálculo con las que se abre de forma predeterminada un libro de Excel. Cada una de ellas es una ventana de documento y la que está activa es la denominada Hoja1.

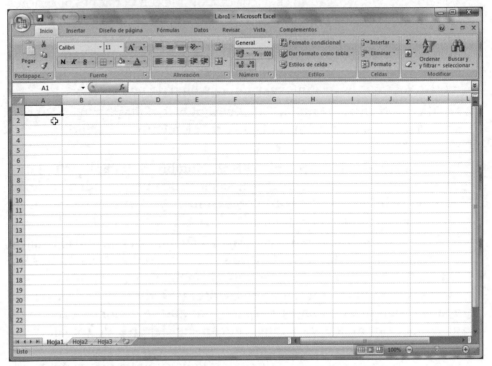

Figura 2.5. Ventana de Excel al iniciar el programa.

En las aplicaciones Office puede mantener varias ventanas de documento abiertas al mismo tiempo. Para pasar de una a otra dispone de la ficha Vista (o del menú Ventana en Publisher), que le muestra la relación de documentos abiertos en la aplicación en uso dentro del comando **Cambiar ventanas** del grupo Ventana. Solo tiene que seleccionar el nombre del archivo que desea visualizar en ese momento.

Si lo que quiere es disponer de todos ellos al mismo tiempo, puede hacer clic en **Organizar todo** e, incluso, ordenarlos en mosaico o en cascada. Podrá activar el que le interese en cada momento haciendo clic en la barra de título del documento elegido.

Además de trabajar con archivos generados por el mismo programa, también es posible hacerlo con distintas ventanas de aplicación al mismo tiempo, lo que le permite utilizar distintos tipos de documentos sin tener que cerrar unos para abrir otros. Para ello podrá utilizar diversos métodos.

- En la parte inferior de la pantalla encontrará una barra de la que le hemos hablado anteriormente, la barra de tareas de Windows Vista. En ella se ubican entre otros, el botón del menú **Iniciar** y los botones de aplicaciones que se están ejecutando en cada momento.

  El botón que aparece resaltado es el de la aplicación que se encuentra en primer plano y está en uso. Aunque no es una barra de Office, podrá utilizarla para devolver al primer plano, alguna de las aplicaciones minimizadas previamente.

Truco:

Conviene configurar la barra de manera que se mantenga siempre visible. Para ello, haga clic con el botón derecho del ratón sobre la barra de tareas y seleccione Propiedades. *En la ficha* Barra de tareas, *seleccione* Conservar la barra de tareas siempre visible *y haga clic en* **Aceptar**.

- Si pulsa la tecla **Alt** y a continuación la tecla **Tab**, aparecerá en primer plano un cuadro con todos los iconos de todas las aplicaciones y documentos en ejecución. Debajo de los iconos, verá una línea de texto con los datos específicos de cada uno de ellos.

  Mantenga pulsada la tecla **Alt** mientras pulsa repetidamente la tecla **Tab**. De esta forma, el recuadro de selección pasa de un icono a otro. Suelte ambas teclas cuando seleccione documento o la aplicación que desee utilizar.

Fichas, grupos y cuadros de diálogo

Uso de las fichas en Office

Las fichas son elementos determinantes en las aplicaciones Office. De hecho, la gran mayoría de comandos se encuentran dentro de las fichas, agrupados dentro de sus correspondientes grupos. Para seleccionar una ficha y ver su contenido, sólo tiene que hacer clic en su nombre.

Observará que al abrir una ficha, algunos grupos se contraen (es decir, no se ven todas las opciones que contiene). Cuando ocurre esto verá una flecha desplegable. Si hace clic sobre ella, se desplegará completamente el contenido de la ficha y podrá ver entonces todas sus opciones (véase la figura 2.6).

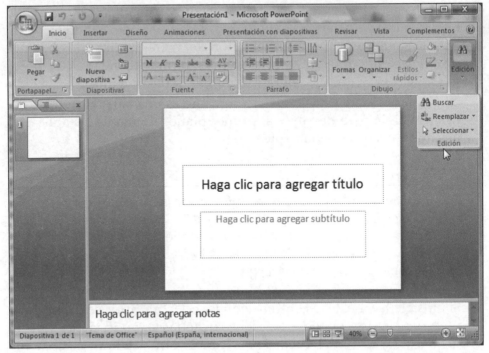

Figura 2.6. Grupo desplegable de comandos en PowerPoint 2007.

Como ha podido comprobar, casi todas las acciones de Office pueden realizarse con sugerencias de teclas. Esta no es un excepción, por lo que, si lo desea, podrá abrir y utilizar los comandos de las fichas sin necesidad de utilizar el ratón.

Nota:

*Para ver las sugerencias de teclas de las fichas en la cinta de opciones, mantenga pulsada la tecla **Alt**. Para abrir una ficha, teclee la sugerencia de tecla mientras mantiene pulsada la tecla **Alt**. Para utilizar un determinado comando, escriba su sugerencia de tecla mientras mantiene pulsada la tecla **Alt**.*

Menús contextuales

Además de las fichas que presentan grupos de comandos, las distintas aplicaciones Office presentan un menú denominado menú contextual. Se trata de un método rápido de acceso a los comandos y se abre al hacer clic con el botón derecho del ratón.

Tenga en cuenta que su nombre, contextual, se debe a que el contenido del menú depende del elemento desde el cual se invoca. Es decir, no aparecerán los mismos comandos en un menú contextual llamado desde una tabla Excel que el que aparece en una diapositiva de PowerPoint.

Cuadros de diálogo

Ya hemos visto cómo se pueden ejecutar comandos directamente tras ser seleccionados, pero en ocasiones, cuando Office ejecuta un comando puede ser necesario facilitarle al programa más información sobre la operación que se desea ejecutar. En esos casos, el nombre del comando aparece en un menú desplegable seguido de puntos suspensivos, indicando así que tras su selección se abrirá un cuadro de diálogo. Asimismo, los grupos que presentan el icono **Iniciador de cuadro de diálogo** 🔲, abren un cuadro de diálogo al hacer clic sobre dicho icono.

En los distintos cuadros de diálogo de Office, podrá especificar todas las opciones que desea que se cumplan en la ejecución del comando al que hacen referencia.

Para ejemplificar los cuadros de diálogo vamos a usar dos de los más utilizados en Word. El comando Buscar del grupo Edición dentro de la ficha Inicio, que busca el texto que deseamos localizar en el documento con el que trabajamos (véase la figura 2.7) y el comando Fuente del grupo Fuente dentro de la ficha Inicio, que nos permite retocar la apariencia del documento que tenemos entre manos y aparece en la figura 2.8. Con estas dos imágenes, repasaremos los elementos más significativos de los cuadros de diálogo.

Tenga en cuenta que los cuadros de diálogo pueden contener tantas opciones que necesiten cuadros de diálogo adicionales para ofrecérselas todas. En esas ocasiones, observará iconos que ya le son familiares, como por ejemplo, el botón **Más** del cuadro Buscar y reemplazar tiene una doble flecha hacia abajo que le indica que el cuadro contiene más posibilidades de las que se presentan en un primer momento. Si hace clic en el botón, el cuadro se expande por completo y le indica que puede comprimirlo cambiando la apariencia de dicho botón, que pasa a denominarse **Menos** y muestra una doble flecha, en esta ocasión, hacia arriba. Por otra parte, el botón **Predeterminar** del cuadro de diálogo Fuente incluye los puntos suspensivos de los que hemos hablado anteriormente (véase la figura 2.8) al explicar cómo los comandos de los menús desplegables pueden precisar más datos por parte del usuario.

Figura 2.7. Cuadro de diálogo Buscar y reemplazar de Word.

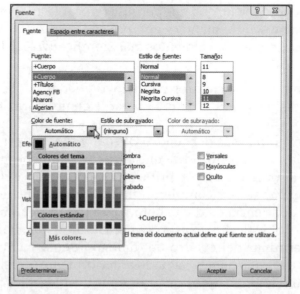

Figura 2.8. Cuadro de diálogo Fuente de Word.

Vamos a comenzar el repaso de los elementos que constituyen un cuadro de diálogo.

- **Cuadro de texto:** Se emplea para escribir texto directamente con ayuda del teclado. En la figura 2.7 escribiremos el texto que deseamos buscar en el documento activo dentro del cuadro de texto Buscar.

- **Cuadro de lista:** Contiene multitud de elementos entre los que se puede seleccionar uno haciendo clic sobre él. En el caso de que sea desplegable, habrá que hacer clic en la flecha hacia abajo que aparece a su derecha para elegir la opción deseada. En la figura 2.7 puede observar que existe una flecha desplegable en el cuadro de lista de la opción Buscar. En la figura 2.8 puede ver el cuadro de lista de la opción Color de fuente.

  Dependiendo del cuadro de lista, podrá escribir en él como si se tratara de un cuadro de texto o únicamente seleccionar un elemento de la lista sin poder escribir nada. Hay algunos que le ofrecerán, incluso, una paleta desplegable expandida.

- **Casillas de verificación y botones de opción:** Ambos se emplean para activar y desactivar opciones de los cuadros de diálogo haciendo clic sobre ellos con el ratón. Las casillas de verificación, también denominadas cuadros de comprobación, son cuadradas y cuando están activadas tienen una cruz en su interior. En la figura 2.7 aparecen varias casillas de verificación activadas. Los botones de opción son redondos y cuando se activan, presentan un punto negro en su interior.

  La diferencia fundamental entre estos tipos de elementos es que, mientras puede seleccionar varias casillas de verificación al mismo tiempo, los botones de opción son excluyentes, es decir, si selecciona una opción, no puede seleccionar ninguna otra de las que se le presentan en el mismo formato.

- **Botón desplegable:** Actúa como un menú desplegable y al pulsar sobre él aparecen las opciones que se pueden seleccionar. Estos botones suelen presentar una o varias flechas a la derecha de su nombre.

  En la figura 2.7 se muestran varios ejemplos y uno de ellos, el botón **Especial**, presenta expandido su contenido.

- **Botón de comando:** Al pulsar sobre él la aplicación ejecuta alguna acción asociada al comando que representa el botón. Estos botones son por excelencia, **Aceptar** y **Cancelar**. Ambos se emplean para cerrar el cuadro de diálogo, pero mientras el primero implica que se apliquen las órdenes dadas a través del cuadro de diálogo, el segundo ignorará las especificaciones introducidas en él.

- **Fichas o pestañas:** Forman parte del mismo cuadro de diálogo a seme-janza de un fichero manual, en el que es visible la primera y del resto solo conocemos el título. Para activar cada una de ellas puede hacer clic en la pestaña que aparece en la parte superior de la. En la figura 2.8 encontramos dos fichas, Fuente y Espacio entre caracteres.

- **El botón de ayuda:** Es el icono en forma de interrogación de cierre que aparece a la izquierda del botón **Cerrar** en el extremo superior dere-cho del cuadro de diálogo. Al hacer clic sobre él, accederemos a la ayu-da relativa a dicho cuadro.

Para utilizar un cuadro de diálogo, debe rellenar todos aquellos elemen-tos que sean precisos, verificar que las opciones elegidas sean las correc-tas y hacer clic en el botón de comando **Aceptar** para que la aplicación realice las acciones pertinentes.

Barra de herramientas de acceso rápido, mini barra de herramientas, regla y barra de estado

Barra de herramientas de acceso rápido y mini barra de herramientas

Ya hemos visto que las barras de herramientas de las aplicaciones de Offi-ce han sido sustituidas por las fichas y grupos de la cinta de opciones, aunque sí presenta una barra de herramientas para facilitarnos la tarea: la barra de herramientas de acceso rápido, que se puede personalizar utili-zando el menú desplegable que se abre al hacer clic en la flecha que se encuentra a su derecha, como puede comprobar en la figura 2.9.

Al seleccionar texto se puede mostrar u ocultar una barra de herramien-tas cómoda, pequeña y semitransparente, denominada mini barra de he-rramientas. Esta mini barra de herramientas facilita el trabajo con fuentes, estilos de fuente, tamaño de fuente, alineación, color de texto, niveles de sangría y viñetas.

Opciones de las barras

Para añadir comandos a la barra de herramientas de acceso rápido, siga estos pasos:

1. Haga clic en el botón de flecha desplegable que se encuentra a la derecha de la barra de herramientas de acceso rápido.

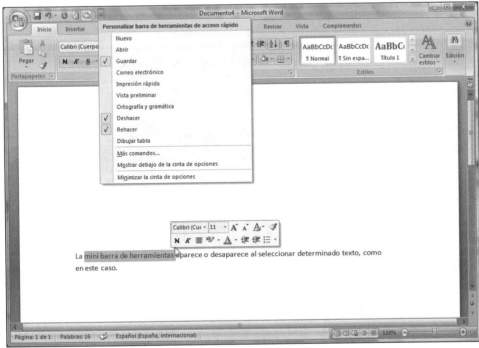

Figura 2.9. Menú para personalizar la barra de herramientas de acceso rápido en Word y mini barra de herramientas.

2. Seleccione la opción Más comandos.

3. Se abre el cuadro de diálogo Opciones de Word con la ficha Personalizar abierta (véase la figura 2.10).

4. Seleccione Todos los comandos en el cuadro de texto Comandos disponibles en.

5. Busque el comando que desee agregar a la barra de herramientas de acceso rápido y haga clic en **Agregar**.

6. Tras seleccionar y agregar los comandos deseados, haga clic en **Aceptar** para cerrar el cuadro de diálogo.

Para eliminar un comando agregado, haga clic con el botón derecho del ratón en el comando que desea eliminar y seleccione Eliminar de la barra de herramientas de acceso rápido del menú contextual.

Para mostrar la barra de herramientas de acceso rápido debajo de la cinta de opciones, seleccione Mostrar debajo de la cinta de opciones del menú de flecha desplegable de la barra de herramientas.

Nota:

La mini barra de herramientas no se puede personalizar.

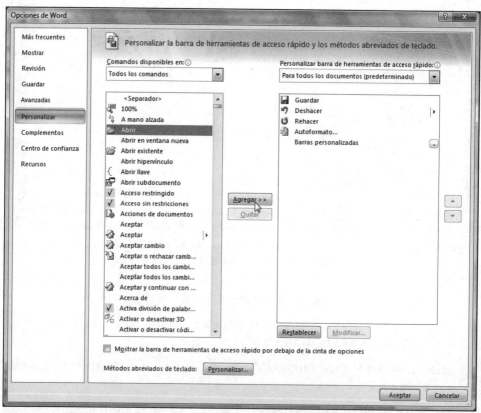

Figura 2.10. Cuadro de diálogo Opciones de Word con la opción Personalizar abierta.

Regla

Algunas aplicaciones Office pueden mostrar una regla horizontal, que se sitúa a lo largo de la parte superior de la ventana del documento, entre la cinta de opciones y el texto del documento con el que trabaja. La regla le permite, entre otras cosas, establecer o mover tabulaciones, aplicar distintos tipos de sangrías al texto seleccionado y modificar el ancho de las columnas.

Al desplazarse por el documento, la regla refleja automáticamente las características del párrafo en el que se encuentra el punto de inserción en cada momento, permitiendo al usuario modificar tales especificaciones.

Los elementos que forman parte de la regla son, de izquierda a derecha:

- Un botón que, al hacer clic sucesivamente sobre él, adopta la apariencia de: tabulación izquierda, centrar tabulación, tabulación derecha, tabulación decimal, barra de tabulaciones, sangría de primera línea y sangría francesa.
- Los márgenes izquierdo y derecho.
- La representación de las sangrías y tabulaciones.

Para abrir o cerrar dicha regla:

1. Seleccione la ficha Vista.
2. Seleccione o anule la selección de la casilla Regla dentro del grupo Mostrar u ocultar.

Truco:

Para mostrar u ocultar rápidamente la regla, haga clic en el icono **Regla** 🔲 *que se encuentra encima de la barra de desplazamiento vertical.*

Barra de estado

La barra de estado contiene información acerca del documento activo en la pantalla en cada momento. Destacamos algunas de los datos más interesantes:

- Número de página actual y su relación con el número total de páginas del documento.
- Número de palabras del documento.
- Idioma predeterminado por el usuario.
- Estado de la ortografía y gramática.
- Accesos directos a las vistas.

- Zoom.
- Control deslizante del Zoom.

Para personalizar esta barra de estado, haga clic con el botón derecho del ratón sobre ella y seleccione las opciones deseadas (véase la figura 2.11).

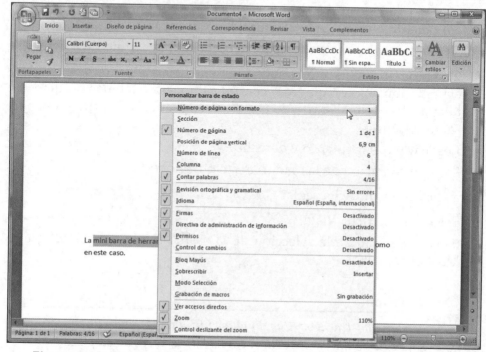

Figura 2.11. Menú de personalización de la barra de estado de Word.

Panel de tareas

Los paneles de tareas aparecen de forma automática cada vez que se hace clic en un comando que activa un panel de tareas, como por ejemplo, al hacer clic en el **Iniciador de cuadro de diálogo** del grupo Portapapeles en la ficha Inicio o al hacer clic en el comando Referencia del grupo Revisión en la ficha Revisar (véase la figura 2.12).

Estos paneles agrupan las tareas más habituales con el objeto de agilizar el trabajo. Con objeto de facilitar el uso del programa se han seleccionado para cada aplicación los paneles que contienen los comandos utilizados con más frecuencia. Estos paneles se pueden incrustar a la derecha o a la izquierda del área de trabajo.

Figura 2.12. Panel de tareas Referencia en Word.

Los elementos que incluyen son los siguientes:

- **Barra de título:** Aparece en su parte superior y ofrece una flecha desplegable a su derecha que permite seleccionar las opciones de Mover, Tamaño y Cerrar. En el extremo derecho de la barra de título se encuentra el botón **Cerrar** con el que puede ocultar el panel.

- **Barra de iconos:** Algunos paneles permiten navegar a través de los paneles visitados por el usuario como si se tratara de páginas Web. De hecho, la apariencia es la de un navegador que nos ofrece las opciones de ir hacia adelante o hacia atrás en las búsquedas realizadas.

- **Cuadros de texto y de listas desplegables:** Diversos cuadros de texto y listas desplegables ofrecen la posibilidad de efectuar búsquedas y efectuar selecciones.

- **Vínculos:** Los vínculos a otros sitios se encuentran en la parte inferior del panel, como los mostrados en la figura 2.13.

Portapapeles

Al trabajar con datos es habitual tener que usarlos en distintas ocasiones. Por ello, quizá necesite copiar y almacenar determinada información de manera que pueda recuperarla en el momento en que le sea necesaria.

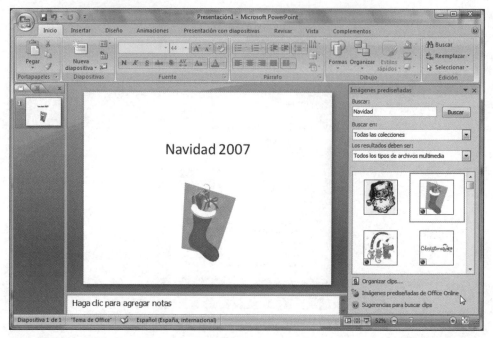

Figura 2.13. Panel de tareas Imágenes prediseñadas en PowerPoint.

El Portapapeles de Office le permite guardar hasta 24 elementos y en este panel los visualizará de modo que haciendo clic con el ratón sobre el que desee pegar la acción se ejecutará de manera automática donde se encuentre el punto de inserción.

Para abrir este panel, haga clic en el **Iniciador de cuadro de diálogo** del grupo Portapapeles dentro de la ficha Inicio. El panel Portapapeles se abrirá a la izquierda del área de trabajo (véase la figura 2.14).

El panel presenta debajo de su título dos botones que le permitirán pegar o eliminar todo su contenido. Si solo desea eliminar uno de los elementos almacenados, coloque el ratón sobre él y visualizará una flecha hacia abajo a la derecha del contenido que le dará a elegir entre pegarlo en el texto o eliminarlo definitivamente.

Nota:

Para mover el panel de tareas, haga clic sobre su barra de título y, sin soltar el botón, arrastre el panel a la ubicación deseada. Para volver a acoplar el panel en su ubicación predeterminada, haga doble clic en su barra de título.

Figura 2.14. Portapapeles de Office en PowerPoint.

Etiquetas inteligentes

Las etiquetas inteligentes son botones desplegables con una imagen distintiva en su interior. Este icono coincide con el que se muestra a la izquierda de los nombres de los comandos en los distintos grupos. De esta forma, el usuario puede identificar a primera vista la función de dichas etiquetas.

Estas etiquetas se muestran automáticamente mientras se trabaja en las aplicaciones Office, aunque sólo algunas acciones las llevan asociadas. Es muy interesante que ofrezcan opciones que solo son accesibles mediante estos botones, como puede observar en la figura 2.15.

Las posibilidades de aparición son muchas. Pueden visualizarse como opciones de pegado, autocorrección, autorrelleno, comprobación de errores (figura 2.16), opciones de inserción, autoformato y autoajuste.

Ayuda

Cada una de las aplicaciones que integran Office 2007disponen de su correspondiente ayuda, que se utiliza en todas de la misma forma y tiene una apariencia muy similar. En los ejemplos que aparecen a continuación hemos empleado la ayuda de Excel. La forma de acceso es la misma en todos los programas, solo cambiará el contenido específico.

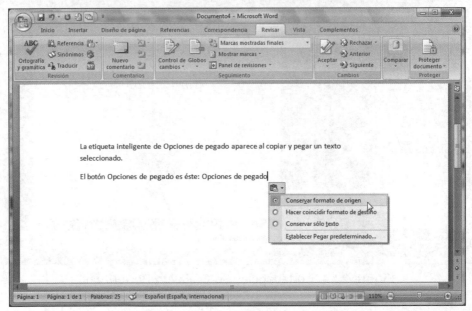

Figura 2.15. Etiqueta inteligente de Opciones de pegado en Word.

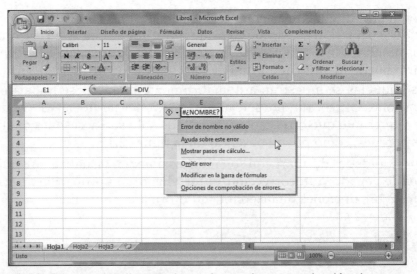

Figura 2.16. Etiqueta inteligente de opciones de comprobación de errores que aparece al intentar dividir cualquier número entre cero en Excel.

Obtener ayuda con una Tabla de contenido

Para obtener ayuda con una Tabla de contenido (véase la figura 2.17):

1. Haga clic en el botón **Ayuda de Microsoft [Nombre de la aplicación]** que se encuentra en la esquina superior derecha de la ventana. Se abre la ventana Ayuda de [Nombre de la aplicación].

2. Haga clic en el botón **Mostrar tabla de contenido** .

3. Escriba una palabra o frase para buscar ayuda en el cuadro Buscar.

4. Haga clic en el botón **Buscar** .

5. Seleccione el tema que le interese y haga clic sobre él.

6. Para cerrar la Tabla de contenido, haga clic en el botón **Ocultar tabla de contenido** o haga clic en el botón **Cerrar** de la tabla.

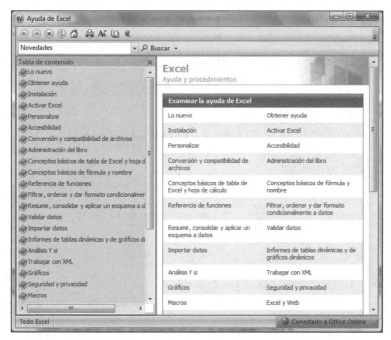

Figura 2.17. Tabla de contenido de la ayuda de Excel.

Nota:

También puede abrir la ventana Ayuda de [Nombre de la aplicación] *pulsando la tecla* **F1** *cuando se encuentre dentro de una hoja de cálculo o de un documento Office.*

Personalizar el cuadro de ayuda

Puede mantener siempre visible la ventana de ayuda y personalizarla. Para ello, haga clic en el botón **Mantener siempre visible** 📌 que se encuentra en la parte superior de la ventana, que se convertirá en el botón **No visible** 📌 al hacer clic sobre él y viceversa.

Para personalizar el tamaño del texto en la ventana de ayuda, siga estos pasos (véase la figura 2.18):

1. Abra la Ayuda haciendo clic en el botón **Ayuda de [Nombre de la aplicación]** o pulsando la tecla **F1**.

2. Haga clic en el botón **Cambiar tamaño de fuente** 🅰 y seleccione un tamaño de fuente de la lista.

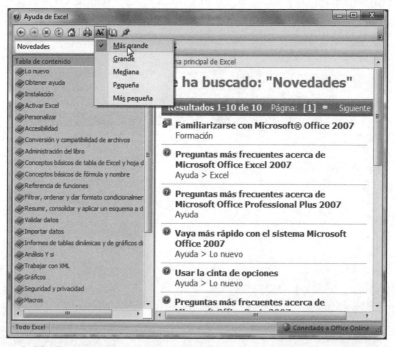

Figura 2.18. Personalización del tamaño de fuente de la ayuda en Excel.

Obtener ayuda sobre un comando o un cuadro de diálogo

Para obtener ayuda sobre un comando, localice el comando deseado en la cinta de opciones, sitúe el puntero del ratón sobre dicho comando unos segundos y aparecerá una sugerencia en pantalla indicando la acción de dicho comando.

Para obtener ayuda en un cuadro de diálogo, sólo tiene que hacer clic en el botón de interrogación que se encuentra en la esquina superior derecha del cuadro de diálogo. Si existe un tema de ayuda disponible relacionado con el cuadro de diálogo, se mostrará.

En caso contrario, se mostrará la página principal de la ayuda. Busque ayuda utilizando el cuadro Buscar.

Nota:

*Dentro de un cuadro de diálogo también puede pulsar **F1** para ver la ayuda relacionada o la página principal de ayuda.*

Ayuda en Microsoft Office Online

Puede buscar ayuda, plantillas y cursos online en la Ayuda de Microsoft Office (véase la figura 2.19). Para ello, haga clic en la flecha desplegable del botón **Buscar** y seleccione la opción deseada (como por ejemplo, **Excel Formación**). A continuación:

1. En el cuadro de búsqueda, escriba el tipo de curso deseado.
2. Haga clic en el botón **Buscar** o pulse **Intro**.
3. Aparecerán todos los cursos disponibles sobre el tema en Microsoft Office Online.
4. Haga clic en alguna de los vínculos.
5. Se abrirá un cuadro de diálogo indicando que se está conectando a la página principal de plantillas de Microsoft Office.
6. Siga las instrucciones para realizar el curso (o descargar una plantilla).

Microsoft Office Online

Para acceder a esta información es imprescindible que esté trabajando en línea y tener acceso a Internet. Los servicios que le facilita Microsoft a través de la página Web habilitada para ello son los siguientes:

• Asistencia con información actualizada: temas, artículos y consejos tratados con amplitud y profundidad.
• Nuevas plantillas que puede descargar y usar con los programas Office.

- Cursos en línea de entre 20 y 50 minutos, con los que podrá descubrir y mejorar las funcionalidades de Office.

- Galería de imágenes y multimedia mejorada y ampliada.

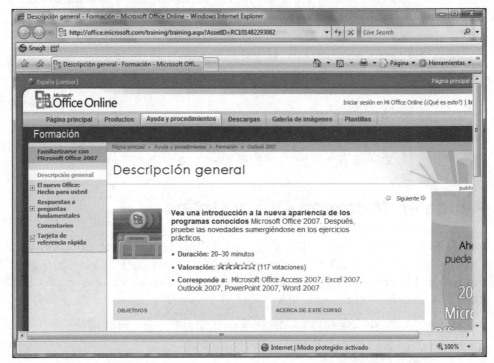

Figura 2.19. Página de formación de Microsoft Office Online.

Imprimir documentos

Todas las aplicaciones Office permiten que los documentos generados con ellas puedan imprimirse desde la barra de herramientas de acceso rápido. El botón **Imprimir** ejecuta el comando de forma rápida y sencilla, siempre que la impresora esté correctamente configurada y encendida.

De esa manera no puede seleccionar las opciones avanzadas que le ofrece el cuadro de diálogo Imprimir (véase la figura 2.20). Para abrir este cuadro, puede seleccionar la opción Imprimir del menú ofrecido por el **Botón de Office** o utilizar la sugerencia de teclas **Control-P**. Con ayuda de este cuadro de diálogo podrá seleccionar la impresora que desea utilizar, cuál es la parte del documento que desea imprimir, el número de copias que precisa, etc.

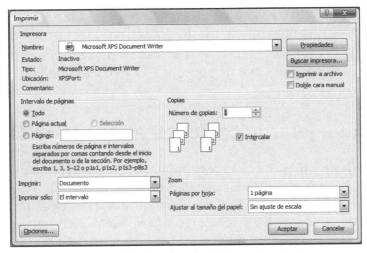

Figura 2.20. Cuadro de diálogo Imprimir.

Organización de archivos y carpetas

Gestionar los archivos y carpetas de su ordenador correctamente es una tarea fundamental, de ello depende que pueda localizar y administrar sus documentos de la forma más eficaz posible. Si está acostumbrado a trabajar con Windows, puede que no necesite estas páginas. No obstante, quizá le convenga repasar algunas de las características de los cuadros de diálogo de Office 2007 que vamos a revisar a continuación.

Si desconoce cómo administra Windows los archivos, no se preocupe porque el objetivo de estas páginas es precisamente que sea capaz de organizar sus documentos de manera que pueda utilizarlos sin dificultad y recuperarlos en cualquier momento y desde cualquier carpeta.

Advertencia:

Quizá le resulten familiares términos que son sinónimos de los empleados hasta ahora. Cuando se habla de directorios y subdirectorios equivale a decir carpetas y subcarpetas. Y lo mismo ocurre con los ficheros o archivos.

Introducción

Aunque este manual no pretende profundizar en Windows Vista, conviene que conozca algunas de las características de este sistema operativo con respecto a los archivos. Cómo se disponen para su almacenamiento en el ordenador, de qué manera guardarlos y, después, recuperarlos, etc.

En efecto, los requisitos de una buena gestión de archivos dependen del sistema operativo que sirve de soporte a la ejecución de los demás programas.

Estructura jerárquica de los archivos en Office

Los archivos no son más que los documentos que va creando y modificando con los distintos programas instalados en su ordenador. Al guardarlos en el disco duro de su ordenador mediante la opción Guardar del menú del Botón de Office, se les asigna un nombre que permite su posterior recuperación. Cuando Office ejecuta esta acción, abre de forma predeterminada el cuadro de diálogo Guardar como.

Las carpetas son las que permiten clasificar los archivos generados de modo que puedan ser recuperados para su uso posterior. En definitiva, las carpetas contienen los archivos y facilitan su organización lógica, permitiéndole crear subcarpetas, que a su vez dependan de una carpeta mayor.

En Windows Vista la carpeta que contiene al resto de carpetas y archivos se denomina Equipo. De esta carpeta dependerán, en una estructura de árbol, todas las unidades de disco de su ordenador (el disco duro, las unidades de CD-ROM o la unidad de disquetes A) y, a su vez, todas las carpetas y archivos contenidos en esas unidades.

Nota:

Las carpetas y los archivos se distinguen gráficamente por el icono que aparece a la izquierda de su nombre: una carpeta amarilla para las carpetas y un icono característico de la aplicación con que se generan para los archivos.

Si accede a la ventana de la carpeta Equipo a través del menú Iniciar de Windows Vista, podrá seleccionar una de las opciones de visualización de la opción Vistas, seleccionar un vínculo de los Vínculos favoritos, etc.

En la figura 2.21 puede ver cómo aparece una subcarpeta de la carpeta Documentos a la que hemos llegado haciendo clic en el vínculo Documentos de Vínculos favoritos. Es muy recomendable que cada usuario genere sus propias subcarpetas y almacene en ellas sus archivos. La finalidad es doble: que no se pierdan y que no se mezclen los archivos que contienen su trabajo con los archivos propios del sistema. En estas carpetas de nivel inferior, podrá, a su vez, crear nuevas subcarpetas en las que ordenar sus documentos. Tenga en cuenta que, cuantos más archivos genere, más difícil será gestionarlos, y que establecer un criterio de ordenación con suficientes apartados es lo ideal para conseguirlo.

La tarea de crear nuevas carpetas y subcarpetas es sencilla. Al seleccionar Organizar>Nueva carpeta, se abre un nuevo icono de carpeta con el nombre predeterminado Nueva carpeta (como puede ver en la figura 2.21). Escriba el nombre del nuevo directorio y pulse **Intro** y crear la nueva carpeta.

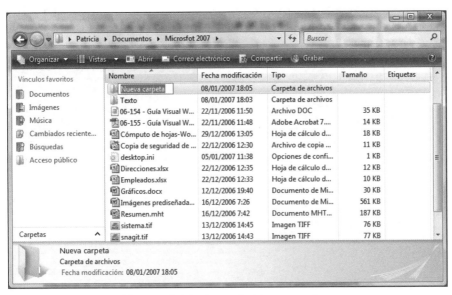

Figura 2.21. Carpeta Documentos.

Si quiere subdividir su nueva carpeta en otras que dependan de ella, repita los pasos explicados anteriormente, pero esta vez seleccionando antes la carpeta que acaba de crear. La estructura y complejidad de su sistema de archivos dependerá, sobre todo, del número y la naturaleza de los archivos que necesite clasificar.

Abrir un documento

Existen diversos métodos para abrir archivos creados con Office y guardados en el disco duro o en cualquier otro dispositivo de almacenamiento.

- Si desea abrir un archivo que acaba de guardar y no ha abierto la aplicación, haga clic en el botón **Iniciar** de Windows, seleccione **Elementos recientes** y haga clic en el documento con el que acaba de trabajar.

- Es posible que los archivos que necesita abrir estén en una subcarpeta contenida en la carpeta **Documentos**, tal como le hemos recomendado. Si es así, seleccione primero la opción **Documentos** del menú del botón **Iniciar** de Windows para poder acceder al archivo deseado. Si la estructura de sus carpetas tiene varios niveles, deberá ir seleccionando las carpetas sucesivas hasta llegar a la que le interese en cada momento.

- Una vez abierta una aplicación Office, es posible abrir otros documentos a través del menú ofrecido por el **Botón de Office** (véase la figura 2.22).

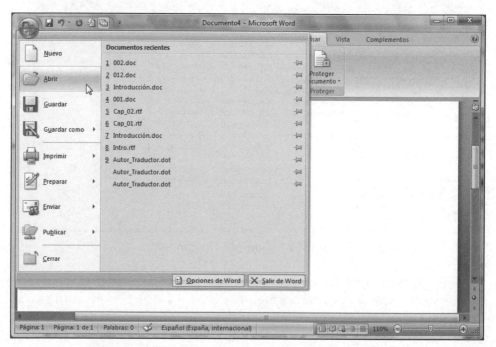

Figura 2.22. Menú ofrecido por el Botón de Office.

- La primera posibilidad es seleccionar **Abrir**, en cuyo caso se abrirá el cuadro de diálogo que lleva el mismo nombre. Si la carpeta que se abre no contiene el archivo que busca, localícelo con ayuda de los vínculos, cuadros de texto y cuadro de búsqueda del cuadro de diálogo.

Truco:

Puede iniciar directamente el cuadro de diálogo Abrir *con la sugerencia de teclas* **Control-A**.

- La segunda posibilidad es abrir el documento desde la lista de Documentos recientes que aparece en la parte derecha del menú del **Botón de Office**. Esta lista presenta, de forma predeterminada, los últimos 17 archivos abiertos, pero puede cambiar esta configuración.

Para modificar esta opción, haga clic en el botón **Opciones de [Nombre de la aplicación]** en el menú del **Botón de Office**, seleccione Avanzadas a la izquierda del cuadro de diálogo que se abre y escriba un número (o utilice las flechas) en la opción Mostrar este número de documentos recientes que se encuentra en la sección Mostrar. Por último, haga clic en **Aceptar** para cerrar el cuadro de diálogo. Desde ese momento, la opción está activada (véase la figura 2.23).

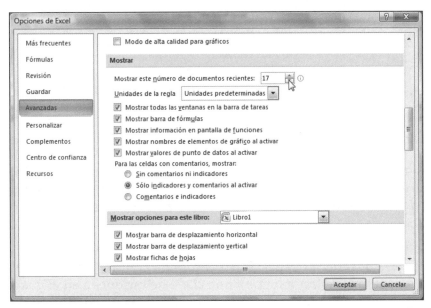

Figura 2.23. Opción Avanzadas del cuadro de diálogo Opciones de Excel.

Búsqueda de archivos

Es posible que quiera abrir un documento y no recuerde o, simplemente, no sepa dónde lo guardó. Cuando desconozca la ubicación exacta del archivo puede utilizar la opción **Buscar** del menú **Iniciar** de Windows Vista, para abrir el cuadro de diálogo mostrado en la figura 2.24.

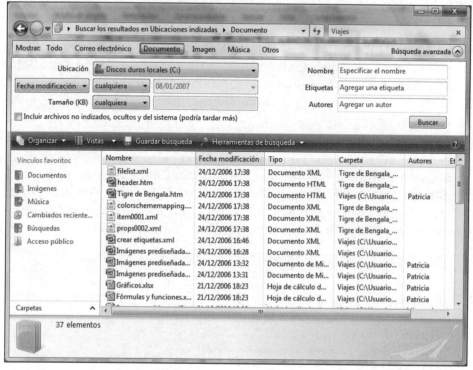

Figura 2.24. Cuadro de búsqueda con Búsqueda avanzada.

Escriba un nombre en el cuadro **Buscar** y seleccione una de las ubicaciones ofrecidas en forma de botones. Para filtrar aún más la búsqueda, haga clic en la flecha del botón **Búsqueda avanzada** y rellene los cuadros de texto como sea necesario.

Cuando haya terminado, haga clic en **Buscar**.

Si ejecuta la búsqueda desde dentro de alguna aplicación Office, utilice el cuadro de diálogo **Abrir** y escriba una clave de búsqueda en el cuadro de texto **Buscar** que se encuentra a la derecha de dicho cuadro de diálogo (véase la figura 2.25).

Guardar un documento

Para guardar archivos Office emplearemos varios métodos que dependerán de si el documento ha sido modificado y solo quiere guardar los cambios que ha efectuado o es un archivo de nueva creación y hay que guardarlo por primera vez.

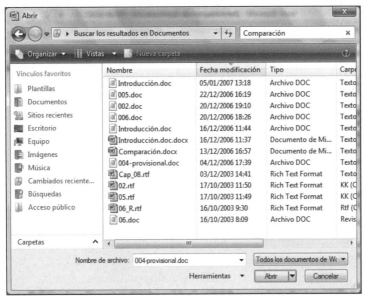

Figura 2.25. Búsqueda dentro de una aplicación de Office.

- Guardar un documento que ha sido modificado no plantea mayores problemas. Haga clic en Guardar del menú del **Botón de Office** cuando haya finalizado los cambios que desee efectuar en el archivo.

  Si desea guardar rápidamente, puede hacer clic en el botón **Guardar** de la barra de herramientas de acceso rápido o pulsar **Control-G**.

- Guardar un documento de nueva creación por primera vez o una versión, con distinto nombre, de un archivo preexistente requiere que la ejecución del comando Guardar como del menú presentado por el **Botón de Office**.

  Se abrirá un cuadro de diálogo en el que deberá especificar, en el cuadro de texto, el nombre del archivo que va a guardar (véase la figura 2.26). Observe que Office reconoce el tipo de documento que se ha generado y lo selecciona automáticamente.

Las precauciones que debe tener al guardar son tres: no olvidar darle un nombre distintivo al nuevo archivo, que guardar sobrescribe la versión anterior del documento y que al salir de las aplicaciones Office, el programa le pregunta si desea conservar los últimos cambios (acepte, si no quiere perderlos).

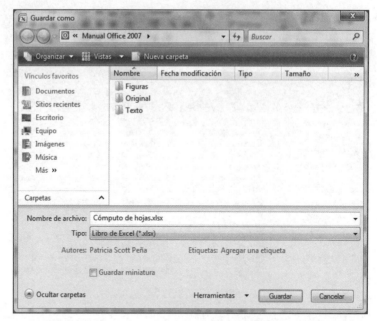

Figura 2.26. Cuadro de diálogo Guardar como.

Cerrar un documento y salir de la aplicación

Los procedimientos para cerrar archivos y salir de las aplicaciones Office son:

1. A través del comando Cerrar en el menú del **Botón de Office**.
2. Haciendo clic en el botón **Cerrar** de la ventana de documento, es decir, la cruz situada en el extremo superior derecho de la pantalla.
3. Con la sugerencia de teclas **Alt-F4**.

El hecho de cerrar una o varias ventanas de documento no significa cerrar la aplicación. Para salir de la aplicación seleccione el comando Cerrar del Botón de Office o haga clic en el botón **Salir de [Nombre de la aplicación]** del mismo menú.

Compartir información en Office

Office 2007 ofrece una completa compatibilidad entre las aplicaciones que lo integran. De hecho, la ventaja de esta clase de programas es que se puede intercambiar información entre una tipología de software muy heterogénea. Las herramientas generan documentos con distinto origen y naturaleza, aunque fácilmente integrables.

En los ejemplos de este apartado consideraremos a Microsoft Word como el receptor de información compartida entre aplicaciones Office.

Integración de archivos

Hay tres posibles métodos para intercambiar información entre las aplicaciones Office, que comparten algunas características, pero cada uno tiene un carácter diferente. Debe decidir si prefiere que los datos se actualicen automáticamente o no necesita de esa utilidad. Dichos métodos son los siguientes.

Insertar archivos o documentos

Para insertar un archivo en otra aplicación debe elegir y marcar con el punto de inserción el lugar donde desea que aparezca dicho archivo en el documento receptor. Una vez decidida la ubicación, haga clic en la flecha desplegable del botón **Insertar objeto** 🖼 del grupo Texto dentro de la ficha Insertar y seleccione Insertar texto de archivo.

Se abrirá el cuadro de diálogo Insertar archivo desde donde puede seleccionar el archivo a insertar seleccionando el archivo y haciendo clic en el botón **Insertar**. Para insertar una imagen, haga clic en el botón **Imagen** del grupo Ilustraciones en la ficha Insertar para abrir el cuadro de diálogo Insertar imagen, desde donde puede seleccionar el archivo de imagen a insertar seleccionando dicho archivo y haciendo clic en **Insertar**.

Al insertar el archivo no se crea ningún tipo de relación entre el documento insertado y el que lo recibe. De hecho, los posibles cambios que se realicen en el documento insertado no van a actualizarse de manera automática en el documento de destino.

Vincular archivos

Al vincular un archivo en un documento de una aplicación Office se crea un enlace entre ambos archivos que conlleva que cualquier modificación realizada en el archivo original se refleje de forma automática en el documento receptor. De hecho, si se hace doble clic sobre el objeto vinculado se ejecutará la aplicación con que se generó.

Podrá utilizar un método muy similar al anterior, de inserción de archivos, pero especificando que la inserción se efectúe como vínculo. La diferencia metodológica consiste en hacer clic en la flecha del botón desplegable **Insertar** de los cuadros de diálogo Insertar imagen o Insertar archivo (que hemos explicado anteriormente) y seleccionar la opción Insertar como vínculo (véase la figura 2.27).

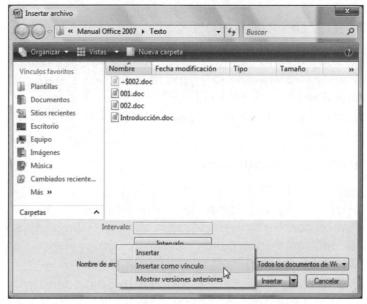

Figura 2.27. Cuadro de diálogo Insertar archivo.

Otra alternativa consiste en vincular un objeto, para lo que emplearemos el mismo botón de **Insertar objeto** del grupo Texto en la ficha Insertar que utilizamos anteriormente, pero seleccionando esta vez la opción Objeto. En la pantalla se abrirá el cuadro de diálogo representado en la figura 2.28.

Tras seleccionar la pestaña Crear desde un archivo haga clic en la tecla **Examinar** para localizar el archivo sobre el que quiere efectuar la vinculación con el documento activo. Cuando lo haya encontrado y seleccionado, active la casilla de verificación Vincular al archivo.

Si activa la casilla Mostrar como icono en el documento que contiene el vínculo, se visualizará tan solo el icono elegido como testigo del archivo vinculado. Para ver su contenido, tendrá que hacer doble clic sobre él.

Incrustar archivos

Tendrá que utilizar de nuevo el botón **Insertar objeto** del grupo Texto dentro de la ficha Insertar para abrir el cuadro de diálogo Objeto, pero esta vez, dentro de la pestaña Crear desde un archivo, no seleccione la casilla de verificación Vincular al archivo.

Tal y como ocurría al insertar archivos, las modificaciones efectuadas sobre el documento original no afectan al archivo incrustado. Para cambiar el documento incrustado, haga doble clic sobre él, y podrá disponer de las barras de herramientas y utilidades de la aplicación con que se creó, aunque la aplicación activa sea otra (en nuestro caso, Word).

Si prefiere crear el archivo a la vez que lo incrusta, utilice la pestaña Crear nuevo del cuadro de diálogo Objeto.

Figura 2.28. Cuadro de diálogo Objeto.

Capítulo 3

Microsoft Office Word 2007

En este capítulo aprenderá a:

- Iniciar Word y manejar las tareas básicas para escribir textos.
- Desplazarse por los documentos de Word.
- Seleccionar y borrar texto en los documentos de trabajo.
- Editar documentos utilizando los comandos apropiados.
- Deshacer, rehacer y repetir acciones.
- Agilizar la edición del texto con los comandos **Buscar** y **Reemplazar**.
- Corregir la ortografía y la coherencia gramatical de sus documentos.

Microsoft Office Word 2007 es el procesador de texto de Office 2007, es decir, la aplicación Office que se utiliza para redactar textos de cualquier tipo. Comenzaremos aprendiendo a abrir el programa, a generar textos y a aplicar sobre ellos procedimientos básicos de selección, copiado, pegado y búsqueda y reemplazo. Para terminar, aprenderemos a utilizar las herramientas de corrección ortográfica y gramatical que Word pone a nuestra disposición.

Iniciar Word

Ya hemos comprobado en otro capítulo del libro que existen diversos métodos para abrir Word Office 2007. El método más común es seleccionando **Todos los programas>Microsoft Office>Microsoft Office Word 2007** desde el menú **Iniciar** de Windows Vista. Tras hacer clic sobre dicha opción, se abrirá el programa con un documento activo sobre el que puede empezar a trabajar.

Con la aplicación abierta, podrá optar entre abrir algún documento previamente creado, utilizar cualquiera de las plantillas implementadas en el programa o abrir un documento en blanco, con un nombre genérico que podrá cambiar al guardarlo, como el documento que aparece activo al abrir el programa. Esta última opción es la que ejecuta el programa por de forma predeterminada.

Para abrir un nuevo documento, haga clic en la opción **Nuevo** del **Botón de Office** y seleccione la opción deseada.

Escribir texto

Punto de inserción

El punto de inserción es el lugar del documento activo donde el programa empieza a escribir el texto que el usuario teclea. Su apariencia física es una barra vertical parpadeante que, al abrir el documento, se encuentra en el extremo superior izquierdo del área de escritura.

A medida que teclea y van apareciendo las letras en el documento de trabajo, el punto de inserción se desplaza hacia la derecha, en el sentido de la escritura (véase la figura 3.1).

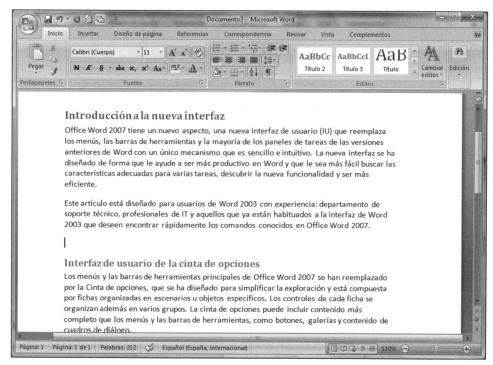

Figura 3.1. Documento de Word. El punto de inserción está sobre el titular en azul.

Si ya tiene un texto escrito, puede que necesite insertar o modificar texto en un punto determinado de la página. Para ello, lo primero que debe hacer es colocar el punto de inserción en el lugar exacto donde se requiere el cambio. Existen dos formas de realizar este desplazamiento:

- El método más sencillo para mover el punto de inserción es utilizar el ratón. Cuando el puntero del ratón se encuentra sobre el área de escritura adopta, precisamente, la forma de una barra vertical (I) igual al punto de inserción, pero sin parpadeo. Para ubicar de nuevo el punto de inserción solo debe situar el puntero del ratón en el punto exacto donde desee realizar los cambios y hacer clic con el botón izquierdo.

- También puede mover el punto de inserción utilizando el teclado. Contra lo que pueda parecer en un primer momento, este método, una vez adquirida destreza en el uso del ordenador, es el más rápido. La tabla 3.1 le facilita las diferentes teclas que pueden utilizarse para mover el punto de inserción.

Tabla 3.1. Teclas de movimiento del punto de inserción.

Pulsar	Acción
Flecha izquierda	Mover el punto de inserción un carácter a la izquierda.
Flecha derecha	Mover el punto de inserción un carácter a la derecha.
Flecha arriba	Mover el punto de inserción a la línea anterior.
Flecha abajo	Mover el punto de inserción a la línea siguiente.
Control-Flecha izda.	Mover el punto de inserción al inicio de la palabra que se encuentra a la izquierda.
Control-Flecha dcha.	Mover el punto de inserción al inicio de la palabra que se encuentra a la derecha.
Inicio	Mover el punto de inserción al principio de la línea actual.
Fin	Mover el punto de inserción al final de la línea actual.
Control-Inicio	Mover el punto de inserción al principio del documento.
Control-Fin	Mover el punto de inserción al final del documento.
AvPág	Mover el punto de inserción una ventana hacia abajo.
RePág	Mover el punto de inserción una ventana hacia arriba.

Existe, por último, un método de acceso rápido a partes específicas del documento de trabajo. Esta opción es el comando **Ir a**. Para activarlo, podrá utilizar cualquiera de estos tres métodos:

- Haciendo doble clic en el número de página, que es el primer elemento que contiene la barra de estado del programa.
- A través de la ficha Inicio. Haga clic en la flecha desplegable de Buscar y seleccione Ir a.
- Con la sugerencia de teclas **Control-I**.

El resultado, en cualquier caso, es el cuadro que aparece en la figura 3.2 que le permite decidir qué elemento (página, sección, nota al pie, etc.) y qué número de elemento le interesa. Una vez seleccionada la parte concreta a la que desea desplazarse, haga clic en la tecla **Ir a** y el punto de inserción se colocará al comienzo del elemento que se le ha indicado.

Así, en el ejemplo que vemos en la figura 3.2, el punto de inserción aparecerá parpadeante al comienzo de la página número ocho, que es el número de elemento solicitado.

Figura 3.2. Cuadro de diálogo Ir a.

Desplazamientos

Cada vez que cambia la posición del punto de inserción, éste se desplaza por el texto. Pero también puede precisar desplazarse por el documento sin tener que mover el punto de inserción. Esta posibilidad es muy interesante, por ejemplo, para consultar lo que ya ha escrito. La forma de desplazarse por el texto es utilizar las barras de desplazamiento vertical y horizontal, de las que ya hablamos en un capítulo anterior.

Los elementos que componen estas barras de desplazamiento son tres:

- **Flechas de desplazamiento:** Que aparecen en los extremos de las barras. Indican el sentido en que se desplazará el contenido de la pantalla al hacer clic sobre cualquiera de ellas. Las flechas de la barra de desplazamiento vertical mueven el documento una línea cada vez.

- **Cuadro de desplazamiento:** Es el recuadro inserto en cada una de las barras. Para desplazarlo solo tenemos que arrastrar dicho cuadro hacia un extremo u otro de la barra. Para arrastrarlo haga clic sobre él con el botón izquierdo del ratón y, sin dejar de pulsarlo, muévalo en la dirección que se desee dentro de la barra.

  Además de utilizarse para los desplazamientos por la ventana, el cuadro de la barra vertical también le informa en cada momento de la posición relativa del contenido de la ventana con respecto del resto del documento. Por ejemplo, si el cuadro está en la parte central de la barra, estará, aproximadamente, en la parte media del documento.

Truco:

Al arrastrar el cuadro a lo largo de la barra de desplazamiento vertical, Word le indica, con una sugerencia de pantalla la página en la que se encuentra en cada momento.

- Las zonas azules de las barras de desplazamiento se encuentran entre las flechas y el cuadro de desplazamiento. Cada vez que se hace clic sobre estas zonas podrá desplazarse de una pantalla a la contigua. Funciona de la misma forma que las teclas **AvPág** y **RePág**, pero sin mover el punto de inserción. Cuando se pulsa sobre una de estas zonas en la barra de desplazamiento horizontal, el cuadro de desplazamiento se sitúa bien en el extremo derecho o bien en el izquierdo.

En cualquier caso, recuerde que si se ha desplazado por el documento pero no ha movido el punto de inserción, cuando vuelva a introducir caracteres en el texto, éstos se escribirán donde está ubicado dicho punto.

Las barras de desplazamiento le serán de gran utilidad para desplazarse a través de documentos de gran tamaño y para decidir qué partes necesita editar.

Seleccionar texto

Para mover, copiar, borrar o dar formato a un texto ya escrito es preciso indicarle a Word qué parte es la que desea modificar. La edición se efectúa sobre el texto seleccionado, que aparecerá resaltado en azul. En las siguientes páginas vamos a aprender a seleccionar un texto y editarlo. Esta selección puede realizarse con el ratón, con el teclado o con la combinación de ambos. En la tabla 3.2 se muestra cómo podemos seleccionar utilizando exclusivamente el ratón.

Nota:

Al acercar el puntero del ratón a un área de selección observe que se convierte en una flecha, indicando así que se encuentra en un área o en una barra de selección. La barra de selección es la zona que se encuentra más allá del margen izquierdo del documento.

Tabla 3.2. Seleccionar texto con el ratón.

Objeto de la selección	Método de selección
Una palabra	Haga doble clic sobre la palabra que quiera seleccionar. Haga clic de forma rápida con el botón izquierdo del ratón.

Objeto de la selección	Método de selección
Varias palabras y/o letras contiguas	Coloque el punto de inserción en cualquiera de los extremos del conjunto a seleccionar. Pulse el botón izquierdo del ratón y, sin soltarlo, arrástrelo hasta el otro extremo. Cuando llegue al final, suelte el botón.
Una frase	Pulse la tecla **Control** al mismo tiempo que hace un solo clic sobre cualquier palabra de la frase.
Una línea	Sitúe el puntero del ratón en el margen izquierdo de la línea que desea seleccionar (barra de selección) y haga clic cuando el puntero se convierta en una flecha.
Varias líneas	Arrastre con el ratón hacia abajo o hacia arriba desde la barra de selección, para escoger las líneas que desee.
Un párrafo	Haga triple clic rápidamente sobre cualquiera de las palabras del párrafo o bien doble clic desde la barra de selección.
Varios párrafos	Sitúese en la barra de selección, haga doble clic y arrastre el ratón hacia arriba o hacia abajo.
Varios párrafos no contiguos	Seleccione el primero como acabamos de ver. Pulse después la tecla **Control** y siga seleccionando el resto de párrafos de su interés.
Un gráfico	Haga clic sobre él.
Un bloque vertical	Pulse la tecla **Alt** al mismo tiempo que hace clic, para situar el punto de partida del bloque, y arrastre el ratón.
El documento completo	Haga triple clic desde la barra de selección.

Para seleccionar con el teclado, utilice las sugerencias de teclas que se le han facilitado en la tabla 3.1 manteniendo, al mismo tiempo, pulsada la tecla **Mayús**. El bloque se extenderá desde el punto de inserción hasta el lugar que delimite con la combinación elegida. Por ejemplo, si pulsa **Mayús-Control-Fin**, extenderá la selección desde el punto de inserción hasta el final del documento.

Tenga en cuenta que cuanto mayor sea el tamaño del documento y del texto a seleccionar puede resultarle muy útil combinar el ratón con el teclado. De hecho, si desea marcar un bloque de grandes dimensiones, varias páginas, por ejemplo, lo mejor será que utilice el teclado. Para ello, haga clic en uno de los extremos del texto que desea seleccionar. Localice posteriormente el otro extremo utilizando las técnicas de desplazamiento descritas anteriormente, pero sin mover el punto de inserción. Mantenga pulsada la tecla **Mayús** y haga clic en el extremo final de la selección que desea realizar.

Si necesita añadir o suprimir parte del texto seleccionado, mantenga la tecla **Mayús** pulsada y marque las nuevas dimensiones del bloque de texto a seleccionar.

Nota:

Si quiere seleccionar todo el texto por medio del teclado, la sugerencia de teclas que debe pulsar es **Control-E.**

Borrar texto

Entre los métodos de edición de texto más usuales se encuentra el de borrado. Para llevarlo a cabo, Word dispone de diversas opciones.

Si desea eliminar unos pocos caracteres, utilice la tecla **Retroceso**, que borra uno a uno los caracteres a la izquierda del punto de inserción, o la tecla **Supr**, que borra el carácter situado a la derecha del punto de inserción.

Sin embargo, si lo que quiere es borrar grandes cantidades de texto, estos métodos son lentos. Deberá, en primer lugar, seleccionar el bloque que desea eliminar y, a continuación, pulsar cualquiera de las teclas que le acabamos de presentar: **Retroceso** o **Supr**.

Observe que al eliminar texto, Word suprime el espacio que ocupaba el texto borrado y coloca el que estaba a continuación en su lugar.

Tenga en cuenta que si tiene seleccionado un bloque y sigue escribiendo, Word elimina el texto seleccionado y lo reemplaza con el nuevo.

Cortar, copiar y pegar

Al trabajar con documentos, en muchas ocasiones precisará mover textos de un lugar a otro o, incluso, copiarlos para que aparezcan en varios lugares del mismo documento. Puede volver a escribirlos, pero Word le permite ahorrar esfuerzo y tiempo gracias a los comandos Cortar, Copiar y Pegar.

Nota:

Para que los comandos Cortar *y* Copiar *sean operativos debe tener texto seleccionado.*

El comando Cortar elimina el texto seleccionado y lo coloca en el Portapapeles para su posterior uso. Copiar lo copia, sin que desaparezca de la pantalla y también lo guarda en el Portapapeles. Pegar precisa que haya algún elemento archivado en el Portapapeles para poder insertarlo en el texto cuando se ejecuta. Puede acceder a estos comandos de diversas formas:

- Utilizar los botones **Cortar**, **Copiar** y **Pegar** del grupo Portapapeles en la ficha Inicio (véase la figura 3.3).

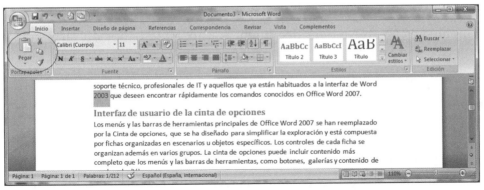

Figura 3.3. Botones Cortar, Copiar y Pegar en el grupo Portapapeles de la ficha Inicio.

- Utilizar las teclas de sugerencia **Control-X**, **Control-C** y **Control-V** para los comandos Cortar, Copiar y Pegar respectivamente.
- Hacer clic con el botón derecho del ratón sobre la selección y seleccionar los comandos Cortar, Copiar o Pegar del menú contextual.

Para copiar un texto siga estos pasos:

1. Seleccione el texto que desea copiar.
2. Utilice uno de los métodos de copia descritos anteriormente (hacer clic en **Copiar** del grupo Portapapeles en el menú Inicio, utilizar la suge-

rencia de teclas **Control-C** o utilizar el menú contextual). El texto se copiará en el **Portapapeles** sin desaparecer de la ubicación original.

3. Sitúe el punto de inserción donde desee copiar el texto.

4. Utilice uno de los métodos de pegar descritos anteriormente (hacer clic en **Pegar** del grupo **Portapapeles** en el menú **Inicio**, utilizar la suge-rencia de teclas **Control-V** o utilizar el menú contextual). El texto se pegará en su nueva ubicación.

Si lo que precisa es mover un texto:

1. Seleccione el texto que desea mover.

2. Utilice uno de los métodos de cortar descritos anteriormente (hacer clic en **Cortar** del grupo **Portapapeles** en el menú **Inicio**, utilizar la suge-rencia de teclas **Control-X** o utilizar el menú contextual). El texto pa-sará al **Portapapeles** y desaparecerá de la pantalla.

3. Sitúe el punto de inserción donde desee mover el texto.

4. Seleccione uno de los métodos de **Pegar** descritos anteriormente. El texto pasará del **Portapapeles** a su nueva ubicación.

También es posible mover documentos utilizando la opción "arrastrar y colocar". Para ello:

1. Seleccione el texto que desea mover.

2. Haga clic sobre el bloque y, sin soltar el botón izquierdo del ratón, arras-tre el texto al lugar donde desee desplazarlo.

3. El puntero del ratón adopta una nueva forma: a la flecha se le añade un cuadrado en la esquina inferior derecha.

4. Cuando decida el lugar al que va a desplazar el bloque, suelte el ratón. El texto sigue seleccionado por si necesita volver a moverlo.

5. Para terminar, haga clic para situar el punto de inserción en el punto donde requiera seguir introduciendo texto.

Ya hemos visto que el comando **Pegar** se utiliza para colocar texto en una nueva posición dentro del documento. Pero también puede utilizar dicho comando para reemplazar un texto por otro. Para ello solo tiene que se-leccionar en un bloque el texto que quiere sustituir y pegar encima el que haya copiado o cortado con anterioridad.

Al ejecutar **Pegar**, Office 2007 presenta el botón **Opciones de pegado**, que le permite seleccionar cómo se va a efectuar el pegado y aplicar los forma-tos y estilos que desee.

Ya conoce una de las herramientas más comunes entre los programas diseñados para un entorno Windows y, claro está, para las aplicaciones integradas en Office. Se trata del **Portapapeles**, cuya función consiste en almacenar todo aquello seleccionado por el usuario con los comandos **Cortar** y **Copiar**. Puede memorizar texto, imágenes, gráficos o cualquier otro elemento presente en el documento activo, hasta un número máximo de 24 elementos. Cuando necesite insertar alguno de estos elementos en su documento solo tiene que seleccionarlo en el panel de tareas del **Portapapeles** haciendo clic sobre él (véase la figura 3.4).

Figura 3.4. Panel de tareas Portapapeles en Word con elementos en su interior.

El texto se pegará donde esté ubicado el punto de inserción.

Para abrir dicho panel, puede seguir cualquiera de estos métodos:

- Hacer clic en el Iniciador de cuadro de diálogo del grupo **Portapapeles** en la ficha **Inicio**.
- Pulsar **Alt-O** y, posteriormente, **Alt-F-O**.

Nota:

Para eliminar un elemento del Portapapeles, seleccione el elemento, haga clic en el botón de flecha desplegable que aparece a su derecha y seleccione **Eliminar***.*

Deshacer, rehacer y repetir

Después de manipular un documento repetidas veces, puede suceder que se equivoque o que no quede del todo satisfecho con el resultado. En estos casos, el programa le permite deshacer las acciones ejecutadas que no sean de su agrado.

Si necesita deshacer la última acción realizada, seleccione el botón **Deshacer** de la barra de herramientas de acceso rápido o pulse **Control-Z**. Si lo que desea es volver a ejecutar lo que acaba de deshacer, haga clic en el botón **Rehacer** de la barra de herramientas de acceso rápido o pulse **Control-Y**.

El comando **Rehacer** solo estará activo si, previamente, ha deshecho alguna acción con el comando **Deshacer**. Si por el contrario no ha ejecutado con anterioridad dicho comando el nombre de su botón cambiará por el de **Repetir** y la flecha circular cambiará por una flecha inversa al del botón **Deshacer**. Como su nombre indica, este comando repite tantas veces como necesite las últimas acciones llevadas a cabo en el documento.

Puede emplear los comandos **Deshacer** y **Rehacer** aplicados a varias acciones, no solo a la última ejecutada. Al hacer clic en la flecha desplegable de dichos botones, podrá seleccionar diversas acciones para deshacer o rehacer.

Buscar y reemplazar

Independientemente del tamaño del documento que esté creando, en ocasiones puede resultarle necesario localizar determinadas palabras o conjuntos de caracteres. Quizá necesite consultar lo que ha escrito hasta un determinado momento o quiera reemplazar algunos términos. Para estos casos, Word le ofrece herramientas que hacen innecesaria la lectura de todo el documento. Estas herramientas son los comandos Buscar y Reemplazar del grupo Edición en la ficha Inicio.

El comando Buscar permite localizar prácticamente cualquier elemento en el documento, ya sean unas letras, una palabra completa o un conjunto de ellas. Puede ejecutarlo siguiendo uno de estos métodos:

• Seleccione la ficha Inicio y haga clic en la flecha desplegable de **Buscar** para seleccionar Buscar o haga clic en el icono **Reemplazar**.

- Pulse las teclas **Control-B** y seleccione la ficha Buscar o la ficha Reemplazar.

En ambos casos se abrirá el cuadro de diálogo Buscar y reemplazar (véase la figura 3.5). Recuerde que para poder ver este cuadro ampliado debe hacer clic en el botón desplegable **Más**.

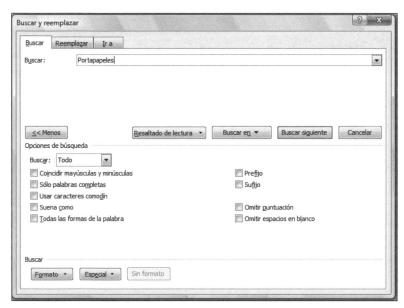

Figura 3.5. Cuadro de diálogo Buscar y reemplazar ampliado.

Los pasos que puede seguir a la hora de realizar una búsqueda son, básicamente, los siguientes:

1. Una vez abierto el cuadro de diálogo, escriba el texto que desea localizar en el cuadro de texto Buscar.

2. Seleccione el ámbito y la dirección del procedimiento en las Opciones de búsqueda. La opción que aparece de forma predeterminada para la búsqueda es todo el documento, pero puede elegir que lo haga hacia delante o hacia atrás. Si opta por hacerlo hacia delante, buscará desde el punto de inserción hasta el final del documento. Si selecciona hacia atrás, lo hará desde el punto de inserción hasta el principio del documento.

   En cualquier caso, si no busca en todo el documento, cuando llegue al final o al principio, respectivamente, le pedirá confirmación para seguir buscando en la parte no escrutada.

3. Elija las opciones de búsqueda que considere necesarias para que el resultado de la búsqueda se ajuste lo más posible a lo que realmente busca. Puede, por ejemplo, pedir que localice solo palabras completas o que tengan determinado formato.

4. Cuando haya terminado de definir las especificaciones de la búsqueda, haga clic en **Buscar siguiente** para que comience la búsqueda.

Truco:

*Si desea ver resaltada la aparición del texto en todo el documento y facilitarle así su localización, haga clic en el botón **Resaltado de lectura** y seleccione* Resaltar todo.

Cada vez que Word encuentre el texto solicitado, detendrá el proceso y le mostrará el resultado seleccionado. Si desea continuar buscando, haga clic de nuevo de nuevo en **Buscar siguiente**. En caso contrario, puede detener la búsqueda haciendo clic en **Cancelar** o cerrar el cuadro de diálogo con el botón **Cerrar**.

Cuando no haya más resultados que mostrar, aparecerá un nuevo cuadro de diálogo informándole de que se ha llegado al final del documento.

En caso de que no encuentre ninguna aparición del texto introducido por el usuario, Word le informará de que, después de examinar todo el documento, no se ha encontrado el modelo facilitado.

El comando Reemplazar utiliza el mismo cuadro de diálogo, pero con la pestaña Reemplazar activada. Se diferencia de la pestaña Buscar en que añade un nuevo cuadro de texto, Reemplazar con, en el que podrá escribir el texto con el que desea reemplazar el texto buscado.

Truco:

Si desea abrir directamente el cuadro de diálogo Buscar y reemplazar *con la ficha* Reemplazar *abierta, utilice la sugerencia de teclas **Control-L**.*

Una vez que Word haya encontrado el texto buscado, puede ejecutar cuatro acciones, dependiendo de lo que quiera hacer (véase la figura 3.6).

1. Hacer clic en el botón **Reemplazar** para sustituir esa instancia del texto por el texto contenido en el cuadro Reemplazar con.

2. Hacer clic en **Reemplazar todo**, si lo que desea es que el cambio se produzca en todas las apariciones del contenido del cuadro Buscar.

3. Hacer clic en **Buscar siguiente** en el caso de que no quiera modificar el texto localizado pero quiera encontrar más instancias del mismo.

4. Hacer clic en el botón **Cancelar** para cerrar el cuadro de diálogo sin haber hecho ninguna sustitución.

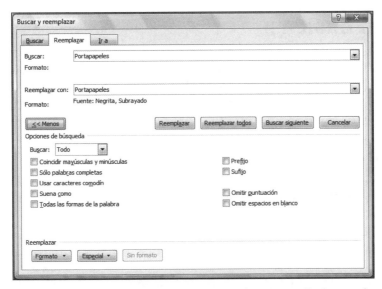

Figura 3.6. Cuadro de diálogo Buscar y reemplazar ampliado con la pestaña Reemplazar en primer término.

Uso de caracteres comodín

Al realizar una búsqueda, conviene restringir los criterios con que se hace, para que los resultados se correspondan con los deseados. Si define las condiciones que debe cumplir la búsqueda, localizará exclusivamente las apariciones que le interesan. Esa es la ventaja de realizar búsquedas avanzadas, en las que puede incluir no solo texto, sino también formatos, estilos, coincidencia de mayúsculas y minúsculas, etc.

De hecho, es posible que solo le interese buscar formatos. Si es así, utilice el botón desplegable **Formato**, gracias al cual podrá seleccionar desde la fuente hasta el idioma del texto que busca.

También puede necesitar la lista que le ofrece el botón **Especial**, en la que puede seleccionar caracteres no imprimibles (como la marca de nota al pie o la marca de párrafo).

Una de las opciones más interesantes es la opción Usar caracteres comodín. Al seleccionar esta casilla de verificación y hacer clic en el botón **Especial**, se mostrarán los caracteres comodín que puede utilizar junto a su descripción. Así, por ejemplo, si escribe **per@o** en el cuadro de texto Buscar y selecciona Usar caracteres comodín, el resultado podrá ser "pero" o "perro".

Teclas básicas

Hemos ido presentándole algunas sugerencias de teclas que automatizan las tareas más habituales de Word. Estas combinaciones son viables en todas las aplicaciones integradas en Office 2007. Por ello, conviene que conozca estos métodos abreviados para ejecutar algunos comandos.

Lo habitual es que en un ordenador se introduzcan los caracteres que conforman el documento a través del teclado. Esa es la razón por la que resulta más rápido utilizar estos métodos que acceder a ellos a través de los distintos grupos o fichas. En la tabla 3.3 le presentamos una relación de las más importantes:

Tabla 3.3. Principales comandos ejecutables mediante sugerencias de teclas.

Combinación de teclas	Acción ejecutada
Control-A	Abrir el cuadro de diálogo Abrir.
Control-G	Guardar un documento con el mismo nombre que tenía o, en caso de no haberlo guardado con anterioridad, abrir el cuadro de diálogo Guardar como para guardarlo con un nombre.
Control-P	Imprimir un documento. Abre el cuadro de diálogo Imprimir en el que puede elegir sus opciones de impresión.
Control-Z	Deshacer la última acción ejecutada. Puede repetir la operación cuantas veces precise hasta que el texto quede en el estado original deseado.
Control-Y	Rehacer solo la última acción ejecutada.
Control-X	Cortar la selección.
Control-C	Copiar la selección al Portapapeles.
Control-Mayús-C	Copiar el formato de la selección para aplicarlo en otro sitio.

Combinación de teclas	Acción ejecutada
Control-V	Pegar desde el Portapapeles.
Control-E	Seleccionar todo el documento.
Control-B	Abrir el cuadro de diálogo Buscar.
Control-L	Abrir el cuadro de diálogo Reemplazar.
Control-I	Abrir el cuadro de diálogo Buscar y reemplazar con la ficha Ir a activa.
F1	Abre la Ayuda de Microsoft Office Word.
F7	Activa la corrección ortográfica y gramatical.
Mayús-F1	Abre el panel Mostrar formato.
Control-F1	Minimiza y maximiza la cinta de opciones.
Alt	Muestra las teclas correspondientes a las distintas opciones de la cinta de opciones.

Corrección ortográfica y gramatical

Word ha incorporado potentísimas herramientas con el fin de evitar, en lo posible, faltas ortográficas y gramaticales. Con este fin, incluye opciones que van desde revisar la ortografía mientras se escribe, hasta personalizar sus propios diccionarios.

Para señalar los posibles errores detectados en el documento, Word emplea líneas onduladas de subrayado: el subrayado en rojo para los errores ortográficos, el subrayado en verde para los gramaticales y el subrayado en azul para los errores de contexto. Mientras escribe, algunas palabras o expresiones aparecerán automáticamente subrayadas con alguno de estos colores.

Utilice el menú contextual (haciendo clic con el botón derecho del ratón sobre la palabra resaltada) y comprobará que el programa le ofrece sugerencias para que solucione el error. Dichas opciones aparecen en la parte superior del menú contextual y, si decide hacer uso de alguna de ellas, solo tiene que seleccionarla con el ratón para que cambie la palabra escrita en el documento. Sin embargo, también es posible que prefiera omitirlo, en cuyo caso no tiene más que pasar por alto la indicación.

Si prefiere que Word no subraye los errores ortográficos y gramaticales, solo tiene que desactivar esta opción. Para ello:

1. Haga clic en el **Botón de Office** y, a continuación, en Opciones de Word.
2. En el cuadro de diálogo Opciones de Word, seleccione Revisión en el panel izquierdo (véase la figura 3.7).

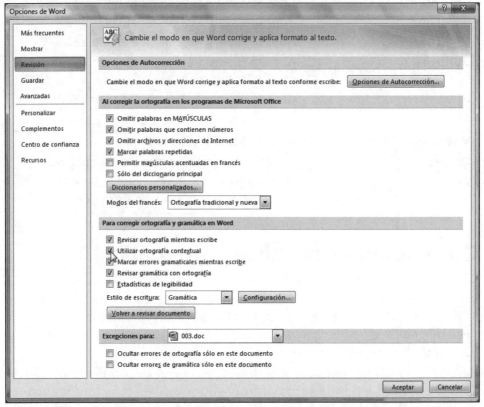

Figura 3.7. Cuadro de diálogo Opciones de Word con la opción Revisión activada.

3. En el cuadro del panel derecho, puede seleccionar o anular la selección de las opciones deseadas.
4. Escoja la solución que más le interese y pulse el botón **Aceptar** para que sean operativas. Si cierra el cuadro de diálogo sin aceptar, los cambios que haya realizado no serán efectivos.

Ortografía y gramática

Este comando puede ejecutarse desde el grupo Revisión de la ficha Revisar o pulsando la tecla **F7**. Al activarlo, Word recorre el contenido del documento y abre el cuadro de diálogo Ortografía y gramática en cuanto encuentra el primer error (véase la figura 3.8).

Figura 3.8. Cuadro de diálogo Ortografía y gramática mostrando un error ortográfico.

Si el texto no tuviera ningún error, se abriría un cuadro de diálogo informando que la revisión ortográfica ha finalizado. Si es así, pulse el botón **Aceptar** para poder seguir trabajando con el documento.

Pero lo normal es que Word resalte los posibles errores detectados. Veremos cómo funciona el cuadro de diálogo representado en la figura 3.8 en el caso de los errores ortográficos, puesto que con los errores gramaticales se comportan de manera muy similar.El error ortográfico localizado se visualiza en el cuadro No se encontró. Y las sugerencias de cambio aportadas por el diccionario del programa aparecen en el cuadro Sugerencias.

Si la solución propuesta es adecuada, la seleccionaremos y haremos clic en el botón **Cambiar** para que efectúe la sustitución. Si comprueba que ese error puede repetirse a lo largo del documento, deberá hacer clic en el botón **Cambiar todas**, de forma que todas las apariciones se sustituyan automáticamente.

En caso de que las opciones propuestas por el programa no le satisfagan, puede elegir entre:

- Hacer clic en el botón **Omitir una vez** si lo que quiere es que la palabra no cambie y Word siga buscando errores.
- Hacer clic en el botón **Omitir todas** si desea que la palabra no se modifique y que no se vuelva a mostrar como error en el documento activo.

- Hacer clic en el botón **Agregar al diccionario** si prefiere que la palabra se añada, tal cual aparece en el texto, al diccionario para que Word no vuelva a considerarla un error ni en el documento activo ni en ningún otro.

- Si considera que es un error pero Word no le ofrece ninguna alternativa para cambiarlo, usted mismo puede editar el error en el cuadro No se encontró y, una vez modificado, hacer clic en el botón **Cambiar** (si es solo para esa aparición) o **Cambiar todas** (si desea que se sustituya en todo el documento).

El cuadro de Ortografía y gramática proporciona otras opciones que le van a permitir ejecutar diferentes acciones:

- El botón **Autocorrección** hace que Word incluya la palabra no encontrada y la solución que se le ha dado en la tabla de autocorrección. En sucesivas ocasiones, el error se solucionará automáticamente de la misma forma que se ha hecho en ese caso.

- El botón **Opciones** abre un cuadro de diálogo con opciones avanzadas para que sea el propio usuario el que configure sus preferencias en la corrección de errores ortográficos y gramaticales.

- El botón **Deshacer** le permite deshacer la última acción realizada con el cuadro de diálogo.

- El botón **Cancelar** cierra el cuadro de diálogo y le devuelve al documento, dando por terminada la revisión ortográfica y gramatical.

Autocorrección

Word le ofrece la posibilidad de realizar correcciones automáticas de algunos errores producidos al teclear, que puede personalizar a su gusto. Por ejemplo, al escribir la palabra **cno**, la herramienta de autocorrección la sustituye de manera automática por **con**, y lo mismo ocurre con **qeu**, que se transforma en **que**.

Para configurar sus propias opciones de autocorrección, haga clic en el **Botón de Office**, a continuación en el botón **Opciones de Word** y seleccione Revisión en el panel izquierdo del cuadro de diálogo para poder ejecutar el comando Opciones de Autocorrección que se encuentra en la sección Opciones de Autocorrección en el panel derecho (véase la figura 3.9).

El cuadro de diálogo que se abrirá le va a permitir, por ejemplo, que la primera letra de una oración aparezca siempre en mayúsculas, o personalizar la relación de textos que quiere que Word reemplace automáticamente mientras escribe, etc.

Truco:

*Puede configurar la autocorrección de manera que le permita evitar tener que teclear los mismos términos una y otra vez. Será un atajo ingenioso con el podrá ahorrar tiempo si crea una entrada de autocorrección que sustituya, por ejemplo, **qa** por **Querido amigo/a**.*

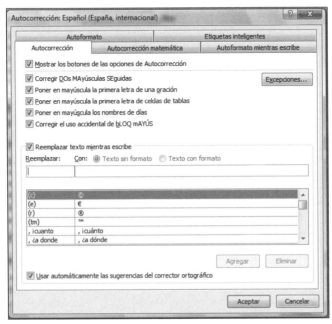

Figura 3.9. Cuadro de diálogo Autocorrección.

Capítulo 4

Formato de documentos

Ya hemos analizado las operaciones básicas del procesador de texto Word que podemos aplicar sobre los documentos generados con este programa. Hemos aprendido a escribir, a editar los documentos copiando y moviendo texto y a corregir errores ortográficos y gramaticales.

En este capítulo nos ocuparemos de cómo dar formato a textos, párrafos, páginas y documentos extensos. Utilizaremos herramientas tan interesantes como las plantillas o los estilos.

El destino final de los archivos creados con Word suele ser su impresión en papel, para lo que es recomendable que escriba el texto sin formatos para después darle el aspecto deseado y modificarlo cuantas veces sea necesario. Introduzca primero el contenido y ocúpese después de la apariencia. Con este fin, Microsoft Word dispone de una serie de opciones: formato de párrafo, disposición en columnas, etc. que le permitirán realizar estas tareas de manera automática. Por ejemplo, no pulse **Intro** cuando llegue al final de la línea de escritura, a no ser que desee introducir un punto y aparte, de esta manera el texto fluye de una línea a otra directamente.

Formatos de texto

Los caracteres son los elementos básicos que constituyen un texto: letras, signos de puntuación, etc. En este apartado aprenderemos a cambiar su aspecto y cuáles son las características de las fuentes (tamaños, estilos, tipos).

Tenga en cuenta que las opciones de formato que ejecute sobre los caracteres se aplican al texto seleccionado previamente. Si no selecciona ningún texto previamente, el nuevo formato se aplicará al texto que escriba a partir de ese momento.

Fuentes o tipos de letra

Una fuente es un conjunto de caracteres que tienen un estilo y tamaño común que la distingue del resto de las colecciones de fuentes. No olvide que al cambiar de estilo (cursiva, negrita, etc.) o de tamaño, la fuente cambia directamente aunque siga utilizando el mismo tipo de letra. Para mejorar su presentación, un texto puede contener diferentes tipos de letra. En este libro hemos utilizado distintas fuentes para el texto normal y los títulos.

Los pasos para cambiar la fuente de un texto escrito son:

* Seleccionar el texto cuya fuente desea modificar. El bloque selecciona-do aparecerá resaltado. Si todo el bloque seleccionado utiliza la misma fuente, verá su nombre en el cuadro Fuente del grupo Fuente dentro de la ficha Inicio. En caso de que en el texto haya más de una fuente, dicho cuadro aparecerá en blanco.

* Haga clic en el botón desplegable que hay junto al cuadro Fuente y apa-recerá una lista con las distintas fuentes disponibles por orden alfabético.

* Seleccione la fuente que desee aplicar al texto, utilizando, si es preciso, la barra de desplazamiento vertical hasta encontrar la que más le guste.

Asimismo, puede emplear el cuadro de diálogo Fuente que se abre al ha-cer clic en el **Iniciador de cuadro de diálogo** del grupo del mismo nom-bre en la ficha Inicio. Dicho cuadro aparece en la figura 4.1. La principal ventaja de utilizar este cuadro de diálogo es que se incluye un cuadro de Vista previa en la parte inferior y en el que puede visualizar el aspecto de las distintas fuentes disponibles y los efectos que pueden aplicarse sobre ellas antes de seleccionar una fuente definitivamente.

Figura 4.1. Cuadro de diálogo Fuente.

La fuente por defecto de Word 2007 Calibri (Cuerpo). Sin embargo, puede preferir otro tipo de letra para que aparezca al empezar a escribir todos sus documentos. En ese caso, deberá predeterminar la fuente por defecto. Para ello, siga estos pasos:

1. En el cuadro de diálogo Fuente, seleccione el nombre de la fuente que desea configurar como predeterminada en el cuadro de lista Fuente.

2. Haga clic en el botón **Predeterminar** que se encuentra en la parte inferior izquierda del cuadro.

3. El programa le pedirá su confirmación para que, a partir de ese momento, sea esa la opción predeterminada de fuente.

4. Haga clic en **Sí** y luego en **Aceptar**.

Tamaño de fuente

Además del tipo de letra, en el cuadro de diálogo Fuente puede seleccionar el tamaño de los caracteres que va a emplear para redactar el documento. Para cambiar el tamaño de una fuente, puede hacerlo en el cuadro de lista Tamaño, que puede ver en la figura 4.1, utilizando la barra de desplazamiento vertical, si los valores que aparecen no le satisfacen.

Pero también puede seleccionarlo desde el cuadro de lista Tamaño de fuente que se encuentra en el grupo Fuente de la ficha Inicio.

Estilo de fuente

El estilo de fuente se refiere a las características que se utilizan para conseguir que parte del texto resalte de determinada manera respecto al resto del documento. Word incorpora los estilos Normal, Negrita, Cursiva, Negrita Cursiva del cuadro de lista Estilo de fuente en el cuadro de diálogo Fuente, además de diferentes estilos de subrayado (subrayado simple, doble, solo palabras, etc.) que se encuentran en el cuadro de lista Estilo de subrayado del mencionado cuadro de diálogo.

Asimismo, en el grupo Fuente de la ficha Inicio encontrará diversos botones para aplicar estilos, como **N** (para aplicar negrita), **K** (para aplicar cursiva), **S** (para aplicar subrayado), etc. Los botones que se muestran son los que aplican los estilos más usuales y puede combinarlos entre sí como desee. Tenga en cuenta que, si utiliza el botón **Subrayado**, aplicará el estilo de subrayado sencillo. Para ejecutar otros estilos y colores de subrayado, utilice el cuadro de diálogo Fuente.

Si el texto seleccionado responde al estilo de cualquiera de los botones del grupo Fuente, el botón aparecerá resaltado. Puede anular dicho estilo haciendo clic de nuevo sobre el botón o botones que desee desactivar.

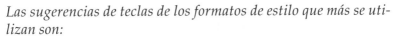

Truco:

Las sugerencias de teclas de los formatos de estilo que más se utilizan son:

Combinación	Estilo
Control-N	Negrita
Control-K	Cursiva
Control-S	Subrayado

Otras características de las fuentes

Además de los estilos, a través del cuadro de diálogo Fuente podrá seleccionar desde los efectos de fuente, su color y resaltado, el espacio entre caracteres o, incluso, los efectos animados del texto.

Efectos, color y resaltado de fuente

Los efectos de fuente se seleccionan entre una relación de casillas de verificación en las que puede seleccionar las que más se ajusten a sus necesidades. Puede escoger más de un efecto, aunque algunos son incompatibles entre sí. Por ejemplo, un carácter no puede ser superíndice y subíndice al mismo tiempo. Los efectos que ofrece Word 2007 son:

- Tachado: Dibuja una línea simple a lo largo del texto seleccionado.
- Doble tachado: Traza una línea doble sobre el texto seleccionado con anterioridad.
- Superíndice: Eleva los caracteres seleccionados sobre la línea base y los cambia a un tamaño de fuente menor.
- Subíndice: Coloca los caracteres seleccionados por debajo de la línea base y los cambia a un tamaño de fuente menor.
- Sombra: Agrega una sombra al texto seleccionado a la derecha y bajo el texto.
- Contorno: Resalta los bordes externo e interno de cada carácter.
- Relieve: Hace que el texto seleccionado se visualice dando la sensación de relieve.
- Grabado: Hace que el bloque resaltado parezca grabado.
- Versales: Aplica el formato de mayúsculas a los caracteres en minúsculas que estén seleccionados y los cambia a una fuente de menor tamaño.

- Mayúsculas: Aplica el formato de mayúsculas a los caracteres en minúsculas que estén seleccionados pero sin cambiarlos a otra fuente.

- Oculto: Impide que el bloque seleccionado y marcado como tal aparezca o en la pantalla o en la copia en papel. Para mostrar el texto oculto en pantalla, haga clic en el **Botón de Office** y, a continuación, en **Opciones de Word**. Seleccione Mostrar en el panel izquierdo y seleccione la casilla de verificación Texto oculto que se encuentra en la sección Mostrar siempre estas marcas de formato en la pantalla del panel derecho. Para imprimir el texto oculto, dentro del mismo cuadro de diálogo de opciones, seleccione Texto oculto en la sección Opciones de impresión del panel derecho tras seleccionar Mostrar en el panel izquierdo.

Nota:

Por último, tenga en cuenta que en el grupo Fuente *de la ficha* Inicio, *el comando* **Cambiar mayúsculas y minúsculas** *también le permite aplicar distintos efectos de fuente combinando mayúsculas y minúsculas.*

El color de fuente permite modificar el color de los caracteres. Esta acción puede ejecutarse bien desde el cuadro de diálogo Fuente o bien desde el correspondiente botón del grupo Fuente en la ficha Inicio.

El botón para cambiar el color de los caracteres se denomina **Color de fuente** y su icono contiene una letra A en mayúsculas subrayada con el color seleccionado de forma predeterminada (rojo). La flecha que se encuentra a su lado permite desplegar una paleta de colores donde podrá elegir un color nuevo o personalizarlo a su gusto. En ese momento, la línea bajo la A pasa al color.

Por último, el color de resaltado de texto permite destacar el texto seleccionado aplicándole un color de fondo distinto al del resto. Se crea un efecto similar al producido al pasar un rotulador marcador sobre el papel. Dicho comando se encuentra disponible a través del botón **Color de resaltado del texto** que se encuentra en el grupo Fuente de la ficha Inicio. Al igual que sucede con el botón **Color de fuente**, una flecha a su lado despliega una paleta de colores donde podrá seleccionar otro, con lo que cambiará el aspecto del botón.

Advertencia:

No olvide que, si utiliza una impresora en blanco y negro, las características de color que haya aplicado sobre el texto se mostrarán, en el documento impreso, con distintas tonalidades de gris.

Espacio entre caracteres

La pestaña Espacio entre caracteres del cuadro de diálogo Fuente le permitirá determinar el espacio entre caracteres y su posición relativa. Por ejemplo, si le interesa aumentar el espacio entre caracteres, no necesitará teclear espacios en blanco entre las distintas letras. Bastará con seleccionar la opción Expandido de la lista desplegable Espaciado, pudiendo incluso ajustar los puntos de separación en el cuadro En.

Quizá necesite que algunas palabras aparezcan por encima de la línea de base, pero sin que disminuya el tamaño de la fuente (lo que lograríamos con el efecto Superíndice); en tal caso, seleccione el texto que desea modificar y elija la opción Elevado del cuadro de lista desplegable Posición.

Efectos de animación

En Office Word 2007 no se pueden aplicar efectos de animación. Sin embargo, los efectos de animación aplicados al texto de una versión anterior de Word sí se pueden ver en Office Word 2007. Para ello:

1. Abra un documento con efectos de texto creados en una versión anterior de Word.
2. Seleccione el texto que contenga el efecto de animación que desee utilizar y pulse **Control-C**.
3. Abra un nuevo documento o haga clic en el documento de Word 2007 donde desee activar el efecto de animación de texto.
4. Pulse **Control-V** para pegar el texto donde desee continuar usando el mismo efecto de animación de texto.

Formatos de párrafo

Hasta el momento hemos aprendido a manipular el aspecto de los caracteres, de forma independiente o en el conjunto de una selección. En las páginas que siguen, comprobará la utilidad del correcto manejo de la unidad de párrafo.

En Word, un párrafo es la porción de texto escrita entre dos pulsaciones de la tecla **Intro**. Para optimizar la presentación de sus documentos, podrá dar formato a los párrafos que los componen utilizando características como la alineación, las sangrías, el espaciado entre ellos y el interlineado o, incluso, los saltos de página.

Para dar formato a un párrafo, no es preciso seleccionarlo, basta con colocar el punto de inserción en su interior. Aunque, si desea que el cambio se extienda a varios párrafos, sí tendrá que seleccionar, al menos, parte del texto de dichos párrafos (véase la figura 4.2).

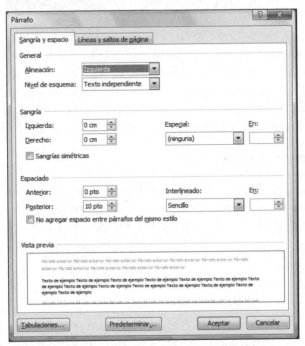

Figura 4.2. Cuadro de diálogo Párrafo.

Alineación

Si escribe un párrafo de varias líneas comprobará que el lado izquierdo está perfectamente alineado, mientras el derecho no. Esto sucede porque el programa tiene activada, de forma predeterminada, la opción de alinear a la izquierda.

Microsoft Word permite alinear un párrafo a la izquierda, a la derecha, centrarlo o justificarlo. Como para casi todas las operaciones de este procesador, existen diversos métodos para ejecutar la misma acción. Puede hacerlo mediante los botones **Alinear texto a la izquierda**, **Centrar**, **Alinear texto a la derecha** o **Justificar** del grupo Párrafo en la ficha Inicio. También puede seleccionar estas opciones en el cuadro de lista desplegable Alineación del cuadro de diálogo Párrafo, que se abre haciendo clic en el botón **Iniciador de cuadro de diálogo** del mismo grupo.

Las diferencias entre las distintas opciones de alineación son las siguientes:

- La alineación de texto a la izquierda solo alinea el lado izquierdo del texto y, como hemos visto, es la que aparece activada de forma predeterminada al empezar a escribir un documento.

- La alineación de texto a la derecha es la opuesta a la izquierda. Alinea el texto en el margen derecho del documento.

- La alineación centrada ajusta el texto en el centro del documento, dejando espacios iguales a ambos lados de las líneas.

- La alineación justificada alinea tanto el margen derecho como el izquierdo del texto. Para ello, el programa ajusta el espacio entre las palabras de cada línea. Es la opción más habitual.

Truco:

Las sugerencias de teclas para alinear párrafos son:

Combinación	Acción
Control-Q	Alinear texto a la izquierda.
Control-T	Centrar texto.
Control-D	Alinear texto a la derecha.
Control-J	Justificar texto.

Sangrar un párrafo

En Word, cuando se habla de sangría, se hace referencia a los espacios en blanco, de determinada medida, que se incluyen de forma automática a los lados de un párrafo. Dichos espacios pueden configurarse a gusto del usuario.

Cada página tiene un espacio entre los límites del papel y el espacio reservado para el texto. Esta área se denomina margen. Por el contrario, las sangrías son espacios que se encuentran dentro del espacio reservado para el texto.

Si la sangría se encuentra a la izquierda, puede elegir entre la más habitual, sangría de primera línea, o sangría francesa (que separan del margen todas las líneas excepto la primera). Si la opción seleccionada en el cuadro de lista desplegable Especial es Ninguna, todas las líneas del párrafo comenzarán a la misma distancia respecto del margen. La distancia vendrá determinada por los centímetros que el usuario seleccione en los cuadros de Sangría, que le permiten decidir las dimensiones de los espacios en blanco a ambos lados del texto, izquierdo y derecho.

Para configurar las sangrías de los párrafos en su documento, siga estos pasos:

- Sitúe el punto de inserción en el párrafo al que desea aplicar una sangría.

- Haga clic en el botón **Iniciador de cuadro de diálogo** del grupo Párrafo dentro de la ficha Inicio.

- Defina los centímetros que deben tener las sangrías, haciendo uso de las flechas ascendente y descendente colocadas a la derecha de las casillas Izquierda o Derecho dentro de la sección Sangría, que utilizará dependiendo de si desea asignar la sangría a un lado, al otro o a los dos (en cuyo caso definirá el tamaño de sangría en ambas casillas).

- En la lista desplegable Especial, elija si quiere una sangría Primera línea, Francesa o Ninguna. Los centímetros que ocuparán los definirá en el cuadro En.

- En el cuadro Vista previa puede comprobar el resultado de cada una de las operaciones que ejecuta. Cuando haya configurado las sangrías, haga clic en el botón **Aceptar** para que Word asigne los valores seleccionados.

Otra forma, más rápida aunque permite menos capacidad de configuración al usuario, para realizar las sangrías son los botones **Disminuir sangría** y **Aumentar sangría** del grupo Párrafo en la ficha Inicio, que reducen o aumentan tan solo la sangría general izquierda.

Por último, es posible determinarlas directamente sobre el texto utilizando las marcas de sangría (en forma de flechas) presentes en la regla: **Sangría de primera línea** y **Sangría francesa**, en el extremo superior izquierdo de la regla, además de **Sangría izquierda** y **Sangría derecha**, a sendos lados de la regla. (Estos botones tienen forma de rectángulos hacia arriba o hacia abajo en la regla.)

Espacio entre párrafos e interlineado

Es cierto que puede separar párrafos entre sí pulsando varias veces la tecla **Intro**, pero no es recomendable. La solución adecuada, si lo que quiere es aumentar el espacio entre párrafos es hacerlo a través de la sección Espaciado del cuadro de diálogo Párrafo.

El cuadro de texto **Anterior** le permite indicar, en puntos, la distancia con el párrafo anterior. **Posterior** se emplea de la misma forma, aunque respecto del párrafo posterior. Tenga en cuenta que si un párrafo tiene un espacio posterior y el siguiente lo tiene anterior, se separarán sumando ambos espacios.

Decida las distancias que desea fijar haciendo uso de las flechas junto a los cuadros de diálogo y compruebe el resultado en el cuadro **Vista previa** antes de hacer clic en **Aceptar**.

El interlineado permite determinar el espacio entre líneas y puede modificarse a través de la opción **Interlineado** del cuadro de diálogo **Párrafo**. Las opciones del cuadro de lista al desplegarse son las siguientes:

- **Sencillo**: Opción predeterminada de Word; proporciona un interlineado ligeramente superior a la fuente de mayor tamaño utilizada en cada línea.

- **1,5 líneas**: Consigue un interlineado de tamaño aproximado 1,5 veces el sencillo.

- **Doble**: Es el doble del interlineado sencillo.

- **Mínimo**: Indica el interlineado mínimo que puede utilizarse en el párrafo. Si, por el tamaño de la fuente, el interlineado no fuera suficiente, se incrementará de manera automática hasta ajustarlo.

- **Exacto**: Es de tamaño fijo y se puede configurar con el cuadro **En**. A diferencia de la anterior opción, si el interlineado no es suficiente para mostrar el texto, lo corta por la parte superior.

- **Múltiple**: Ajusta el interlineado al porcentaje indicado en el cuadro **En**.

Nota:

*También puede utilizar el menú desplegable del botón **Interlineado** que se encuentra en el grupo **Párrafo** del menú **Inicio** para modificar las opciones de interlineado y espaciado rápidamente o acceder al cuadro de diálogo **Párrafo**.*

Tabulaciones

Word le proporciona la posibilidad de configurar las tabulaciones de sus documentos de forma exhaustiva. Por ello, no le será necesario utilizar la barra espaciadora para alinear o separar textos.

El uso más sencillo de los tabuladores es pulsar la tecla **Tab**. Cada vez que lo hace, el punto de inserción se desplaza a la derecha hasta la posición predeterminada en la regla.

En muchas ocasiones, será necesario utilizar las opciones avanzadas de tabulación que le ofrece el programa. Con este fin, podrá optar entre utilizar la regla o el comando **Tabulaciones** del menú Párrafo, que abrirá el cuadro de diálogo Tabulaciones.

Tipos de tabulaciones

Microsoft Word dispone de los siguientes tipos de tabulaciones:

- Izquierda: Se utiliza para los datos alfabéticos. Tabula los datos introducidos alineándolos a la izquierda, es decir, el texto tabulado se sitúa a la derecha del tabulador.

- Derecha: Se emplea para datos alfanuméricos, sin decimales. Tabula los datos introducidos alineándolos a la derecha, es decir, el texto tabulado se sitúa a la izquierda del tabulador.

- Decimal: Utilizado para datos alfanuméricos con decimales. Tabula los datos introducidos alineándolos a la izquierda de la coma que determina el inicio de los decimales, es decir, el texto tabulado se sitúa a la izquierda de la coma decimal.

- Centrada: Sirve para introducir datos alfanuméricos que se desea centrar alrededor del tabulador, es decir, el texto se inserta a derecha e izquierda del tabulador.

- Barra: Inserta una barra vertical en la posición de la tabulación. No se utiliza para posicionar el texto.

Uso de las tabulaciones

Desde la regla

Para crear las tabulaciones desde la regla, debe seguir los tres pasos que se indican a continuación:

1. Seleccione los párrafos a los que afectará la tabulación.

2. Decida el tipo de tabulador que va a utilizar. Para ello, haga clic en el cuadro de tabulaciones, situado a la izquierda de la regla, hasta que se muestre el tipo que desea incluir.

   El tabulador predeterminado es el izquierdo, representado por una L dentro del cuadro de tabulaciones. Si hace clic una vez sobre él, se activa el tabulador centrado (representado por una T invertida); si vuelve a hacer clic, se activa el derecho (simbolizado por una L girada sobre su eje vertical); si lo vuelve a hacer, se activa el tabulador decimal (similar al derecho pero con un punto a la derecha).

3. Haga clic en los lugares de la regla donde quiere situar los tabuladores.

Para conseguir un buen resultado en la asignación de tabulaciones, conviene que los párrafos a los que afecta dicha tabulación se hayan escrito con una sola pulsación de la tecla **Tab** cada vez que necesite separar los textos.

Si precisa modificar la situación de los tabuladores introducidos, seleccione el texto al que afecta cada tabulador y arrastre su marca en la regla hasta la nueva posición. Para eliminar la tabulación, arrástrela fuera de la regla y el texto se adaptará a las marcas de tabulación que permanecen.

Desde el cuadro de diálogo Tabulaciones

Asimismo, puede configurar los tabuladores desde el cuadro de diálogo Tabulaciones, que se abre al hacer clic en el botón **Tabulaciones** del cuadro de diálogo Párrafo (véase la figura 4.3).

Figura 4.3. Cuadro de diálogo Tabulaciones.

Los pasos en esta ocasión serán:

• Como en el caso anterior, debe tener seleccionados los párrafos a los que afectará la nueva tabulación.

• En el cuadro Posición deberá indicar la posición en que desea crear el tabulador. Después, en el cuadro Alineación, seleccione el tipo que desea utilizar. Para que la creación sea efectiva, debe hacer clic en el botón **Fijar**. Una vez creado, el tabulador aparecerá en la lista de tabuladores activos situada bajo el cuadro Posición.

- Si desea eliminar alguno de los tabuladores, selecciónelo de la lista Posición y haga clic en el botón **Eliminar**. Si lo que quiere es borrarlos todos, haga clic en el botón **Eliminar todas**.

- Finalmente, para aplicar los cambios, pulse **Aceptar**.

La única opción accesible a través del cuadro de diálogo Tabulaciones que no puede utilizar con la regla es la de rellenar el espacio existente entre los textos tabulados. Como puede observar en la figura 4.3, el grupo Relleno le ofrece distintas posibilidades para que los grupos de datos aparezcan separados como desee.

Numeración y viñetas

Uno de los métodos más utilizadas para destacar diversos párrafos consiste en utilizar viñetas y listas numeradas. Se trata de la solución más indicada para resaltar una serie de puntos (viñetas) o una secuencia de pasos numerados. En este manual hemos utilizado esta opción en diversas ocasiones.

En el grupo Párrafo de la ficha Inicio se encuentran los botones **Numeración**, **Lista multinivel** y **Viñetas**, que le permitirán aplicar de manera rápida las opciones predeterminadas de Word para las listas numeradas, las listas de varios niveles y las listas con viñetas. Recuerde seleccionar primero en un bloque el texto sobre el que ejecutarán estas acciones.

Sin embargo, si prefiere personalizar los formatos que desea aplicar, haga clic en el botón de lista desplegable de cada uno de estos botones y seleccione una de las opciones ofrecidas en la galería o haga clic en Definir nuevo formato de número, Definir nueva lista multinivel o Definir nueva viñeta para abrir el cuadro de diálogo específico para cada opción (como el de la figura 4.4). Seleccione el formato que más le guste y haga clic en **Aceptar**.

Juegue cuanto quiera con las posibilidades que le ofrece el programa a la hora de insertar estos formatos, pero tenga en cuenta estas recomendaciones básicas:

- Si desea aplicar viñetas y numeraciones sobre párrafos previamente escritos, selecciónelos primero.

- Si escribe en un documento en el que ha seleccionado una viñeta o numeración y pulsa la tecla **Intro** al final, el siguiente párrafo mantendrá el mismo formato.

- Puede utilizar varios niveles de numeración y viñetas con el nuevo botón de **Lista multinivel**.

- Para modificar un nivel ya aplicado sobre el texto escrito, sitúe el punto de inserción al principio del párrafo en cuestión y pulse la tecla **Tab**. El programa reconocerá el cambio y aplicará el formato resultante.

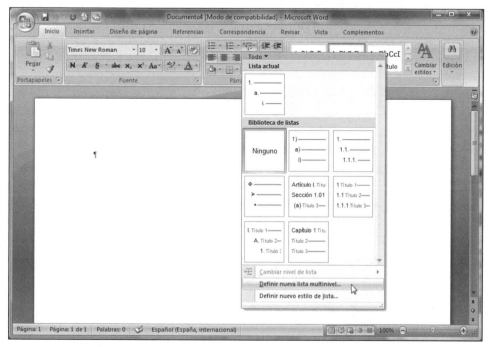

Figura 4.4. Menú desplegable del botón Lista multinivel.

Truco:

*También puede cambiar el nivel de un párrafo colocando el punto de inserción sobre él y utilizando los botones que ya conoce: **Aumentar sangría** y **Disminuir sangría** que se encuentran en el mismo grupo de la ficha* Inicio *que los botones de numeración y viñetas.*

Bordes y sombreados

Otra de las posibilidades de resalte de párrafos en Word es aplicarles bordes y sombreados. Los bordes son líneas que enmarcan un párrafo para destacarlo del resto. Dichas líneas pueden configurarse tanto por su estilo, color y ancho como por el número de líneas que pueden aparecer (cuadro entero, solo bordes laterales, etc.).

Los sombreados son tramas uniformes o colores que sirven de fondo para los textos enmarcados por los bordes.

Los bordes y sombreados de párrafo se aplican desde las respectivas fichas del cuadro de diálogo **Bordes y sombreados** (véase la figura 4.5) que se abre al seleccionar dicha opción del menú desplegable del botón **Borde** del grupo **Párrafo** en la ficha **Inicio**. Los cuadros de **Vista previa** de cada pestaña le permiten comprobar el resultado de las opciones que está seleccionando.

Figura 4.5. Cuadro de diálogo Bordes y sombreado con la pestaña Bordes activa.

Coloque el punto de inserción en el párrafo que va a enmarcar y seleccione los valores, estilos y demás opciones que precise utilizar. Cuando esté a su gusto, haga clic en **Aceptar** para aplicar los cambios.

Puede aplicar bordes y sombreado no solo sobre los párrafos, sino también sobre partes de texto, palabras e, incluso, caracteres.

Truco:

*Puede acceder a los bordes directamente desde el menú desplegable del botón **Bordes**. Haga clic en dicho botón y seleccione la opción deseada de la galería de formatos. El aspecto del icono del botón cambiará dependiendo de la opción seleccionada.*

En el cuadro de diálogo **Bordes y sombreado** aparece también la pestaña **Borde de página**. En esta ficha podrá seleccionar bordes que se aplicarán sobre la página donde se encuentre situado el punto de inserción en ese momento. Las opciones de configuración son similares a las de los bordes de párrafo.

Posición relativa de los párrafos

La pestaña **Líneas y saltos de página** del cuadro de diálogo **Párrafo** (que se abre al hacer clic en el botón **Iniciador de cuadro de diálogo** del grupo **Párrafo** en la ficha Inicio) permite configurar la posición relativa de los párrafos con respecto al resto del texto (véase la figura 4.6). Las opciones ofrecidas son:

- **Control de líneas viudas y huérfanas**: Impide que Word pueda imprimir la última línea de un párrafo en la parte superior de una página nueva (línea viuda) o la primera línea de un párrafo en la parte inferior de una página (línea huérfana).
- **Conservar con el siguiente**: Fuerza a que el párrafo en cuestión aparezca en la misma página que el que le sigue.
- **Conservar líneas juntas**: Evita que un párrafo pueda dividirse en dos páginas.
- **Salto de página anterior**: Permite que un párrafo aparezca siempre al comienzo de una página.

Formatos de página

Después de conocer los procedimientos fundamentales para aplicar formato al texto y a los párrafos en que se dispone, nos ocuparemos ahora de cómo preparar las páginas de nuestro documento.

Las características de las que vamos a tratar a continuación tienen que ver con los formatos que aplicamos a dichas páginas: márgenes, encabezados y pies, etc.

Aprenderemos a configurar las páginas Word de manera que nuestros documentos se beneficien de todas sus posibilidades. Tenga en cuenta que para visualizar correctamente algunos formatos de página en pantalla debe activar la vista **Diseño de impresión** haciendo clic en el botón correspondiente en la parte derecha de la barra de tareas.

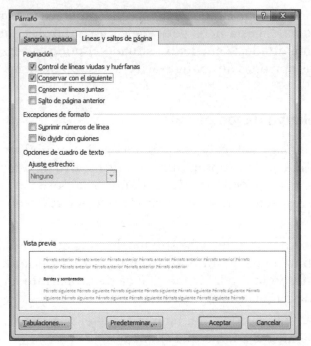

Figura 4.6. Cuadro de diálogo Párrafo con la pestaña Líneas
y saltos de página activa.

Secciones

Por lo general, todas las páginas de un mismo documento utilizan el formato de página que haya determinado el usuario. No obstante, si desea
que una parte del documento contenga otros formatos de página, como,
por ejemplo, márgenes distintos, deberá crear distintas secciones. Por lo
tanto, una sección es una parte del documento que tiene formatos diferentes a los del resto.

Para crear una sección, coloque el punto de inserción en el lugar donde
desee introducirla y seleccione el comando deseado de la sección Saltos
de sección desde el menú de lista desplegable del botón **Saltos** que se
encuentra en el grupo Configurar página de la ficha Diseño de página.

Debe escoger atendiendo a si desea que la nueva sección comience en la
página siguiente, en la posición donde se encuentra el punto de inserción
en ese momento, en una nueva página par o en una nueva página impar.

Cuando haya creado las distintas secciones, podrá aplicar los formatos de
página que le convengan para cada una de ellas.

Advertencia:

De forma predeterminada, cuando crea una sección, esta tomará los formatos de la sección anterior. Cuando selecciona y borra un texto que contenía la marca de un salto de sección, la marca de sección desaparece y el contenido que pudiera no haber sido borrado pasa a la sección anterior, adoptando sus características de forma automática.

Saltos de página

Cuando el texto no cabe en una página, Word inserta automáticamente un salto de página. Pero quizá le interese forzar saltos de página de forma manual.

Para ello, seleccione el comando apropiado de la sección Saltos de página desde el menú de lista desplegable del botón **Saltos** que se encuentra en el grupo Configurar página de la ficha Diseño de página (véase la figura 4.7).

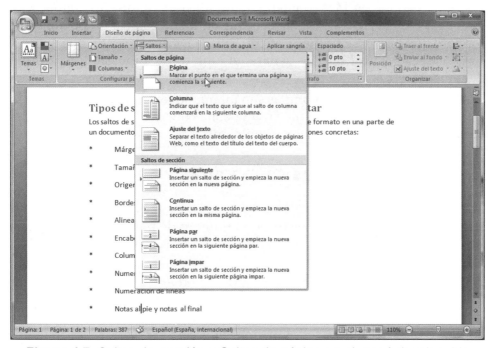

Figura 4.7. Saltos de sección y Saltos de página en el menú desplegable del botón Saltos.

Al insertar un salto de página, el texto situado a partir del punto de inserción pasa a la página siguiente. Tenga en cuenta que insertar un salto de página no equivale a crear una nueva sección, por lo que no podrá usar formatos de página distintos.

Truco:

*La sugerencia de teclas para crear un salto de página rápidamente es **Control-Intro**.*

Columnas

La mayoría de los documentos elaborados con Word presentan una única columna. Pero, en ocasiones, puede necesitar utilizar más de una columna en su texto.

Para introducir columnas, haga clic en el menú desplegable del botón **Columnas** del grupo Configurar página en la ficha Diseño de página y seleccione una de las opciones ofrecidas. Si desea aplicar más columnas, seleccione la opción Más columnas para abrir el cuadro de diálogo Columnas (véase la figura 4.8). Especifique en dicho cuadro las opciones de formato que desea: su número, ancho y espaciado entre ellas, que aparezca una línea vertical que las separe, el ámbito de aplicación dentro del documento, etc.

Word considera que las columnas son un nuevo formato de página, por lo que si desea aplicarlas tan solo en una zona concreta del documento, deberá crear primero una sección donde ubicarlas.

Encabezados y pies de página

Puede que desee que sus documentos muestren en todas sus páginas contenidos repetidos: el título, el autor, el número de página, etc. La ventaja de utilizar encabezados y pies de página es que solo tendrá que escribirlos una vez.

Para crearlos utilice los comandos correspondientes de la ficha Insertar dentro del grupo Encabezado y pie de página. Para insertar un número de página, haga clic en el menú desplegable del comando **Número de página** y seleccione una de las opciones propuestas o haga clic en la opción Formato del número de página para abrir el cuadro de diálogo Formatos de los números de página. Para insertar un encabezado, seleccione una de las opciones propuestas por el menú desplegable del botón **Enca-bezado** y para insertar un pie de página, haga clic en el menú desplegable del botón **Pie de página**.

En todos los casos, Word abrirá las Herramientas de encabezado y pie de página con la ficha Diseño activa, desde donde puede seleccionar o anular la selección de las opciones propuestas, e inserta un recuadro en la parte superior e inferior del documento indicando la zona del encabezado y del pie de página como puede ver en la figura 4.9.

Figura 4.8. Menú desplegable del botón Columnas.

Para pasar al pie de página, haga clic en el botón **Ir al pie de página**. Tras escribir el contenido del pie de página, puede hacer clic en el botón **Cerrar encabezado y pie de página** para que se apliquen los cambios realizados.

Los encabezados y pies de página suelen utilizarse para incluir información como los números de página, el número total de ellas, la fecha, etc. Puede hacerlo utilizando las opciones ofrecidas en las Herramientas de encabezado y pie de página o en el grupo Encabezado y pie de página de la ficha Insertar. En cualquier caso, no olvide que puede aplicar formato a los textos del encabezado y pie de página de la misma forma que a cualquier otro texto.

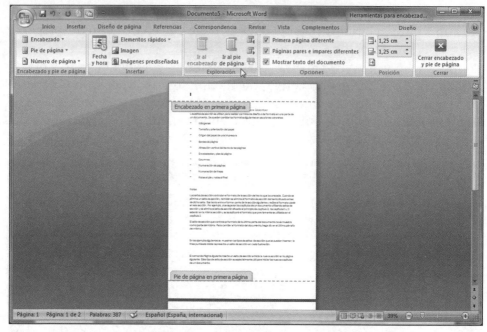

Figura 4.9. Documento preparado para introducir el contenido del encabezado y del pie de página.

Configurar página

El cuadro de diálogo Configurar página, que se abre al hacer clic en el **Iniciador de cuadro de diálogo** del grupo Configurar página en la ficha Diseño de página, le permite especificar características del documento, como los márgenes o el diseño del papel.

Márgenes y opciones de papel

El margen de una página es el espacio que existe entre los límites físicos del papel y el área reservada para el texto. Word le va a permitir configurar el tamaño de los márgenes del documento: superior, inferior, derecho e izquierdo. Para ello, pulse en las flechas ascendentes y descendentes de los cuadros cuyos valores desea modificar en el cuadro de diálogo Configurar página o seleccione uno de los proporcionados en el menú desplegable del botón **Márgenes** del grupo Configurar página en la ficha Diseño de página (véase la figura 4.10).

El cuadro de diálogo Configurar página le permite seleccionar opciones avanzadas como Encuadernación, si lo que quiere es dejar márgenes adicionales para la posterior encuadernación de las páginas impresas, o Márgenes simétricos, si lo que necesita es aplicar distintos márgenes para las páginas pares e impares.

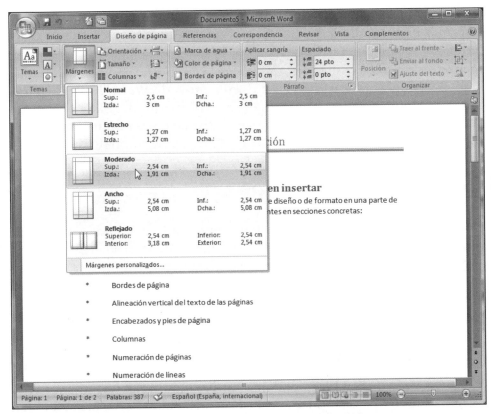

Figura 4.10. Menú desplegable del botón Márgenes.

El cuadro desplegable Aplicar a le va a permitir ejecutar las opciones de configuración seleccionadas a todo el documento (opción predeterminada), a la sección en la que está el punto de inserción (si es que la ha creado previamente), o a partir del lugar donde se halla en ese momento dicho punto.

En cuanto al papel, en la misma pestaña podrá definir si la orientación que desea usar es vertical u horizontal. La opción que elija afectará tanto a lo que visualice en la pantalla como al documento impreso.

La pestaña Papel le va a permitir no solo establecer el tamaño de las hojas sobre las que va a imprimir el documento sino también las bandejas de origen y algunas opciones de impresión como, por ejemplo, la impresión a doble cara.

Diseño de página

La pestaña Diseño del cuadro de diálogo Configurar página le servirá para especificar opciones como la distancia de los encabezados y pies de página respecto de los bordes de la página. Asimismo, podrá decidir que, al imprimir el documento, las líneas aparezcan numeradas y también el intervalo de dicha numeración (cada dos líneas, cada cinco).

Si, tras los cambios realizados, desea que la configuración que ha establecido sea la que utilicen todos sus documentos de Word, haga clic en el botón **Predeterminar**, que se encuentra en el cuadro de diálogo Configurar página. El programa le pedirá su confirmación para que, a partir de ese momento, sea esa la opción predeterminada del formato de página.

Documentos extensos

Cuando se encuentra trabajando con documentos muy grandes, puede que necesite utilizar algunas herramientas especiales para su mejor manipulación. Algunas consistirán en agrupar las características de formatos que se repiten con frecuencia. Otras tendrán como misión facilitar la localización de los temas contenidos en el texto. Todas ellas están orientadas a simplificar el trabajo utilizando mecanismos que permitan automatizar las tareas repetitivas.

Estilos y plantillas

Ya hemos visto que en Word podemos utilizar múltiples técnicas para dar formato a todo tipo de unidad, desde el carácter aislado hasta la totalidad de páginas de un documento. Es posible que algunas partes del texto (títulos, ejemplos, etc.) tengan siempre el mismo aspecto. Para evitar repetir una y otra vez las mismas características de formatos en secciones no contiguas del documento, el programa permite que asocie, puntualmente, varios de estos formatos en estilos de párrafo y plantillas de documento.

Estilos de párrafo

Los estilos de párrafo agrupan las características de los diversos tipos de párrafos utilizados en un documento. En la elaboración de este libro, habrá observado algunos rasgos comunes en párrafos diseminados a lo largo de todas sus páginas. Por ejemplo, todas las advertencias, notas y trucos comparten características que los distinguen del resto del texto; y todos los títulos tienen el mismo tipo de letra y tamaño de fuente.

Word 2007 le ofrece un grupo específico de Estilos dentro de la ficha Inicio que le facilitará enormemente su manejo. La novedad con respecto a versiones anteriores de Word reside en que simplemente con señalar con el puntero del ratón el estilo de la galería de estilos, podrá visualizar en el propio texto la apariencia de dicho estilo antes de seleccionarlo.

Estilos predefinidos

Word ofrece algunos estilos predefinidos. En el grupo Estilos puede ver dichos estilos desplazándose con ayuda de la barra de desplazamiento vertical del grupo o haciendo clic en el botón de flecha desplegable para ver la galería de estilos rápidos y acceder a otras opciones. Para aplicar un estilo predeterminado a párrafos del documento, selecciónelos y elija el estilo desde esta galería de estilos rápidos.

Crear y modificar estilos

Si prefiere crear un estilo nuevo y añadirlo a la galería de estilos rápidos, aplique las características que le interesa que contenga el estilo sobre un párrafo cualquiera. A continuación, haga clic en el botón desplegable de la galería de estilos rápidos y seleccione la opción Guardar selección como un nuevo estilo rápido. Se abrirá un cuadro de diálogo Crear nuevo estilo a partir del formato donde podrá decidir el nombre, características y ámbito de aplicación del nuevo estilo escribiendo dichas características en las opciones mostradas al hacer clic en **Modificar**. Efectúe las modificaciones deseadas y haga clic en **Aceptar** para aplicarlas (véase la figura 4.11).

Si lo que necesita es modificar un estilo ya creado, no tiene más que seleccionarlo de la lista de formatos del panel de tareas Estilos. Haga clic en la flecha desplegable que aparece a la derecha de su nombre y elija la opción Modificar. Se abrirá el cuadro de diálogo Modificar el estilo, donde podrá especificar los cambios que va a realizar respecto del estilo originario. Al seleccionar un estilo del panel Estilos, la flecha desplegable que aparece también le permite eliminarlo o agregarlo o quitarlo de la galería de estilos rápidos. Asimismo, podrá seleccionar con un solo clic todas las apariciones de dicho estilo, que el programa tiene contabilizadas en la primera línea del desplegable, siempre que el estilo en cuestión haya sido utilizado.

Nota:

*Para abrir el panel de tareas Estilos, haga clic en el botón **Iniciador de cuadro de diálogo** del grupo Estilos en la ficha Inicio.*

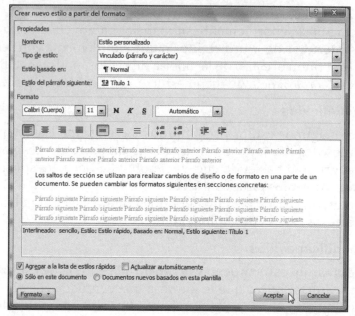

Figura 4.11. Cuadro de diálogo Crear nuevo estilo a partir del formato.

Plantillas de documentos

Las plantillas son un tipo especial de documento (con extensión `.DOT`) que contienen los elementos comunes a un grupo de documentos. Son el modelo que permite conseguir un aspecto homogéneo en los documentos generados con él.

Plantillas predefinidas

La instalación típica de Word contiene diversas plantillas predefinidas. De forma predeterminada, la plantilla de Word 2007 se denomina `Normal.dot`. El cuadro de diálogo que se abre al hacer clic en el **Botón de Office** y, posteriormente, en la opción Nuevo, le permite explorar las distintas secciones que clasifican los modelos disponibles.

Todas las aplicaciones Office tienen una batería de plantillas. Word 2007 puede acceder a varias colecciones tanto del equipo como de Microsoft Office Online. Seleccione una de las secciones del panel izquierdo, seleccione uno de los elementos propuestos en el panel derecho y podrá visualizar su apariencia en el cuadro de Vista previa. En la sección En blanco y reciente, Word tiene activa de forma predeterminada la plantilla Documento en blanco (véase la figura 4.12).

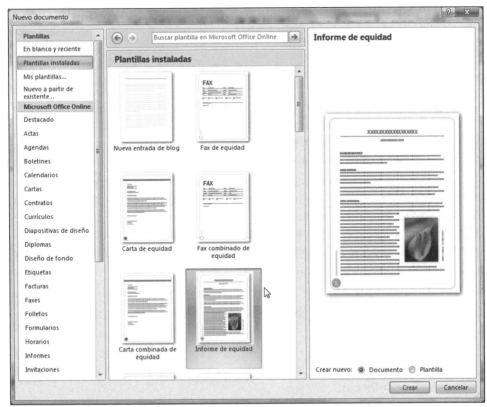

Figura 4.12. Cuadro de diálogo Nuevo documento con la sección Plantillas instaladas seleccionada y mostrando la plantilla Informe de equidad.

El cuadro de diálogo Nuevo documento le permite crear un documento utilizando las plantillas ya existentes en su ordenador o las que se ofrecen en el potente servicio de ayuda de Microsoft Office Online.

Crear una plantilla

La utilidad de crear su propia plantilla es evidente: generar un modelo personalizado para sus futuros documentos. La creación de plantillas sigue un procedimiento muy similar al de la creación de documentos. Consiste en tres pasos:

1. Crear un documento que le sirva como plantilla, puede ser nuevo o estar basado en uno existente con anterioridad.
2. Incluir los elementos y formatos que contendrá la plantilla.
3. Guardar la plantilla con un nombre. Debe seleccionar Guardar como del menú ofrecido por el **Botón de Office** y, tras escribir un nombre

para la plantilla, seleccionar la opción Plantilla de Word (.dotx) en el cuadro de lista Tipo.

Bloques de creación

Los bloques de creación son partes reutilizables de contenido u otras partes del documento que se almacenan en galerías. Es posible tener acceso a dichos bloques y volver a utilizarlos en cualquier momento. También pueden guardarse y distribuirse con las plantillas.

Para almacenar texto o gráficos que desea volver a utilizar, como una cláusula de contrato estándar o una lista de distribución extensa, puede utilizar Autotexto, un tipo de bloque de creación. Cada una de las selecciones de texto o gráficos se almacena como un elemento de Autotexto en el Organizador de bloques de creación y se le asigna un nombre único que facilita la localización del contenido.

Para crear un bloque de creación de contenido reutilizable siga estos pasos:

1. Seleccione el texto o el gráfico que desee guardar como bloque de creación reutilizable.

2. Para guardar el formato, incluyendo la sangría, la alineación, el interlineado y la paginación, con el elemento, debe incluir la marca de párrafo en la selección.

Nota:

*Para abrir o cerrar la presentación de las marcas de párrafo haga clic en el botón **Mostrar todo** del grupo Párrafo en la ficha Inicio o pulse la sugerencia de teclas **Control-(.***

3. Haga clic en el botón desplegable de **Elementos rápidos** en el grupo Texto de la ficha Insertar y seleccione Guardar selección en una galería de elementos rápidos.

4. Escriba un nombre descriptivo en el cuadro de diálogo Crear nuevo bloque de creación, seleccione la galería en la que desea que aparezca el bloque de creación, una categoría (o cree una nueva), escriba una descripción del bloque y seleccione el nombre de la plantilla en la lista Guardar en.

5. En la lista Opciones, seleccione Insertar contenido en su propia página para que el bloque de creación se sitúe en una página distinta. Se-

leccione Insertar contenido en su propio párrafo para el contenido que no debe formar parte de otro párrafo, aun cuando el cursor del usuario se encuentre en medio de un párrafo. Utilice Insertar sólo contenido para el resto del contenido.

Para organizar los bloques de creación de contenido reutilizable, seleccione la opción Organizador de bloques de creación del menú desplegable del botón **Elementos rápidos** en el grupo Texto de la ficha Insertar. Esta opción se utiliza para agilizar editar las propiedades de un bloque de creación, eliminarlo o insertarlo (véase la figura 4.13).

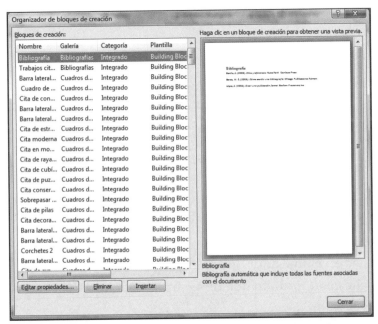

Figura 4.13. Organizador de bloques de creación.

Nota:

*Para insertar un bloque de creación, haga clic en el botón desplegable de **Elementos rápidos** en la ficha* Insertar *dentro del grupo* Texto *y seleccione el bloque deseado haciendo clic sobre él.*

Notas al pie

El programa permite insertar notas en el texto bien a pie de página bien al final del documento. Las notas permiten hacer aclaraciones, añadir datos puntuales, introducir información adicional, etc. De forma predeterminada, el tamaño de la fuente es menor que la del cuerpo del texto; aunque admite todos los formatos de texto que hemos visto hasta el momento.

Para introducir notas, siga el siguiente procedimiento:

- Coloque el punto de inserción en el punto exacto donde desea que aparezca la llamada de la nota.

- En la ficha Referencias, haga clic en **Insertar nota al pie** que se encuentra dentro del grupo Notas al pie (agrega una nota al pie de la página) o en Insertar nota al final (agrega una nota al final del documento).

- Escriba la nota deseada.

- Para insertar notas al final posteriores, pulse **Control-Alt-O**.

Nota:

Para poder insertar notas debe estar trabajando en la vista Diseño de impresión. *Para ello, haga clic en el botón de la vista **Diseño de impresión** en la parte inferior de la ventana, junto al botón* **Zoom***.*

Para realizar cambios de formato en las notas al pie o notas al final, siga estos pasos:

1. Haga clic en el iniciador del cuadro de diálogo Notas al pie.

2. Haga clic en el formato que desee utilizar dentro del cuadro Formato de número.

3. Haga clic en **Insertar**.

4. Para utilizar una marca seleccionada, en el cuadro de diálogo Formato de número, haga clic en el botón **Símbolo** que se encuentra junto al cuadro **Marca personal** y seleccione una marca de los símbolos disponibles.

5. Haga clic en **Aceptar** y, posteriormente, en **Insertar**.

Word numera las notas de forma automática, aunque es posible modificar esta opción. Para lograrlo, seleccionará el tipo de numeración que necesita y en qué punto desea que se inicie el cómputo.

Si coloca el puntero del ratón sobre la llamada de nota, visualizará su contenido. Si elimina la llamada de nota, suprimirá también su contenido.

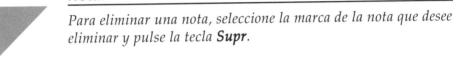

Nota:

*Para eliminar una nota, seleccione la marca de la nota que desee eliminar y pulse la tecla **Supr**.*

Índices y tablas de contenido

Los índices y tablas de contenido son habituales cuando se manejan varios documentos extensos, como, por ejemplo, este manual. Son herramientas útiles para localizar determinados contenidos en la totalidad del documento.

El índice proporciona al usuario un listado de palabras ordenado alfabéticamente y el número de la página donde se ubican. Su utilidad radica en la localización de términos que, de otro modo, requerirían búsquedas sistemáticas y exhaustivas. Suelen colocarse al final del documento, aunque no es obligatorio.

Para seleccionar las palabras que desea incluir en el índice, siga estos pasos:

1   Señale una palabra que formará parte del índice y haga clic en el botón **Marcar entrada** del grupo Índice en la ficha Referencias.

2. Seleccione las opciones deseadas en el cuadro de diálogo Marcar entrada de índice y, cuando haya terminado, haga clic en **Marcar** para marcar esa palabra, o en **Marcar todas** para marcar todas las apariciones de dicha palabra.

3. Siga los dos pasos anteriores para todas las palabras que desee incluir en el índice (el cuadro de diálogo permanecerá abierto para facilitarle la labor).

4. Cierre el cuadro de diálogo haciendo clic en el botón **Cerrar**.

Para generar un índice tras marcar sus entradas y elegir su tipo y formato:

1. Coloque el punto de inserción en el lugar donde quiera insertar el índice.

2. Haga clic en el botón **Insertar índice** del grupo Índice en la ficha Referencias y seleccione las opciones deseadas del cuadro de diálogo Índice (véase la figura 4.14).

    La pestaña activada de este cuadro de diálogo es la de Índice. En ella podrá seleccionar el tipo de índice (Con sangría o Continuo) y el formato que desea que tenga (Estilo personal, Clásico, Sofisticado, etc.).

3. Cuando haya terminado, haga clic en **Aceptar** para insertar el índice en el punto de inserción elegido o haga clic en **Modificar** para modificar el estilo del índice antes de generarlo.

Nota:

Las pestañas de tablas que aparecen deshabilitadas se habilitarán una cada vez al seleccionar el comando de la ficha Referencias *correspondiente:* **Insertar Tabla de ilustraciones** *del grupo* Títulos *o* **Insertar tabla de autoridades** *del grupo* Tabla de autoridades.

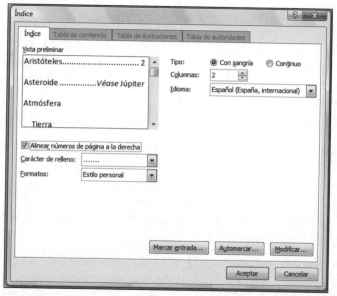

Figura 4.14. Cuadro de diálogo Índice con la pestaña Índice activada.

El contenido de un índice no se actualiza automáticamente si modifica más adelante el documento. Para hacerlo, sitúese en una parte del índice generado, haga clic con el botón derecho del ratón y seleccione Actualizar campos del menú contextual, o haga clic en el botón Actualizar índice del grupo Índice en la ficha Referencias.

En cuanto a las tablas de contenido, son más sencillas de elaborar porque se basan en los estilos presentes en el documento. Una tabla de contenido muestra los títulos en el mismo orden que tienen en el documento con el número de página en que aparecen. Al contrario que el índice, suele ubicarse al principio del documento para ayudar a su lectura.

El grupo Tabla de contenido de la ficha Referencias contiene el comando **Tabla de contenido**. En esta opción podrá crear su tabla seleccionando, por ejemplo, una de las dos opciones de tabla automática o seleccionar la tabla de contenido manual para rellenar una tabla de contenido independientemente del contenido del documento.

En caso de que los estilos que desee emplear no se correspondan con los ofrecidos, seleccione la opción Insertar tabla de contenido del botón **Tabla de contenido** y seleccione los estilos que desee utilizar del listado contenido en el cuadro de diálogo resultante y determine su grado jerárquico. Para actualizar una tabla de contenidos, coloque el punto de inserción en la tabla y haga clic en el botón **Actualizar tabla**. En el cuadro de diálogo que se abre, seleccione Actualizar solo los números de página o Actualizar toda la tabla y haga clic en **Aceptar**. Si lo prefiere, pulse la tecla **F9** dentro de la tabla de contenido para abrir el cuadro de confirmación de actualización de tabla (véase la figura 4.15).

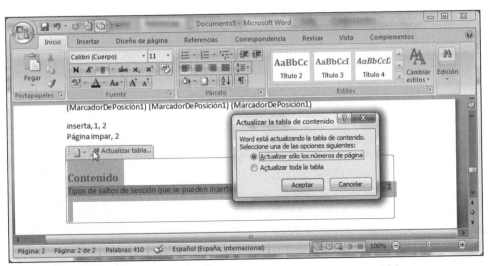

Figura 4.15. Actualización de una tabla de contenido.

Vistas de documentos

Hay diversos métodos para visualizar documentos que podrá seleccionar según sus necesidades. Estos son los métodos disponibles:

- Haga clic en uno de los comandos del grupo Vistas de documento de la ficha Vista o en uno de los comandos del grupo Zoom de la misma ficha.

- Haga clic en uno de los botones de vistas que se encuentran en la barra de tareas, en la parte inferior derecha de la ventana, junto al botón de **Zoom,** o haga clic en éste para abrir el cuadro de diálogo **Zoom.**

- Seleccione Vista preliminar de la flecha desplegable de la opción Imprimir en el menú desplegable del **Botón de Office** para abrir una vista previa del documento antes de su impresión.

El modo predeterminado de visualización de un documento es la vista Diseño de impresión. Esta opción presenta el documento tal y como aparecerá en la página impresa.

Vamos a explicar con detalle algunos de los comandos de visualización más interesantes.

Vista preliminar

La vista preliminar permite visualizar el documento antes de su impresión. Es muy útil para hacernos una idea del resultado de nuestro trabajo, una vez aplicados los formatos y realizadas las oportunas correcciones.

Las opciones que ofrece van desde mostrar una o varias páginas del documento en tamaño reducido hasta cerrar el modo de visualización para regresar al modo de visualización anterior. Al hacer clic en Vista preliminar que aparece como opción al seleccionar la flecha desplegable del menú Imprimir del **Botón de Office**, se abre la ficha Vista preliminar que le permite manipular el tamaño de la escala, ver el documento página a página o dos páginas cada vez, seleccionar la casilla Aumentar para poder realizar correcciones, etc. (Véase la figura 4.16.)

El botón **Imprimir**, que contiene el icono de una impresora, le facilitará la impresión directa del documento, una vez supervisado, en la impresora que esté conectada al ordenador.

Para salir de la opción Vista preliminar, haga clic sobre el botón **Cerrar vista preliminar**.

Lectura de pantalla completa

La vista Lectura de pantalla completa se abre al hacer clic sobre el botón con el mismo nombre que se encuentra en la barra de tareas (segundo botón de vista) o al hacer clic sobre el botón del mismo nombre en el grupo Vistas de documento de la ficha Vista y presenta el documento en vista de lectura a pantalla completa para maximizar el espacio disponible para lectura o comentarios del documento.

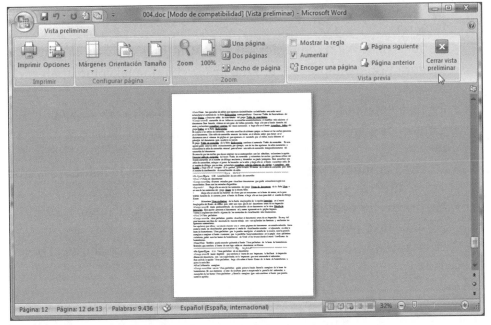

Figura 4.16. Vista preliminar de un documento.

Para desplazarse y trabajar en esta vista, siga estos pasos:

- Para desplazarse por las páginas, haga clic en las flechas de las esquinas inferiores de las mismas que aparecen al situar el puntero del ratón o pulse **AvPág** y **RePág** o **Barra espaciadora** y **Retroceso** en el teclado para avanzar hacia la siguiente página o retroceder a la anterior, respectivamente. También puede hacer clic en las flechas de desplazamiento que aparecen en la parte superior central de la pantalla.

- Para saltar a la primera o a la última página del documento, pulse **Inicio** o **Fin**.

- Para saltar directamente a una pantalla específica, escriba el número de pantalla y, a continuación, pulse **Intro**.

- Para saltar a una sección del documento, haga clic en Saltar a la página o sección del documento en la parte central superior de la pantalla y seleccione Mapa del documento o Miniaturas y haga clic en el elemento apropiado (véase la figura 4.17).

- Haga clic en el botón desplegable de **Opciones de vista** y seleccione:

  - Mostrar dos páginas: Para ver dos páginas, o dos pantallas, al mismo tiempo.

- **Aumentar el tamaño del texto:** Para mostrar el texto con un mayor tamaño.

- **Reducir el tamaño del texto:** Para mostrar más texto en la pantalla.

- **Mostrar página impresa:** Para mostrar la página tal como aparecería impresa.

- **Permitir escritura:** Para permitir la escritura mientras lee el documento.

- **Control de cambios:** Para controlar los cambios realizados al documento.

- **Mostrar comentarios y cambios:** Para seleccionar las marcas que desea mostrar al revisar el documento.

- **Mostrar documentos original y final:** Para ver el documento original y final, con y sin cambios.

- Para cerrar la vista **Lectura de pantalla completa**, haga clic en el botón **Cerrar**.

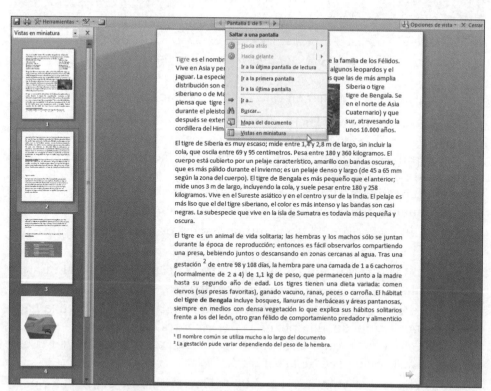

Figura 4.17. Vista Lectura de pantalla completa con la opción Miniaturas seleccionada.

Capítulo 5

Las tablas en Word

En este capítulo aprenderá a:
- Crear e insertar tablas en sus documentos.
- Modificar la estructura y el contenido de las tablas.
- Convertir tablas en texto y viceversa.

El capítulo anterior nos permitió, entre otras cosas, tomar contacto con las tabulaciones. De hecho, aprendimos no solo qué tipos existen sino también cómo utilizarlos para alinear textos tabulados en nuestros documentos.

Además, Word nos permite trabajar con tablas, una herramienta fundamental para la edición de textos, que aporta características avanzadas al simple formato tabular. En este capítulo comenzaremos a trabajar con las tablas de Word que le van a proporcionar métodos que van desde la organización en columnas, hasta una sencilla combinación de imágenes y texto.

A pesar de las posibilidades avanzadas que nos quedan por descubrir, con estas páginas damos por terminada la parte del libro dedicada a Word. Tenga en cuenta que muchos de los conocimientos adquiridos hasta ahora le serán de utilidad también en los capítulos dedicados a otras aplicaciones de Office 2007. En concreto, los conceptos que ahora vamos a estudiar nos serán de mucha utilidad cuando iniciemos el estudio de Excel.

Crear tablas

En primer lugar, conviene repasar los conceptos básicos relativos a las tablas que se componen de filas y columnas. Se denomina celda a la intersección entre las filas y las columnas. Las celdas contienen la información introducida en la tabla. Los caracteres contenidos en cada una de ellas se ajustan a ella como si se tratara de los márgenes de un documento. Con el fin de que quepa el texto que se introduce, la celda puede agrandarse en sentido vertical al tiempo que el usuario escribe en el documento.

Veamos ahora cómo crear una tabla en un documento de Word. Como viene siendo habitual, podemos utilizar varios métodos. Coloque el punto de inserción en el lugar donde desee crear una tabla y escoja el método apropiado.

- Haga clic en la flecha desplegable del botón **Tabla** en el grupo **Tablas** de la ficha **Insertar**. Se abrirá una cuadrícula en la que el usuario podrá indicar el número de filas y columnas que quiere que tenga la tabla. Para ello, deberá arrastrar el puntero del ratón por la cuadrícula desde el extremo superior izquierdo hacia el extremo inferior derecho. Suelte el ratón cuando llegue al número de filas y columnas que necesite (véase la figura 5.1).

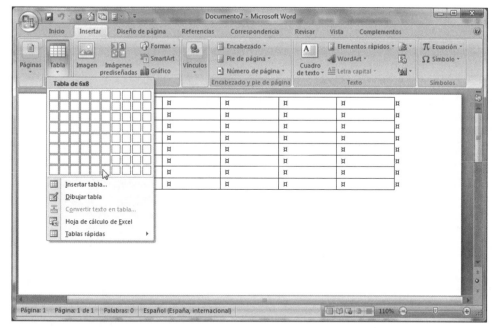

Figura 5.1. Creación de una tabla con el botón Tabla.

Nota:

A medida que seleccione filas y columnas de la cuadrícula, podrá ver la apariencia de la tabla en el propio documento.

- Seleccione Insertar tabla del menú desplegable del botón **Tabla** en el grupo Tablas de la ficha Insertar. Se abrirá el cuadro de diálogo Insertar tabla, en el que podrá decidir el tamaño de la tabla y sus valores de autoajuste y autoformato. Cuando haya seleccionado sus opciones, haga clic en **Aceptar**.

- Haga clic en la opción Dibujar tabla del botón **Tabla**. Con esta opción podrá, literalmente, dibujar su tabla utilizando para ello el ratón, que se transforma en un lápiz. Resulta un modo de creación muy interesante porque podrá controlar el aspecto y los formatos de la tabla.

- Seleccione una de las tablas ofrecidas en el menú desplegable de la opción Tablas rápidas del comando **Tabla** para crear una tabla rápidamente.

- Haga clic en la opción Hoja de cálculo de Excel para insertar una hoja de cálculo en el documento. Se abrirá una hoja de cálculo que puede utilizar como una hoja de cálculo normal. Para salir de la hoja de cálculo tras incluir sus datos, haga clic en cualquier parte del documento fuera de la hoja (véase la figura 5.2).

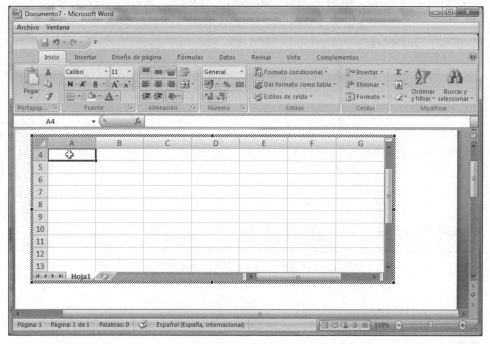

Figura 5.2. Inserción de una hoja de cálculo como una tabla.

En los tres primeros casos, se insertará una tabla en el punto de inserción en el documento, con las filas y columnas arrastradas o especificadas, y se abrirán las **Herramientas de tabla** con dos nuevas fichas: **Diseño** y **Presentación**.

En el caso de la hoja de Excel, la tabla se tratará como una hoja de Excel normal.

Tras la creación de la tabla, ya puede desplazarse por sus celdas señalando con el ratón aquella a la que quiere ir, o pulsando la tecla **Tab** para pasar de una a otra (de izquierda a derecha) o la combinación **Mayús-Tab** (en sentido inverso).

Tenga cuidado con las sugerencias de teclas que utilice, ya que algunas también seleccionan celdas. Si escribe sobre una celda seleccionada, puede sustituir su contenido. Recuerde el comando **Deshacer** que se encuentra en la barra de herramientas de acceso rápido (o pulse **Control-Z**) en estas ocasiones.

Modificar tablas

De una tabla puede modificar tanto su contenido como su estructura, por no hablar de su apariencia. Antes de entrar en materia sobre cómo llevar a cabo estas modificaciones, es recomendable que sepa cómo seleccionar los distintos elementos de una tabla.

La tabla 5.1 le ayudará a conocer tanto los elementos que componen una tabla como la forma de seleccionarlos en un bloque sobre el que realizar las operaciones que desee.

Tabla 5.1. Selección de elementos de una tabla.

Elemento	Cómo seleccionarlo
Una celda	Haga clic sobre la parte izquierda de la celda, justo donde el puntero del ratón toma la forma de una flecha negra que apunta a la derecha.
Varias celdas	Seleccione la primera celda y, sin soltar el botón izquierdo del ratón, arrástrelo hasta que haya completado la selección.
Una fila	Haga clic en la barra de selección de la fila elegida. Recuerde que el área o barra de selección se encuentra en el margen izquierdo del documento.
Varias filas	Seleccione la primera fila y, sin soltar el botón izquierdo del ratón, arrástrelo hasta que haya completado la selección.
Una columna	Sitúe el puntero del ratón en la parte superior de la columna, y haga clic cuando adopte la forma de una flecha negra apuntando hacia abajo.
Varias columnas	Seleccione la primera columna y, sin soltar el botón izquierdo del ratón arrástrelo hasta que haya completado la selección.
Toda la tabla	Haga clic sobre el recuadro que contiene un icono en forma de cruz y que aparece en el extremo superior izquierdo cuando el puntero del ratón se encuentra por encima de la tabla.

Nota:

Puede seleccionar la tabla completa, la columna, la fila o la celda donde se encuentre el punto de inserción haciendo clic en la opción correspondiente del menú desplegable del botón **Seleccionar** *que se encuentra en el grupo* Tabla *de la ficha* Presentación *que ofrece la nueva ficha de* Herramientas de tabla.

El contenido de las celdas

Para modificar el contenido de una celda, haga clic sobre ella y edite su contenido como si se tratara de cualquier otro párrafo. Si lo que desea es sustituir todo el contenido de la celda, selecciónela como explica la tabla 5.1 y teclee el nuevo contenido, que sobrescribirá el anterior.

Para borrar el contenido de una o más celdas, filas o columnas, selecciónelas y pulse la tecla **Supr**. Borrará el contenido de las celdas sin eliminarlas.

La estructura de la tabla

Modificar la estructura de una tabla supone las mismas acciones que la edición de texto: insertar, borrar, mover, etc. Sin embargo, debe tener en cuenta que en lugar de líneas y párrafos, las tablas se componen de filas y columnas.

La manera más habitual de modificar la estructura de una tabla es utilizar los comandos del grupo Filas y columnas que ofrece la ficha Presentación en las Herramientas de tabla. En cualquier caso, repasaremos qué cambios podemos llevar a cabo y cómo hacerlo. Algunos afectarán a filas y columnas completas; otros, solo a las celdas seleccionadas.

- Para insertar filas, sitúe el punto de inserción en una fila determinada en la tabla y haga clic en el botón correspondiente del grupo Filas y columnas en la ficha Presentación de Herramientas de tabla: **Insertar arriba**, colocará filas por encima de la fila donde se encuentra el punto de inserción e **Insertar debajo** lo hará por debajo de la fila en que se encuentra el punto de inserción.

- Para insertar columnas, sitúe el punto de inserción en una columna determinada en la tabla y haga clic en el botón correspondiente del grupo Filas y columnas en la ficha Presentación de Herramientas de tabla: **Insertar a la izquierda**, insertará columnas a la izquierda de la celda donde se encuentra el punto de inserción e **Insertar a la derecha** lo hará a la derecha.

- Para eliminar filas, seleccione las filas que desea eliminar, haga clic en el menú desplegable del botón **Eliminar** del mismo grupo y ficha que las opciones anteriores y seleccione Eliminar fila.

- Para eliminar columnas, seleccione las columnas que desea eliminar, haga clic en el menú desplegable del botón **Eliminar** del mismo grupo y ficha que las opciones anteriores y seleccione Eliminar columnas.

- Para eliminar toda la tabla, sitúe el punto de inserción en cualquier punto dentro de ella, haga clic en **Eliminar** y seleccione Eliminar tabla.

- Para cambiar la anchura de una columna y/o la altura de una fila, sitúe el puntero del ratón sobre la línea de división de la columna o fila que desea modificar. Cuando el puntero adopte la forma de una doble línea vertical con flechas a izquierda y derecha, pulse el botón izquierdo del ratón y arrástrelo hasta conseguir la anchura o altura deseada.

- Para cambiar la anchura de una celda independiente, selecciónela previamente y, después, sitúe el puntero del ratón sobre la línea de división de la columna que desea mover. Cuando el puntero adopte la forma de una doble línea vertical con flechas a izquierda y derecha, pulse el botón izquierdo del ratón y arrástrelo hasta conseguir la anchura deseada.

- Para unir celdas, filas o columnas contiguas, seleccione los elementos que desee unir y haga clic en el botón **Combinar celdas** del grupo Combinar en la ficha Presentación de Herramientas de tabla.

- Para dividir celdas, filas o columnas contiguas, seleccione los elementos que desee dividir y haga clic en el botón **Dividir celdas** del grupo Combinar en la ficha Presentación de Herramientas de tabla. Un cuadro de diálogo le requerirá que determine la cantidad de filas y columnas que desea como resultado de la división.

En la ficha Presentación encontrará multitud de opciones avanzadas con las que personalizar su tabla. Botones como **Propiedades** del grupo Tabla o **Dirección del texto** del grupo Alineación le ayudan mucho a la hora de configurar la estructura y apariencia de una tabla.

Modificar la apariencia de la tabla

El texto contenido en una tabla se somete a las mismas reglas y tiene las mismas características de formato que el texto continuo de documentos como los vistos en los capítulos anteriores. Por ejemplo, podrá aplicar sobre el texto de una tabla formatos de fuente, tamaño, etc.

Por lo que respecta a la apariencia de la propia tabla, Word le ofrece opciones para configurar su alineación respecto a todo el documento, sus bordes, aplicar sobre ella tramas y colores de sombreado, etc. Para ello, utilice los correspondientes botones de la ficha Diseño que ofrece la ficha Herramientas de tabla que se abre al seleccionar una tabla.

Finalmente, recuerde que el programa incorpora características inteligentes que le permiten, por ejemplo, ordenar una tabla por filas o por columnas, dependiendo de los criterios aplicados, o, incluso, sumar automáticamente los datos numéricos de una columna, opciones que se recogen en el grupo Datos de la ficha Presentación con la que hemos trabajado anteriormente.

Autoformato de tabla

Además de poder manipular manualmente la apariencia de las tablas, Word le facilita herramientas para darles formato de manera automática. Deberá seleccionar su tabla y elegir uno de los diseños ofrecidos en la galería de estilos de tabla en el grupo Estilos de tabla de la ficha Diseño ofrecida por la ficha Herramientas de tabla. Puede seleccionar un estilo desplazándose con ayuda de los botones hacia arriba y hacia abajo o hacer clic en el botón desplegable **Más** para ver todas las opciones de estilo (véase la figura 5.3).

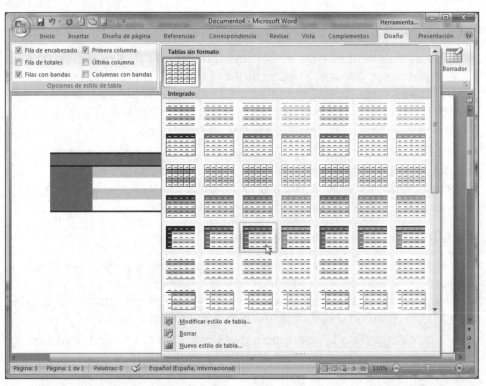

Figura 5.3. Galería de estilos de tabla en el grupo Estilos de tabla.

Esta galería le ofrece una extensísima relación de estilos. Señálelos con el ratón y observe en el documento cómo serían sus apariencias.

Seleccione el que más le guste o modifíquelo, si necesita adecuarlo a requerimientos específicos. Puede personalizarlo modificando los formatos tanto de contenido como de estructura seleccionando la opción Modificar estilo de tabla o Nuevo estilo de tabla.

Convertir tabla en texto y texto en tabla

Hemos visto que es posible crear una tabla y a continuación rellenarla con datos.

Sin embargo, en ocasiones dispondremos de un texto ya escrito y quizá queramos convertirlo en una tabla. O al contrario, habrá momentos en que tendremos un documento cuyos datos se estructuran en tablas y que deseamos ordenar mediante tabuladores o simples párrafos. Podemos encontrarnos, por ejemplo, en la situación de querer eliminar una tabla pero no el texto que contiene.

Para solventar estas situaciones debe recurrir a los comandos que le permiten convertir tablas. Si lo que desea es convertir un texto en tabla, debe seguir la siguiente secuencia de pasos:

1. Seleccione el texto que quiere convertir en tabla.

2. Seleccione la opción Convertir texto en tabla del menú desplegable del botón Tabla en el grupo Tablas de la ficha Insertar. Se abrirá el cuadro de diálogo Convertir texto en tabla (véase la figura 5.4).

Figura 5.4. Cuadro de diálogo Convertir texto en tabla.

3. Determine el número de columnas que desea que aparezcan en su tabla y las opciones de Autoajuste que más le interesen.

4. En la opción **Separar texto en**, especifique qué separador deberá tener en cuenta el programa para colocar en celdas el contenido del texto seleccionado o acepte el ofrecido automáticamente por Word.

5. Haga clic en el botón **Aceptar**. El cuadro de diálogo se cerrará y aparecerá la tabla conteniendo su texto.

Si lo que desea es lo contrario, es decir, pasar una tabla a texto, haga clic en el botón **Convertir texto a** en el grupo Datos de la ficha Presentación de Herramientas de tabla y seleccione el carácter que desea utilizar para la separación de columnas.

Capítulo 6

Microsoft Office Excel 2007

En este capítulo aprenderá a:

- Conocer las hojas de cálculo y los libros de trabajo.
- Abrir Excel y conocer sus elementos específicos.
- Introducir datos y fórmulas en las hojas de cálculo.
- Editar hojas de cálculo y libros de trabajo.
- Crear, aplicar formato y filtrar tablas de datos.
- Crear y borrar un informe de tabla dinámica.

Excel es la aplicación que proporciona hojas de cálculo en Office 2007. Se trata de una herramienta eficaz y fácil de utilizar que le permitirá gestionar y realizar cálculos a partir de los datos que le proporcione al programa. Podrá elaborar fácilmente desde sencillos presupuestos y facturas hasta complicados gráficos tridimensionales. Excel 2007 le ofrece la posibilidad de realizar cálculos aritméticos sencillos, pero también de utilizar funciones matemáticas avanzadas para cálculos estadísticos, trigonométricos, financieros etc.

Este capítulo lo dedicaremos a explicar los conceptos de hoja de cálculo y libro de trabajo de Excel, explicaremos también cómo empezar a trabajar con el programa, cómo introducir datos en una hoja de cálculo y editarlos mediante el uso de herramientas tales como el borrado o el pegado especial. También aprenderemos a configurar la hoja de cálculo y el libro de trabajo. Por último, generaremos y editaremos listas de datos.

Las acciones fundamentales del programa se han visto en los capítulos anteriores, en los que aprendimos a abrir, cerrar, guardar o salir de los documentos. Las opciones de formato de texto ya las hemos visto en los capítulos dedicados a Word, por lo que no repetiremos la explicación.

Hojas de cálculo y libros de trabajo de Excel

Las hojas de cálculo de Excel son hojas cuadriculadas compuestas por celdas. Ya sabemos de otro capítulo que se denomina celda a la intersección de una fila y una columna. Cada celda se identifica por la letra de la columna y el número de la fila en la que está situada. Las celdas contienen todo tipo de datos: números, porcentajes, fechas, texto, etc.

La gran eficacia del programa radica tanto en las operaciones simples como en la amplia biblioteca de funciones entre las que podrá elegir la fórmula que necesite. Este hecho ofrece la ventaja de la consistencia en los resultados, de manera que una vez realizado un cálculo, si modifica el valor contenido en alguna de las celdas a las que hacía referencia, el resultado final también variará automáticamente.

Un libro de trabajo de Excel está formado por un conjunto de hojas de cálculo agrupadas en un mismo fichero. Cada hoja del libro puede ser de un tipo diferente, suelen ser independientes en su funcionamiento, aunque es posible seleccionar varias para que realicen acciones al mismo tiempo.

De forma predeterminada, cuando se abre un documento nuevo, se crea un libro que contiene tres hojas de cálculo. Si desea que esta cifra sea otra, deberá cambiar dicho número en la opción Incluir este número de hojas de la sección Al crear nuevos libros a la que se accede haciendo clic en el **Botón de Office** y, a continuación, en **Opciones de Excel** y tras la selección en el panel izquierdo la opción Más frecuentes. De esta manera, podrá guardar en un mismo libro todas las hojas que tengan contenidos relacionados entre sí. Por ejemplo, en un mismo libro le será posible almacenar todas las hojas precisas para la gestión de la contabilidad de una mediana o pequeña empresa: nóminas, cotizaciones a la Seguridad Social, pedidos, etc. Como es lógico, un libro ha de contener, al menos, una hoja de cálculo.

Iniciar Excel

Recuerde que para iniciar Excel, como todas las aplicaciones Microsoft Office, tiene varias alternativas. Una de ellas es hacer clic en el botón **Iniciar** y seleccionar Todos los programas>Microsoft Office>Microsoft Office Excel 2007, o bien hacer clic en algún icono de acceso directo que el usuario haya creado en el escritorio. En cualquier caso, en la pantalla aparecerá un nuevo libro en blanco de Excel, similar al mostrado en la figura 6.1.

La ventana de Excel

La mayoría de los elementos de la ventana de Excel son comunes a los que aparecían al abrir un documento nuevo en Word. Algunos otros, sin embargo, son propios de este programa. En este apartado vamos a analizarlos detalladamente.

Los elementos característicos que diferencian esta aplicación de las restantes son los siguientes:

- **Barra de fórmulas:** Situada debajo de la cinta de opciones, permite introducir datos en la hoja de cálculo. En Excel 2007, la barra de fórmulas cambia de tamaño automáticamente para acomodar fórmulas largas y complejas, evitando así que las fórmulas tapen otros datos del libro. También puede escribir fórmulas más largas con más niveles de anidamiento con respecto a versiones anteriores de Excel. Esta barra muestra la fórmula contenida en la celda activa y le permite editarla con facilidad. En la figura que le presentamos, observará que la celda A1 no tiene ninguna fórmula, por lo que la barra de fórmulas está vacía.

A la izquierda de la barra de fórmulas, encontrará el botón **Insertar función**, que permite introducir una fórmula o función en la celda activa, y el Cuadro de nombres que contiene la dirección de la celda activa y una flecha de lista desplegable para ayudarle a localizar rangos con nombre.

Al empezar a introducir datos o fórmulas en una celda activa, a la izquierda del botón **Insertar función**, aparecerán los botones **Cancelar** (una cruz roja) e **Introducir** (una marca de selección), sobre los que tendrá que hacer clic para cancelar o terminar la introducción de datos en la celda activa.

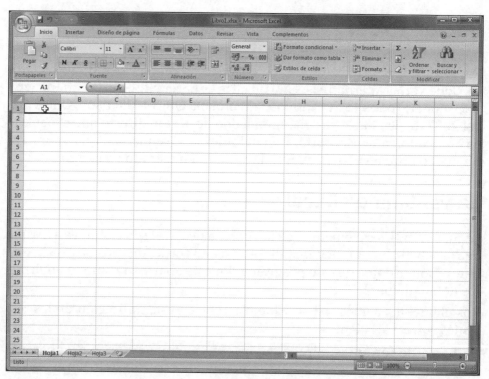

Figura 6.1. Ventana inicial de Excel.

- **Barra de estado:** Se sitúa en la parte inferior de la pantalla. En la parte izquierda aparece el modo en el que se encuentra el documento en cada momento. Al iniciar la aplicación se muestra el mensaje Listo, que indica que el programa está dispuesto para la introducción de datos y/o fórmulas en la hoja. Este mensaje cambiará según las acciones realizadas: `Introducir`, `Modificar`, etc. En la parte derecha, se encuentran los botones de vista **Normal, Diseño de página** y **Vista previa de diseño de página**, el botón **Zoom** y el Control deslizante del zoom.

- **Ventana del documento:** Como en el resto de aplicaciones de Office, permite trabajar simultáneamente con varios documentos. En Excel, cada documento es un libro de trabajo, compuesto por hojas de cálculo, y el nombre del que esté abierto aparecerá en la barra de título de la ventana. La parte principal de la ventana de documento es el área de trabajo, que presenta la característica cuadrícula de Excel.

- **Filas y columnas:** Ocupan el área de trabajo de Excel. Las filas, en sentido vertical, están numeradas consecutivamente y pueden presentar un número máximo de 1.048.576 (un 1.500 por ciento más con respecto a la versión anterior de Excel). Las columnas, en sentido horizontal, se denominan con una o varias letras y tienen como límite 16.384 (representado por la combinación XFD y que representa un 6.300 por ciento más de columnas con respecto a la versión anterior). Toda la cuadrícula forma la hoja de cálculo propiamente dicha.

- **Las celdas:** Son el resultado de la intersección de una fila con una columna y tienen forma rectangular. Las distintas celdas se denominan con la letra de su columna y el número de su fila. El nombre de las celdas es su referencia y respeta siempre el orden columna y fila. En caso contrario, el programa no lo reconoce como nombre. Un ejemplo perfecto de referencia o nombre de celda es C5.

  La celda activa es aquella en la que se introducirán los datos que se teclean. Se distingue del resto por mostrar un borde más grueso en la cuadrícula. La columna y la fila de la celda activa estarán resaltadas hasta que cambie a la siguiente.

  Se denomina rango a un grupo de celdas, contiguas o no, sobre el que, en caso de seleccionarse, se efectúan determinadas operaciones. Un rango de celdas se identifica con el nombre de las dos celdas vértices del rango, separadas por dos puntos. Si las celdas no son consecutivas, indique los distintos bloques separados por signos de punto y coma. Así, en la figura 6.2 aparece seleccionado el rango **B5:E14;G17:G22**.

- **Las etiquetas inteligentes:** Como en todas las aplicaciones Office, facilitan tareas también accesibles a través de los distintos grupos y fichas. Algunas etiquetas características de Excel son Opciones de Autorrelleno u Opciones de pegado.

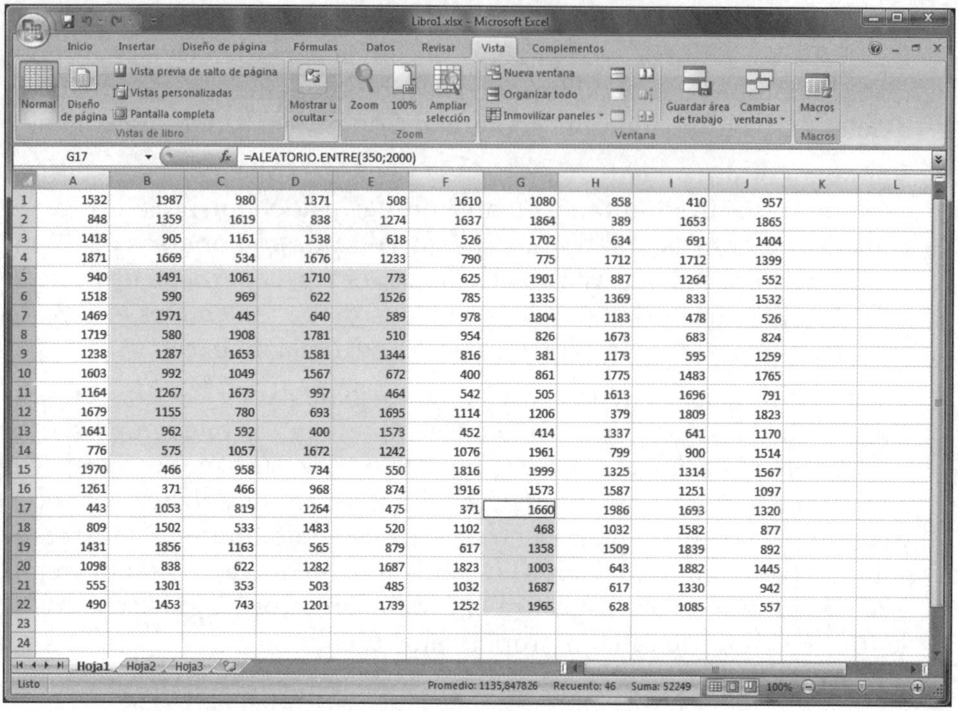

Libro1.xlsx - Microsoft Excel

Inicio | Insertar | Diseño de página | Fórmulas | Datos | Revisar | Vista | Complementos

Vista previa de salto de página / Vistas personalizadas / Pantalla completa — Vistas de libro — Mostrar u ocultar — Zoom 100% Ampliar selección — Zoom — Nueva ventana / Organizar todo / Inmovilizar paneles — Guardar área de trabajo / Cambiar ventanas — Ventana — Macros

G17 · fx =ALEATORIO.ENTRE(350;2000)

	A	B	C	D	E	F	G	H	I	J	K	L
1	1532	1987	980	1371	508	1610	1080	858	410	957		
2	848	1359	1619	838	1274	1637	1864	389	1653	1865		
3	1418	905	1161	1538	618	526	1702	634	691	1404		
4	1871	1669	534	1676	1233	790	775	1712	1712	1399		
5	940	1491	1061	1710	773	625	1901	887	1264	552		
6	1518	590	969	622	1526	785	1335	1369	833	1532		
7	1469	1971	445	640	589	978	1804	1183	478	526		
8	1719	580	1908	1781	510	954	826	1673	683	824		
9	1238	1287	1653	1581	1344	816	381	1173	595	1259		
10	1603	992	1049	1567	672	400	861	1775	1483	1765		
11	1164	1267	1673	997	464	542	505	1613	1696	791		
12	1679	1155	780	693	1695	1114	1206	379	1809	1823		
13	1641	962	592	400	1573	452	414	1337	641	1170		
14	776	575	1057	1672	1242	1076	1961	799	900	1514		
15	1970	466	958	734	550	1816	1999	1325	1314	1567		
16	1261	371	466	968	874	1916	1573	1587	1251	1097		
17	443	1053	819	1264	475	371	1660	1986	1693	1320		
18	809	1502	533	1483	520	1102	468	1032	1582	877		
19	1431	1856	1163	565	879	617	1358	1509	1839	892		
20	1098	838	622	1282	1687	1823	1003	643	1882	1445		
21	555	1301	353	503	485	1032	1687	617	1330	942		
22	490	1453	743	1201	1739	1252	1965	628	1085	557		
23												
24												

Hoja1 / Hoja2 / Hoja3

Listo — Promedio: 1135,847826 Recuento: 46 Suma: 52249 — 100%

Figura 6.2. Rango de celdas no consecutivo.

- **Las hojas del libro de trabajo:** Al abrirse un libro de trabajo nuevo y mientras no se indique lo contrario, las hojas presentadas son tres. En la parte inferior izquierda del área de trabajo aparecen tres pestañas con los nombres predeterminados por Excel: Hoja1, Hoja2 y Hoja3. Cuando se abre el nuevo libro, la hoja activa es la primera. En Excel 2007 aparece una nueva pestaña junto a los nombres de hoja: Insertar hoja de cálculo. Esta pestaña, con el dibujo de una hoja y un asterisco, al hacer clic sobre ella, inserta una nueva hoja en el libro siguiendo el nombre de hoja predeterminado que le corresponda.

Podrá pasar de una a otra haciendo clic en sus pestañas o utilizando los botones de desplazamiento que están a la izquierda de los nombres de las hojas. El primero contiene una flecha hacia la izquierda y una barra vertical, y le desplazará a la primera hoja del libro. El segundo solo contiene la flecha hacia la izquierda, y le desplazará hasta la hoja inmediatamente anterior. El tercero presenta una flecha hacia la derecha, y situará el punto de inserción en la hoja siguiente. El último, con una flecha hacia la derecha y la barra vertical, irá a la última hoja del libro.

El número total de hojas de cálculo que puede contener un libro de trabajo dependerá de la memoria y recursos del sistema del ordenador con el que esté trabajando.

Cómo seleccionar elementos de una hoja de cálculo

La manera más rápida para situarse en cualquier celda visible es hacer clic con el ratón sobre ella. De esa forma, podrá empezar a introducir datos en la celda inmediatamente. Pero, en ocasiones, quizás precise de técnicas algo más complejas para seleccionar los distintos tipos de elementos de un documento Excel.

- Para seleccionar una celda, haga clic sobre ella.

- Para seleccionar un rango, arrastre el ratón desde la primera hasta la última de las celdas que desee incluir.

- Para seleccionar celdas o rangos no contiguos, mantenga pulsada la tecla **Control** mientras selecciona las celdas y/o arrastra el ratón sobre un rango.

- Para seleccionar una columna o una fila, desplace el puntero del ratón hasta el encabezado de columna o de fila y haga clic sobre ellos cuando el puntero adopte la forma de una flecha negra (hacia abajo o hacia la derecha).

  Se denomina encabezado a las celdas de la hoja que contienen los nombres de las columnas (letras) y de las filas (cifras).

- Para seleccionar columnas o filas no adyacentes, haga clic sobre ellas manteniendo pulsada la tecla **Control**.

- Para seleccionar toda la hoja de cálculo, haga clic sobre la celda de la cuadrícula situada en su extremo superior izquierdo, en la intersección de los encabezados de fila y de columna.

- Para seleccionar varias hojas del libro, seleccione primero la totalidad de una de ellas y, manteniendo pulsada la tecla **Control**, haga clic con el ratón en las pestañas del resto de las hojas del libro que desee seleccionar.

- Para cancelar la selección, pulse en cualquier otra celda de la hoja de cálculo.

Desplazarse por las celdas

Para introducir los datos, necesitará activar una celda determinada. Si la celda es visible, ya hemos visto que debe mover el puntero del ratón hasta la celda en la que desea introducirlos y hacer clic sobre ella. En caso de que precise seleccionar una celda que no esté visible en la pantalla, deberá utilizar primero las barras de desplazamiento horizontal y vertical.

Otra manera de moverse a través de la hoja de cálculo es utilizando el teclado, cuyas principales opciones presentamos en la tabla 6.1.

Tabla 6.1. Desplazamiento por las celdas de una hoja de cálculo utilizando el teclado.

Teclas	Acción
Flecha derecha	Mueve la celda activa una celda a la derecha.
Flecha izquierda	Mueve la celda activa una celda a la izquierda.
Flecha arriba	Mueve la celda activa a la celda superior.
Flecha abajo	Mueve la celda activa a la celda inferior.
Control-flecha derecha	Lleva la celda activa hasta la última celda con datos de esa fila.
Control-flecha izquierda	Lleva la celda activa a la primera celda con datos de esa fila.
Control-flecha arriba	Lleva la celda activa a la primera celda con datos de la columna en la que se encuentra.
Control-flecha abajo	Lleva la celda activa a la última celda con datos de la columna en la que se encuentra.
Control-Inicio	Lleva la celda activa a la primera celda de la hoja de cálculo (A1).
Control-Fin	Lleva la celda activa a la última celda que contenga datos o formato en la hoja de cálculo.
Intro	Mueve la celda activa a la celda inferior.
Tab	Mueve la celda activa una celda a la derecha.
Mayús-Tab	Mueve la celda activa una celda a la izquierda
AvPág	Mueve la celda activa a la misma situación en la siguiente pantalla.
RePág	Mueve la celda activa a la misma situación en la pantalla anterior.

Introducción de datos

A la hora de introducir datos en una celda, sólo debe activarla y empezar a escribir. A medida que lo hace, verá cómo lo que teclea aparece en la celda activa y en la barra de fórmulas, a cuya izquierda ya se habrán mostrado los botones **Cancelar** e **Introducir**.

Puede hacer clic sobre el botón **Cancelar** en cualquier momento para interrumpir la introducción de datos y el programa ignorará lo escrito hasta entonces. También puede optar por utilizar la tecla **Esc**. Si selecciona el botón **Introducir**, Excel dará por terminada la introducción de datos en esa celda. La tecla que también le permite dar por válidos los datos tecleados y finalizar el proceso es **Intro** (véase la figura 6.3).

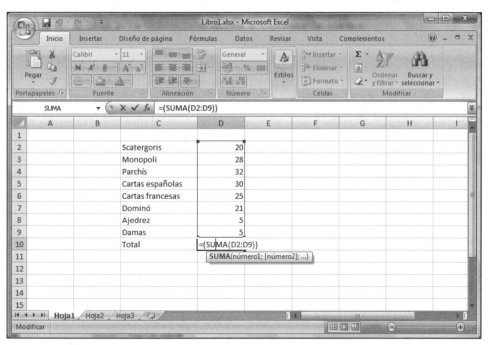

Figura 6.3. Aspecto de la barra de fórmulas al introducir datos.

Tipos de datos

En una hoja de cálculo Excel se distinguen tres tipos de datos diferentes: texto, números y fechas. Vamos a examinar cada uno de ellos.

Los datos de tipo texto pueden estar formados por cualquier combinación de caracteres; aunque si desea que el programa interprete los números que teclee como texto, deberá colocar delante de ellos el signo apóstrofe ('). Este tipo de dato se caracteriza porque Excel no puede operar con ellos automáticamente y se distinguen fácilmente porque se alinean automáticamente a la izquierda de la celda.

Nota:

Si introduce datos tan grandes que superen los límites de la celda, Excel los colocará en la celda adyacente de la derecha. Si la celda contigua contuviera datos, solo verá en la pantalla la parte que quepa en la celda. No obstante, Excel memoriza la totalidad de lo escrito de tal manera que, si selecciona la celda, podrá ver en la barra de fórmulas todos los datos introducidos.

Los números son, por la propia naturaleza de las hojas de cálculo, el tipo de dato más utilizado en Excel. Para que el programa los reconozca como tales solo debe escribir números.

Pero hay algunos símbolos que Excel reconoce automáticamente como formato de números: la coma decimal, el punto de millar, el signo menos (-) para los números negativos, el porcentaje (%), la división (/) para los números fraccionarios, y el exponente (E o e) para la notación científica. Los diferentes números se alinean de manera automática a la derecha de la celda.

Nota:

Si introduce en una celda una cifra tan larga que no quepa en ella, se mostrará en pantalla con la notación científica. Este hecho no afecta a su valor, sino a su apariencia.

Los datos de tipo fecha y hora de Excel son, en realidad, tipos numéricos. El programa puede reconocerlos y mostrarlos como tales utilizando diferentes formatos: 10/11/07 ó 10-noviembre-2007.

En cualquier caso, el programa le permite introducir formatos para los datos que va a introducir en una o varias celdas. Para ello, haga clic en el **Iniciador de cuadro de diálogo** del grupo Número de la ficha Inicio para abrir el cuadro de diálogo Formato de celdas con la ficha Número activa y seleccione la opción deseada (véase la figura 6.4).

Figura 6.4. Cuadro de diálogo Formato de celdas con la ficha Número activa.

Truco:

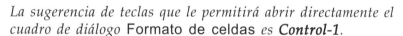

La sugerencia de teclas que le permitirá abrir directamente el cuadro de diálogo Formato de celdas *es* **Control-1**.

Herramientas para la introducción de datos

Excel contiene herramientas especiales que facilitan la introducción de datos en las hojas. Dichas herramientas son Autocompletar, Elegir de la lista desplegable y Autorrellenar.

Autocompletar

La herramienta Autocompletar es muy interesante si desea introducir varias veces el mismo dato en celdas, consecutivas o no, de una misma columna.

Cuando ha introducido un dato en una columna, el programa lo recuerda y la siguiente ocasión en que tenga que escribirlo en la misma columna, no precisará teclearlo completo de nuevo. Bastará con que empiece a escribirlo. Excel terminará de completarlo de acuerdo con lo almacenado previamente. Si la sugerencia le interesa, pulse la tecla **Intro**.

En caso de que en la misma columna haya más de un dato que empiece por las mismas letras, el autocompletado no se efectuará hasta que no escriba un carácter que distinga e identifique el dato que se le va a proponer.

Elegir de la lista desplegable

Aprovechando que Excel memoriza y crea una lista con todos los datos introducidos en una columna, puede hacer uso del listado que contiene dichos datos y elegir directamente sobre ella.

Para ello, pulse el botón derecho del ratón sobre la celda en la que desea introducir el dato. Se abrirá el menú contextual en el que deberá elegir la opción Elegir de la lista desplegable. Verá el contenido de la lista y podrá hacer clic sobre el dato que le interese reproducir.

Autorrellenar

Esta característica es útil cuando desea repetir el mismo dato en varias celdas, o en el caso de que necesite introducir una serie de datos.

Si quiere copiar el mismo dato en varias celdas contiguas, escríbalo y observe que en la esquina inferior derecha de la celda aparece un pequeño recuadro negro. Coloque encima el puntero de ratón hasta que tome el aspecto de una cruz negra, pulse el botón izquierdo del ratón, y, sin soltarlo, arrástrelo hasta seleccionar todas las celdas que quiera rellenar con el mismo dato.

Al ejecutar la acción, se mostrará la etiqueta inteligente **Opciones de Autorrelleno**, que le permitirá elegir entre: Copiar celdas, Rellenar formatos sólo o Rellenar sin formatos.

La opción Rellenar serie sólo aparecerá si Excel reconoce los datos originales como una serie, por ejemplo, de ordinales, días de la semana, etc.

Puede activar o desactivar esta opción de relleno automático o seleccionar otras opciones haciendo clic en el menú del botón **Rellenar** del grupo Modificar en la ficha Inicio y seleccionando Series. Posteriormente seleccione o anule la selección de la opción Autorrellenar en la sección Tipo del cuadro de diálogo Series y haga clic en **Aceptar** (véase la figura 6.5).

Introducir una fórmula

Para indicarle al programa que está introduciendo una fórmula, lo primero que debe teclear en la celda es el signo igual (=). El programa activará automáticamente el menú desplegable de funciones en el cuadro de nombres de la barra de fórmulas. Pulse la flecha hacia abajo para elegir el tipo de operación matemática que se va a realizar. En los siguientes capítulos veremos cómo trabajar con fórmulas en Excel.

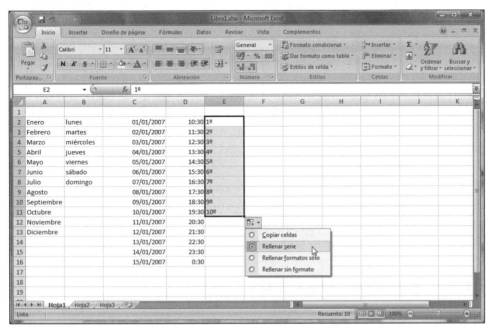

Figura 6.5. Series rellenas con la herramienta Autorrellenar.

Técnicas de edición

Al trabajar con Excel, es posible que cometa errores. Algunos los detectará antes de terminar la introducción de datos. Otros, al pasar a otra celda. En cualquier caso, deberá tener en cuenta las opciones que le facilita el programa para editar los contenidos de las hojas de cálculo.

Excel comparte las técnicas de edición de datos características de todas las aplicaciones que componen Office 2007.

Por ello, podrá utilizar los comandos Buscar y Reemplazar para localizar los datos y fórmulas que desee modificar. El botón Opciones del cuadro de diálogo Buscar y reemplazar le permite efectuar la búsqueda por filas o por columnas, en la hoja o en todo el libro, dentro de las fórmulas, los valores o los comentarios, etc.

Asimismo, el programa le da acceso a los útiles comandos contenidos en el grupo Portapapeles de la ficha Inicio: **Copiar**, **Cortar** y **Pegar**, para mover y copiar celdas y rangos. Los comandos **Deshacer**, **Rehacer** y **Repetir**, en caso de que se despiste y borre involuntariamente datos importantes o necesite repetir las últimas acciones llevadas a cabo en el documento, se encuentran en la barra de herramientas de acceso rápido.

El comando Pegado especial, que se encuentra dentro del menú del botón **Pegar** en el grupo Portapapeles de la ficha Inicio, proporciona, en Excel, una mayor gama de opciones de pegado. Podrá elegir qué características pegar del bloque que previamente ha copiado o cortado: bien solo las fórmulas, los valores, los formatos, los comentarios, bien los formatos de número y las fórmulas en combinación, etc., permitiéndole, incluso, realizar operaciones aritméticas sencillas con los datos numéricos seleccionados, si así lo determina con los botones de Operación.

Si elige la opción Todo en el cuadro de diálogo Pegado especial, está haciendo lo mismo que si selecciona el comando Pegar.

En todo caso, haga clic en el botón **Aceptar** al terminar de definir las opciones de pegado para que sean efectivas.

Editar y borrar los datos introducidos

Si se equivoca mientras está introduciendo los datos en la celda puede corregirlo de dos maneras. Pulse la tecla **Retroceso** para borrar hacia atrás; cada vez que lo haga eliminará un carácter a la izquierda del punto de inserción en la celda activa. También puede hacer clic sobre el botón **Cancelar** de la barra de fórmulas o pulsar la tecla **Esc**, en cuyo caso, deberá introducir los datos desde el principio.

Si los datos ya están introducidos, para editarlos podrá elegir entre estas opciones:

- En caso de que quiera sustituirlos por nuevos datos, active la celda y escríbalos. Se sobrescribirán en lugar de los anteriores.

- En caso de que desee modificar una parte de los datos, haga doble clic sobre la celda y aparecerá el punto de inserción que le permitirá moverse y corregir los errores. Si lo prefiere, también puede activar la celda y editar el dato a través de la barra de fórmulas.

Si lo que necesita es borrar los diferentes datos de una o de varias celdas, selecciónelas y pulse las teclas **Retroceso** o **Supr** y hará desaparecer todo su contenido.

También puede borrar ejecutando el comando **Borrar** que se encuentra en el grupo Modificar de la ficha Inicio. Este método le permite ejercer un mayor control sobre la acción de borrado, al poder elegir entre las siguientes opciones:

- Borrar todo: Hace desaparecer formatos, contenido y comentarios previos.

- Borrar formatos: Elimina el formato de las celdas seleccionadas pero no su contenido.

- Borrar contenido: Suprime los datos introducidos en las celdas, pero no su formato. De hecho, si vuelve a escribir datos en ellas, conservarán el formato que tenían los datos borrados.

- Borrar comentarios: Borra los comentarios asociados a las celdas seleccionadas sin modificar ni su contenido ni su formato.

Inserción y eliminación de filas, columnas y celdas

Para añadir una fila o una columna, sitúe la celda activa en la fila o columna delante de la cual desea realizar la inserción. A continuación, haga clic en el botón de flecha desplegable **Insertar** del grupo Celdas en la ficha Inicio y seleccione la opción deseada (Insertar filas de hoja o Insertar columnas de hoja).

También puede insertar varias filas o columnas, en lugar de hacerlo de una en una. Para ello, seleccione previamente tantas como desee incorporar y ejecute dichos comandos. Se sumará el mismo número que haya seleccionado. Las columnas se colocarán a la izquierda de la selección y las filas en la parte superior. Para eliminar filas o columnas seleccione una o varias celdas situadas en las filas o columnas que va a eliminar. Haga clic en la flecha desplegable del botón **Eliminar** y seleccione la opción deseada (Eliminar filas de hoja o Eliminar columnas de hoja).

Truco:

*Con este método, no existe ningún aviso previo a la eliminación. Si se equivoca en la eliminación, haga clic en el botón **Deshacer** de la barra de herramientas de acceso rápido para volver a la situación anterior a la eliminación.*

A continuación, examinaremos con más detalle las acciones relacionadas con las celdas.

Al hacer clic en el comando Eliminar celdas del botón **Eliminar** del grupo Cuadro, se abrirá el cuadro de diálogo Eliminar celdas que le permite suprimir una celda o un conjunto de ellas, indicándole al programa si desea que las situadas a la derecha ocupen el lugar de las eliminadas, o si prefiere que las celdas que se desplacen, en este caso hacia arriba, sean las situadas inmediatamente debajo. La figura 6.6 le muestra todas las posibilidades de este cuadro de diálogo.

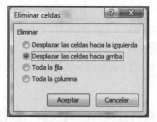

Figura 6.6. Cuadro de diálogo Eliminar celdas.

Si lo que necesita es añadir celdas, haga clic en el botón de lista **Insertar** del grupo Celdas y seleccione Insertar celdas para abrir el cuadro de diálogo Insertar celdas donde podrá elegir la opción deseada.

Editar el libro de trabajo

Ya sabemos que el libro de trabajo predeterminado de Excel ofrece tres hojas de cálculo, por las que puede moverse haciendo clic en las pestañas con sus nombres situadas en la parte inferior izquierda del área de trabajo.

El programa le permite, también, añadir más hojas, borrar las que no vaya a utilizar o cambiar su nombre. Veamos cómo se ejecutan estas tareas.

Renombrar las hojas del libro

Las hojas que integran el libro reciben, de forma predeterminada, el nombre genérico de Hoja, seguido por el número de orden en el libro, excepto la última hoja que presenta un icono en su pestaña y sirve para incluir rápidamente más hojas. Para cambiar el nombre predeterminado de una hoja por otro que refleje mejor su contenido, puede emplear cualquiera de los siguientes métodos:

- Haga clic en el menú desplegable del botón **Formato** en el grupo Celdas de la ficha Inicio y seleccione Cambiar el nombre de la hoja. Escriba un nuevo nombre y pulse **Intro**.

- Haga clic en el botón derecho del ratón sobre la pestaña de la hoja a la que desea cambiar el nombre. Se abrirá el menú contextual en el que podrá elegir la opción Cambiar nombre. Escriba un nuevo nombre para la hoja y pulse **Intro**.

- Haga doble clic en el botón izquierdo del ratón sobre el nombre actual de la hoja y escriba en la pestaña el nuevo nombre. Pulse **Intro**.

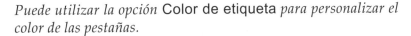

Nota:

Puede utilizar la opción Color de etiqueta *para personalizar el color de las pestañas.*

Insertar, cambiar de posición y eliminar hojas en el libro

Si tiene ocupadas las tres hojas de cálculo de su libro y necesita añadir nuevas hojas, haga clic en la hoja Insertar hoja de cálculo. La nueva hoja se insertará en la última posición, adoptará el nombre genérico Hoja y el número siguiente de las ya contenidas en el libro.

Si lo que desea es eliminar una hoja, seleccione su pestaña en la parte inferior izquierda de la pantalla y haga clic con el botón derecho del ratón para seleccionar Eliminar del menú contextual. En el caso de que no haya seleccionado ninguna hoja en particular, el programa eliminará la hoja activa.

Todas las operaciones de edición de hojas pueden realizarse a través del menú contextual de las pestañas de las hojas del libro.

Nota:

Si utiliza el comando **Formato** *del grupo* Celdas *en la ficha* Inicio, *podrá ocultar o mostrar hojas.*

Las hojas de cálculo de un nuevo libro aparecen ordenadas numéricamente. Sin embargo, podrá moverlas y cambiar su disposición hasta ordenarlas a su gusto. Para ello, sitúese en la hoja que desea mover y ejecute el comando **Formato** del grupo **Celdas** en la ficha **Inicio** para seleccionar la opción **Mover o copiar hoja**. Se abre el cuadro de diálogo **Mover o copiar** en el que podrá definir tanto el libro en el que quiera que aparezca la hoja seleccionada como la posición que ocupará en su interior.

Si decide mover o copiar la hoja en otro libro, tendrá que seleccionar cuál quiere que sea el destino. Puede ser alguno de los documentos abiertos o un nuevo libro. Si elige la opción **Nuevo libro** como destino y hace clic en el botón **Aceptar**, el programa lo creará, conteniendo la hoja seleccionada, con un nombre genérico **Libro** y el número de orden del nuevo documento.

En cuanto a la posición que ocupará la hoja movida, recuerde que en el cuadro de diálogo **Mover o copiar** puede elegir antes de qué hoja del listado que se le ofrece debe colocarse.

Por último, seleccione la casilla **Crear una copia** si lo que desea es realizar una copia de la hoja que va a mover.

Truco:

Para mover una hoja del libro de manera rápida, seleccione su pestaña y arrástrela con el ratón a su nueva posición. El puntero adoptará la forma de una hoja en blanco hasta que la deposite en su nueva ubicación. Si lo que desea es copiarla en otra posición dejando la original en su lugar, realice la misma operación manteniendo pulsada la tecla **Control***.*

Crear y editar tablas

Lo normal cuando se crea una tabla (denominada lista de Excel en versiones anteriores) es que los elementos que la componen se vayan incorporando a medida que se necesite añadir nuevos datos, sin ningún orden previo. Una tabla de esta clase, especialmente si es larga, tiene poca utilidad si no dispone de medios para localizar los datos que contiene.

En Excel, las tablas presentan una estructura determinada, similar a una base de datos simple. Una base de datos es un conjunto de datos ordenados de manera sistemática. En los capítulos dedicados a Microsoft Access estudiaremos con detalle esta cuestión.

Para crear una tabla seleccione el rango de datos o celdas vacías que desee convertir en la tabla y haga clic en el botón **Tabla** del grupo **Tablas** en la ficha **Insertar**.

Si el rango seleccionado incluye datos que desea mostrar como encabezados de tabla, seleccione la casilla de verificación La tabla tiene encabezados.

Una vez creada la tabla, además de las flechas desplegables del filtro aplicado, se mostrarán las Herramientas de tabla junto con la ficha Diseño que, junto con los grupos recogidos en la ficha Datos, le ayudarán a utilizar las siguientes características para administrar los datos de la misma:

- **Ordenar y filtrar:** A la fila de encabezado de una tabla se agregan automáticamente listas desplegables (que muestra una lista de opciones) de filtros. Puede ordenar las tablas en orden ascendente o descendente o por colores, o puede crear un criterio de ordenación personalizado. Puede filtrar las tablas para que sólo muestren los datos que sigan los criterios especificados, o puede filtrar por colores.

- **Aplicar formato a los datos de la tabla:** Puede dar formato rápidamente a los datos de la tabla aplicando un estilo de tabla predefinido o personalizado, haciendo clic en el botón **Estilos rápidos** de Estilos de tabla en la ficha Diseño de Herramientas de tabla. Puede elegir también opciones de estilos rápidos para mostrar una tabla con o sin una fila de encabezado o de totales, para aplicar bandas de filas o columnas con el fin de facilitar la lectura o para diferenciar la primera o última columna de otras columnas, seleccionando las opciones apropiadas del grupo Opciones de estilo de tabla de la misma ficha.

- **Insertar y eliminar filas y columnas de la tabla:** Existen diversos métodos para agregar filas y columnas a una tabla. Puede agregar una fila en blanco al final de la tabla, incluir filas o columnas adyacentes a la hoja en la tabla o insertar filas y columnas de tabla la ubicación deseada. Puede eliminar filas y columnas cuando sea necesario. También puede quitar rápidamente filas que contengan datos duplicados de una tabla. El método más sencillo es utilizar el menú contextual que se abre al hacer clic en una fila o en una columna o hacer clic en el botón **Cambiar tamaño de la tabla** en el grupo Propiedades de la ficha Diseño en Herramientas de tabla para abrir el cuadro de diálogo Ajustar el tamaño de la tabla.

- **Utilizar una columna calculada:** Para utilizar una fórmula que se adapte a cada fila de una tabla, puede crear una columna calculada. La columna se amplía automáticamente para incluir filas adicionales de modo que la fórmula se extienda inmediatamente a dichas filas. Para crear una columna calculada, haga clic en una columna de tabla en blanco que desea convertir en una columna calculada. Si es necesario, inserte una columna nueva en la tabla. Escriba la fórmula que desea utilizar como cálculo. La fórmula escrita se rellena automáticamente en todas las celdas de la columna, tanto por encima como por debajo de la celda activa.

- Al copiar o rellenar una fórmula en todas las celdas de una columna de tabla en blanco también se crea una columna calculada.

- Si escribe una fórmula en una columna debajo de la tabla, se creará una columna calculada, pero las filas que se encuentran fuera de la tabla no se podrán utilizar en una referencia de tabla.

- Si escribe o mueve una fórmula a una columna de tabla que ya contiene datos, no se creará automáticamente una columna calculada. Sin embargo, se mostrará el botón **Opciones de Autocorrección** para ofrecerle la posibilidad de sobrescribir los datos y permitir la creación de la columna calculada. Si copia una fórmula en una columna de tabla que ya contiene datos, esta opción no estará disponible.

- Para deshacer rápidamente una columna calculada, si utilizó el comando **Rellenar** o **Control-Intro** para rellenar una columna completa con la misma fórmula, haga clic en el botón **Deshacer** de la barra de herramientas de acceso rápido. Si escribió o copió una fórmula en una celda de una columna en blanco, haga clic dos veces en el botón **Deshacer** que se encuentra en la misma barra de herramientas.

- **Mostrar y calcular totales de datos de una tabla:** Puede calcular rápidamente los resultados de los datos de una tabla mostrando una fila de totales al final de la tabla y utilizando las funciones incluidas en las listas desplegables para cada una de las celdas de la fila de totales. Para mostrar una fila de totales de datos, seleccione la opción Fila de totales en Opciones de estilo de tabla de la ficha Diseño en Herramientas de tabla.

  - La fila de totales aparece como la última fila de la tabla y muestra la palabra Total en la celda situada más a la izquierda.

  - En la fila de totales, haga clic en la celda de la columna para la que desea calcular un total y, a continuación, haga clic en la flecha de lista desplegable que aparece.

  - En la lista desplegable, seleccione la función que desea utilizar para calcular el total.

  - Las fórmulas que puede utilizar en la fila de totales no se limitan a las funciones de la lista. Puede escribir cualquier fórmula que desee en cualquier celda de fila de totales.

Ordenar una tabla

A medida que una tabla crece, conviene organizarla para su mejor aprovechamiento. Excel permite hacerlo de diversas maneras. Puede, por ejemplo, ordenar los datos de una columna dejando el resto de los datos sin que cambien de posición, o, también, utilizar uno o varios campos como eje de ordenación respetando la posición de los datos de cada registro (véase la figura 6.7).

Figura 6.7. Ejemplo de tabla creada en Excel 2007.

Ordenar una sola columna supone no tener en cuenta el contenido de los demás campos. Basta con seleccionar la columna que se desea ordenar y hacer clic en el botón **Ordenar de A a Z** u **Ordenar de Z a A** en el grupo Ordenar y filtrar de la ficha Datos. La elección dependerá del sentido que quiera darle a la ordenación. El resto de los datos de cada registro permanecen en su ubicación inicial, por lo que el resultado puede resultar algo confuso. No tiene sentido, por ejemplo, ordenar por nombre los alumnos de una lista si los apellidos no van a aparecer en el orden correcto.

Ordenar una lista teniendo en cuenta una o varias columnas requiere seguir una serie de pasos que básicamente son los siguientes:

1. Seleccione una celda de la tabla que desea ordenar. Es recomendable que la celda pertenezca al campo o columna que le va a servir como eje de la ordenación.

2. Haga clic en el botón **Ordenar** del grupo Ordenar y filtrar en la ficha Datos.

3. Excel selecciona toda la tabla y se abre el cuadro de diálogo Ordenar.

4. En caso de que el programa no haya seleccionado la tabla correctamente, haga clic en **Cancelar** y seleccione toda la tabla manualmente. A continuación vuelva a seguir los pasos necesarios para abrir el cuadro de diálogo Ordenar.

5. Si la tabla tiene encabezados para las columnas, seleccione la casilla Mis datos tienen encabezados (normalmente, aparecerá seleccionada). Así evitará que la primera fila se ordene como si de un registro más se tratara.

6. Si solo quiere ordenar la lista atendiendo a una columna, en el cuadro de lista Ordenar por, seleccione el campo que será el eje de la ordenación y desplácese hasta el último paso de este proceso.

7. Si necesita considerar los datos existentes en más de una columna para ordenar la lista, añada algún otro campo en los cuadros de lista Luego por haciendo clic en el botón **Agregar nivel** por cada nuevo registro que necesite.

8. Indique si quiere que la lista se ordene de manera ascendente o descendente con las opciones que aparecen al hacer clic en el botón **Opciones** y haga clic en **Aceptar** para cerrar el cuadro de diálogo Opciones de ordenación (véase la figura 6.8).

9. Pulse el botón **Aceptar** para que las acciones elegidas sean efectivas.

Nota:

El cuadro de lista desplegable Ordenar por *tiene los nombres de los encabezados porque la lista los contiene. En caso contrario, aparecerían los nombres de las columnas*: Columna A, Columna B, *etc.*

Elegir más de una columna como eje de ordenación tiene como finalidad principal que haya más de un criterio en caso de conflicto. De tal manera que si dos registros tienen el mismo contenido en el primer campo, pueda tenerse en cuenta otro.

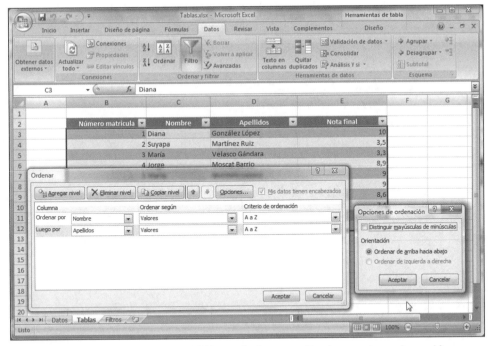

Figura 6.8. Cuadros de diálogo Ordenar y Opciones de ordenación
para ordenar una tabla.

Cuando hay más de un criterio, se establece un orden que suele ir de lo general a lo particular (véase la figura 6.9).

Hemos visto cómo ordenar filas atendiendo a las columnas como criterio de ordenación, pero es posible que lo que le interese sea ordenar las columnas considerando como eje las filas de la lista.

Haga clic en el botón **Opciones** del cuadro de diálogo Ordenar. Se abrirá el cuadro de diálogo Opciones de ordenación. Seleccione, en la sección Orientación, la opción Ordenar de izquierda a derecha. Para terminar, salga de ambos cuadros de diálogo haciendo clic en el botón **Aceptar**.

Filtrar una tabla

Cuando una tabla es muy extensa puede configurarla para que muestre solo los registros que cumplen una determinada condición y oculte el resto. El filtrado no significa una reorganización de los datos contenidos en la lista. En realidad, se selecciona un subconjunto de datos con unas características comunes y los que no interesa mostrar en un momento dado, se esconden.

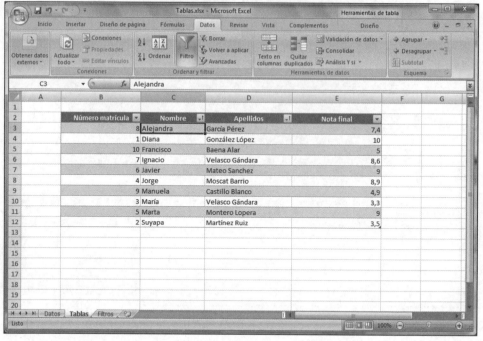

Figura 6.9. Resultado de ordenar la tabla con los criterios seleccionados en el cuadro de diálogo Ordenar anterior.

Una vez filtrada la lista, podrá trabajar con el resultado obtenido de forma rápida y sencilla. Tendrá capacidad, por ejemplo, tanto para modificar formatos como para elaborar diferentes gráficos exclusivos para el subconjunto.

Para realizar el filtrado, Excel dispone de dos herramientas que vamos a conocer a continuación: la opción Filtro, para filtros sencillos y la opción Avanzadas, para utilizar criterios más complejos.

Filtro

Para filtrar una tabla atendiendo a criterios sencillos, sólo tiene que hacer clic en una de las flechas desplegables de los encabezados. Estas flechas indican que se ha introducido en el modo Filtro y que puede gestionar la lista con recursos especiales.

Haga clic en la flecha hacia abajo y verá el listado de todos los datos contenidos en esa columna. Si son muchos, aparecerá una barra de desplazamiento vertical que le permitirá verlos todos.

Para ejecutar un filtro, despliegue la flecha de autofiltro del campo por el que desea filtrar y seleccione el criterio que deben cumplir los registros para ser mostrados (véase la figura 6.10).

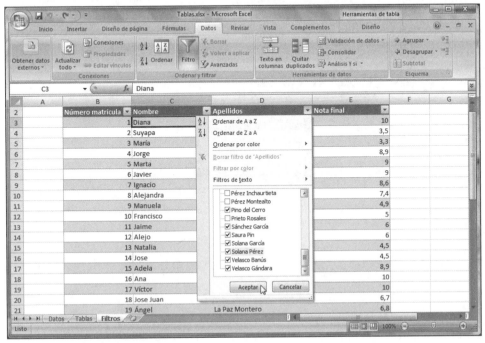

Figura 6.10. Tabla de ejemplo con la lista de filtro desplegada.

Excel indica los elementos que han sido filtrados insertando un icono de filtro en el encabezado de la columna filtrada (véase la figura 6.11).

Además de los datos contenidos en la columna, el menú desplegable ofrece las siguientes opciones:

- **Seleccionar todo:** Selecciona y anula la selección de registros tras haber ejecutado un filtro.

- **Filtros de número:** Solo está disponible para valores numéricos. Muestra un menú desplegable con diversas opciones para datos numéricos: **Es igual a, No es igual a, Diez mejores,** etc.

- **Filtro personalizado:** A esta opción puede acceder a través del menú desplegable de **Filtros de número** o de **Filtros de texto** y abre el cuadro de diálogo **Autofiltro personalizado,** que le mostramos en la figura 6.12. En el ejemplo, se pretende ver la relación de alumnos cuya nota final esté comprendida entre 0 y 5.

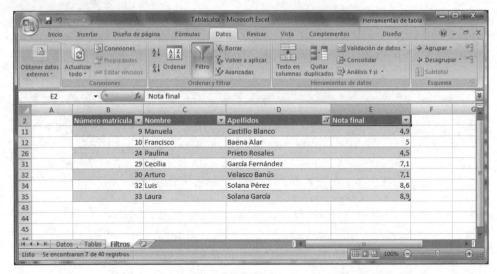

Figura 6.11. Tabla de ejemplo filtrada. Observe el icono del encabezado Apellidos.

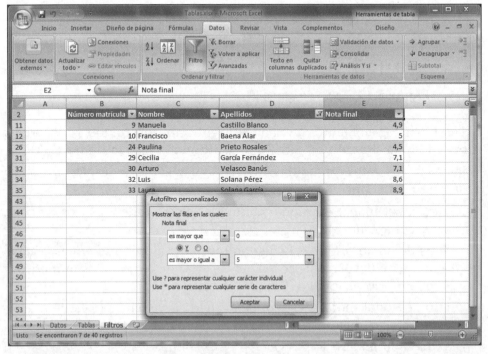

Figura 6.12. Cuadro de diálogo Autofiltro personalizado de la opción Filtro personalizado.

Nota:

Para activar y desactivar las flechas desplegables de filtro, haga clic en el botón Filtro del grupo Ordenar y filtrar *en la ficha* Datos.

Filtro avanzado

La diferencia sustancial entre el autofiltro y el filtro avanzado es que este último utiliza un modo especial para indicar los criterios y condiciones del filtrado. En el autofiltro se hace uso de las listas desplegables a partir de los encabezados de los campos. El filtro avanzado requiere crear un rango de criterios, o lo que es lo mismo, introducir en algunas celdas la información necesaria para crear los criterios y condiciones de filtrado de la lista.

El primer paso consiste en definir un rango de criterios que contendrá información tanto de la columna que desea filtrar como el dato que deberá contener un registro para ser seleccionado. Para crear el rango de criterios:

1. Sitúese en una zona vacía de la hoja de cálculo.

2. Introduzca el encabezado de la columna que será criterio de filtrado. Puede copiarlo utilizando las teclas **Control-C** para la copia y **Control-V** para el pegado.

3. Escriba la condición que desee emplear como filtro o copie el dato de alguna celda que lo contenga. En la figura 6.13, queremos mostrar los registros cuyas notas finales sean superiores a cinco. La condición está contenida en el rango G2:G3.

Después de crear el rango de criterios, seleccione cualquier celda de la lista y haga clic en el botón **Avanzadas** del grupo Ordenar y filtrar de la ficha Datos. Se abrirá el cuadro de diálogo Filtro avanzado y el programa enmarcará la lista completa automáticamente.

Dentro del cuadro de diálogo hay dos cuadros de texto: Rango de lista y Rango de criterios. El primero lo ha completado Excel con el rango que ocupa la lista que se va a filtrar. En Rango de criterios aparecerán las celdas que contienen los criterios.

Si alguno de los datos introducidos por el programa no fuese correcto, puede teclearlos o hacer clic sobre el botón de color situado en el extremo derecho del cuadro de lista y seleccionar el rango con el ratón.

En la sección Acción se le ofrecen varias opciones:

- Filtrar la lista sin moverla a otro lugar: Permite que el filtrado se lleve a cabo dentro de la misma hoja, sobre la propia lista.

- Copiar a otro lugar: Abrirá un nuevo cuadro de diálogo, Copiar a, que le permitirá especificar el lugar donde desea colocar los resultados del filtro.

- Solo registros únicos: Una vez seleccionada esta opción, elimina del resultado del filtrado aquellos registros que pudieran estar repetidos.

Después de configurarlo, pulse el botón **Aceptar**.

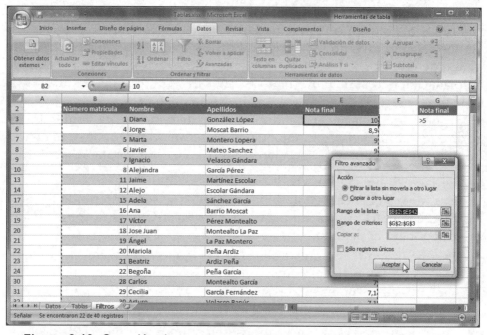

Figura 6.13. Creación de un rango de criterios y cuadro de diálogo Filtro avanzado.

Al igual que ocurría con el autofiltro, para eliminar el filtro avanzado y que vuelvan a mostrarse todos los registros de la lista, haga clic en el botón **Borrar** del grupo Ordenar y filtrar de la ficha Datos (véase la figura 6.14).

Como ha podido observar en las dos últimas figuras, puede emplear para definir los criterios de sus filtros ciertos caracteres especiales que permiten delimitar los valores de la condición que tienen que cumplir los datos. Estos operadores son:

- Igual a (=).

- Mayor que (>). Con datos de tipo texto, este operador mostrará los datos posteriores en orden alfabético.

- Menor que (<).

- Mayor o igual que (>=).

- Menor o igual que (<=).

- Asterisco (*): Comodín que le permite reemplazar cualquier conjunto de caracteres. Recordará este operador de las búsquedas avanzadas de Word.

- Interrogación (?): Comodín que sustituye únicamente al carácter situado en la misma posición en que se coloca el operador.

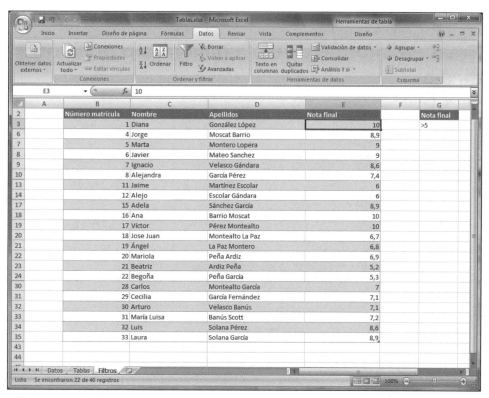

Figura 6.14. Resultado de aplicar el filtro avanzado sin mover la lista a otro lugar.

Por último, los filtros avanzados pueden utilizar como criterio un valor calculado a partir de una fórmula. Si precisa emplear fórmulas como criterio de filtrado, tenga en cuenta las siguientes consideraciones:

- No utilice un encabezado de columna como encabezado del rango de criterios. Es preferible que lo deje vacío.

- La fórmula que utilice para especificar la condición debe emplear referencias relativas para la columna del primer registro. El resto de las referencias de la fórmula deben ser absolutas.

Crear un informe de tabla dinámica

Para analizar datos numéricos en profundidad y para responder a preguntas sobre los datos, utilice un informe de tabla dinámica o de gráfico dinámico.

Crear un informe de tabla dinámica o gráfico dinámico

Para crear un informe de tabla o gráfico dinámico (véase detalladamente la figura 6.15):

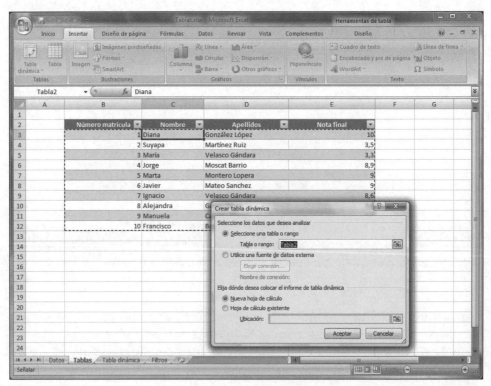

Figura 6.15. Creación de un informe de tabla dinámica.

1. Seleccione una celda de un rango de celdas o coloque el punto de inserción dentro de una tabla de Microsoft Office Excel.

2. Asegúrese de que el rango de celdas tiene encabezados de columna.

3. Siga uno de los siguientes métodos:

   - Para crear un informe de tabla dinámica, haga clic en el menú desplegable del botón **Tabla dinámica** en el grupo Tablas de la ficha Insertar y seleccione Tabla dinámica. Aparecerá el cuadro de diálogo Crear tabla dinámica.

   - Para crear un informe de gráfico dinámico, seleccione la ficha Insertar, y en el grupo Tablas, haga clic en el menú desplegable del botón **Tabla dinámica**. Por último, seleccione Gráfico dinámico. Se abrirá el cuadro de diálogo Crear tabla dinámica con el gráfico dinámico.

4. Seleccione un origen de datos. Siga uno de los siguientes métodos:

   - Seleccione la tabla que desea analizar.

   - Haga clic en Utilizar datos externos para elegir una conexión de datos externa.

> **Nota:**
>
> *Si el rango se encuentra en otra hoja de cálculo del mismo libro o de otro libro, escriba el nombre del libro y de la hoja de cálculo utilizando la siguiente sintaxis: **([nombredellibro]nombre-delahoja!rango)**.*

. Escriba una ubicación para el informe resultante siguiendo uno de estos procedimientos:

   - Para poner el informe de tabla dinámica en una hoja de cálculo nueva que empiece por la celda A1, seleccione Nueva hoja de cálculo.

   - Para colocar el informe de tabla dinámica en una hoja de cálculo existente, seleccione Hoja de cálculo existente y escriba la primera celda del rango de celdas donde desea situar el informe de tabla resultante.

5. Haga clic en **Aceptar**.

6. Un informe de tabla dinámica vacío se agregará a la ubicación especificada de forma que puede comenzar a agregar campos, crear un diseño y personalizar el informe de tabla dinámica (véase la figura 6.16).

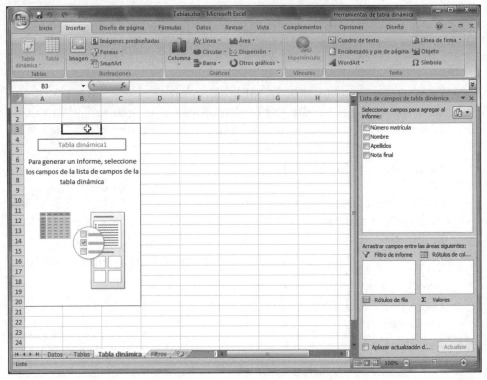

Figura 6.16. Informe de tabla dinámica vacío.

Eliminar un informe de tabla dinámica

Para eliminar un informe de tabla dinámica, siga estos pasos:

1. Haga clic en el informe de tabla dinámica.

2. Haga clic en el botón de menú desplegable **Seleccionar** en el grupo Acciones de la ficha Opciones y seleccione Toda la tabla dinámica.

3. Pulse **Supr**.

Advertencia:

Al eliminar el informe de tabla dinámica asociado a un informe de gráfico dinámico, se crea un gráfico estático que no se puede modificar.

Capítulo 7

Formatos de hojas de cálculo

En este capítulo aprenderá a:

- Aplicar formato al contenido y a los elementos de una hoja de cálculo.
- Configurar la hoja de cálculo y utilizar opciones de visualización para trabajar con hojas de cálculo de gran tamaño.
- Mejorar la apariencia de las hojas aplicando opciones avanzadas de formato.

De forma predeterminada, los datos introducidos en una hoja de cálculo ofrecen determinado aspecto. En este capítulo vamos a aprender a cambiar esa apariencia de modo que resulte satisfactoria y, por qué no, atractiva. Aplicaremos formatos a los distintos elementos que componen una hoja de cálculo.

Las opciones de formato que vamos a analizar a continuación nos servirán para realizar trabajos de calidad, no solo por su contenido sino también por su presentación. Podrá diseñar sus propias hojas de cálculo después de saber cómo puede aplicar formato a los números y al texto contenidos en las celdas y cómo modificar las características de celdas, filas, columnas e, incluso, de la propia hoja.

Recuerde que muchas de las técnicas utilizadas para aplicar formatos en las aplicaciones Microsoft Office 2007 son comunes a todas ellas. En esta ocasión, nos vamos a detener especialmente en las herramientas específicas de Excel.

Formatos del contenido de las celdas

Ya anticipamos que los tipos de datos más frecuentes en Excel son el texto y, en especial, los números. Veamos cómo manipular cada uno de ellos para mejorar su visualización por pantalla y, posteriormente, su impresión en papel.

Formatos de números

Los valores contenidos en las celdas de una hoja de cálculo pueden tener diferentes formatos dependiendo del tipo de dato. De forma predeterminada, cuando Excel detecta que se ha introducido un número, lo alinea a la derecha, ya que asigna a cada tipo de dato un formato de carácter general. Sin embargo, un número puede tener diferentes formatos: porcentajes, fracciones, etc.

Recuerde que una cosa es el dato en sí y otra el formato con el que aparece en la pantalla. El dato introducido en una celda de Excel nunca varía, aunque pueda modificarse la manera en que se presenta. Es decir, que los formatos no afectan a los datos contenidos en las celdas.

Esta es la forma de dar formato a una o varias celdas:

- Primero seleccione la celda o el rango de celdas que tendrán un nuevo formato.

- Haga clic en el botón **Iniciador de cuadro de diálogo** del grupo Número de la ficha Inicio o pulse la sugerencia de teclas **Control-1**.
- Se abrirá el cuadro de diálogo Formato de celdas (véase la figura 7.1). Seleccione, si no lo está, la ficha Número.

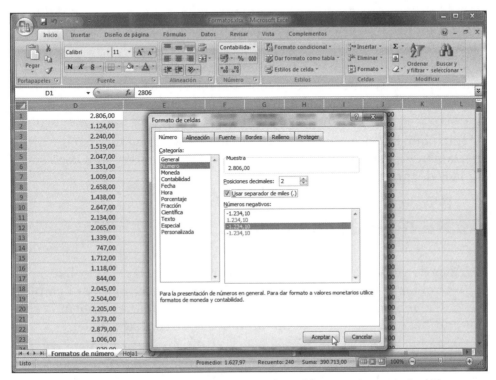

Figura 7.1. Cuadro de diálogo Formato de celdas con la pestaña Número activa.

- En la lista Categoría, a la izquierda del cuadro de diálogo, puede elegir el formato que precise. Las opciones y recomendaciones de uso relacionadas con cada tipo de dato se le mostrarán en la parte derecha del cuadro al ir haciendo clic sobre ellos.
- Haga clic en **Acepta**r para aplicar el formato.

Algunas características son comunes a varios tipos numéricos: posiciones decimales, símbolo (para la moneda que se desea emplear), números negativos, etc.

Los formatos más habituales pueden seleccionarse directamente utilizando los correspondientes botones del grupo Número en la ficha Inicio, como por ejemplo los botones **Estilo Millares** o **Estilo porcentual**.

Formatos de texto

Aunque Excel no es un procesador de texto, permite utilizar gran parte de las operaciones de formato de texto que hemos conocido con Word.

Para efectuar los cambios en el formato de los caracteres, sean datos de texto o numéricos, puede emplear las opciones presentes en la pestaña Fuente del cuadro de diálogo Formato de celdas.

Como ocurría en Word, puede variar el tipo de letra, su tamaño, estilo y color, o aplicar resaltes de subrayado y efectos, etc. En cualquier caso, seleccione los caracteres a los que quiere dar formato, o marque en un bloque las celdas y rangos que los contengan, y aplique las opciones elegidas.

Al igual que los formatos de números, los formatos de texto más utilizados también se encuentran disponibles utilizando los botones correspondientes del grupo Fuente en la ficha Inicio.

Apariencia de las celdas

Además de modificar la apariencia del contenido de las celdas, Excel permite cambiar el formato de la propia celda. Con este fin, podrá emplear efectos de relleno o aplicar retoques a sus bordes, colores, alinear las celdas o utilizar los estilos de celda rápidos que ofrece Excel 2007.

En cualquier caso, deberá seleccionar las celdas a las que quiere dar formato, y, a continuación, hacer uso del cuadro de diálogo Formato de celdas. Este cuadro le facilita la tarea de especificar sus preferencias por medio de la pestaña más apropiada para cada tipo de cambio. Algunas de las fichas más productivas son:

• Relleno: Para cambiar el color o la trama de fondo de las celdas.

• Bordes: Para elegir el tipo de borde que desea para las celdas.

• Alineación: Para determinar la alineación de su contenido.

Los epígrafes Bordes y Alineación se verán en detalle a continuación.

Al crear un nuevo libro de trabajo, el color de las celdas es el predeterminado en la aplicación, el blanco. Puede cambiarlo por otro utilizando el botón **Color de relleno**, del grupo Fuente dentro de la ficha Inicio, que abrirá una paleta de colores que podrá aplicar sobre las celdas previamente seleccionadas.

Otra forma de colorear celdas es la que le ofrece el cuadro de diálogo Formato de celdas (véase la figura 7.2). La pestaña Relleno le permite aplicar opciones de relleno que no se limitan al sombreado de la celda con colores simples. Al hacer clic sobre el recuadro Color de trama podrá elegir en la paleta de colores desplegada tanto el estilo del entramado como su color. Compruebe en el cuadro **Muestra** la apariencia resultante y haga clic en el botón **Aceptar** para que se haga efectivo.

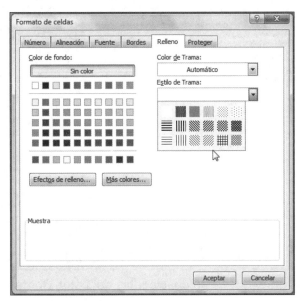

Figura 7.2. Cuadro de diálogo Formato de celdas con la paleta Estilo de trama desplegada.

Especificar los bordes de las celdas

Todas las celdas de la hoja de cálculo se muestran en la pantalla de su ordenador con un borde que las delimita. Aunque este borde no se imprime, solo sirve para facilitar el trabajo en su hoja de cálculo. Puede comprobarlo, si lo desea, haciendo clic en el **Botón de Office** y seleccionando Imprimir>Vista preliminar.

Excel le permite tanto imprimir como ver en pantalla sus documentos aplicando bordes a las celdas que desee destacar dentro de la hoja de cálculo. Para hacerlo de manera rápida, haga clic en la flecha desplegable del botón **Bordes** que se encuentra en el grupo Fuente de la ficha Inicio (véase la figura 7.3). Este botón le permite utilizar un menú desplegable con las opciones básicas e, incluso, utilizar la opción Dibujar bordes.

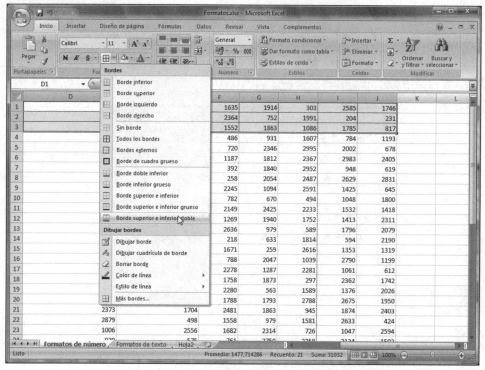

Figura 7.3. Menú desplegable del botón Bordes.

Si prefiere optar por bordes especiales y algo más complejos, con un alto grado de personalización, seleccione la opción **Más bordes** para abrir el cuadro de diálogo **Formato de celdas** con la ficha **Bordes** activa.

Dentro de dicha ficha, seleccione primero el **Estilo** y el **Color** de las líneas que quiere aplicar a los bordes. A continuación, elija el borde que va a insertar entre los que se le ofrecen. El programa facilita la aplicación de los bordes más habituales permitiéndole introducir alguno de sus formatos de bordes preestablecidos:

- **Ninguno**: No aplicará ningún borde a las celdas seleccionadas.
- **Contorno**: Aplicará tan solo un borde exterior al contorno de la selección.
- **Interior**: Aplicará los bordes interiores en las celdas incluidas en el rango seleccionado.

Si prefiere personalizar los bordes, haga clic sobre los botones que se encuentran alrededor del cuadro de muestra para comprobar la apariencia de los tipos de borde que se le proponen.

Truco:

*Puede utilizar los menús desplegables de los botones **Dar formato como tabla** y **Estilos de celda** del grupo* Estilos *dentro de la ficha* Inicio *para seleccionar y aplicar rápidamente un formato y un estilo predefinido a las celdas seleccionadas.*

Alineación de las celdas

Excel alinea automáticamente el contenido de las celdas a la derecha o a la izquierda dependiendo de si se trata de datos numéricos o textuales.

No obstante, puede modificar esta disposición del contenido de las celdas de manera rápida.

Seleccione el rango sobre el que desea aplicar la nueva alineación y haga clic sobre cualquiera de los tres botones de la fila central (**Alinear texto a la izquierda**, **Centrar** y **Alinear texto a la derecha**) presentes en el grupo Alineación de la ficha Inicio. (Véase la figura 7.4).

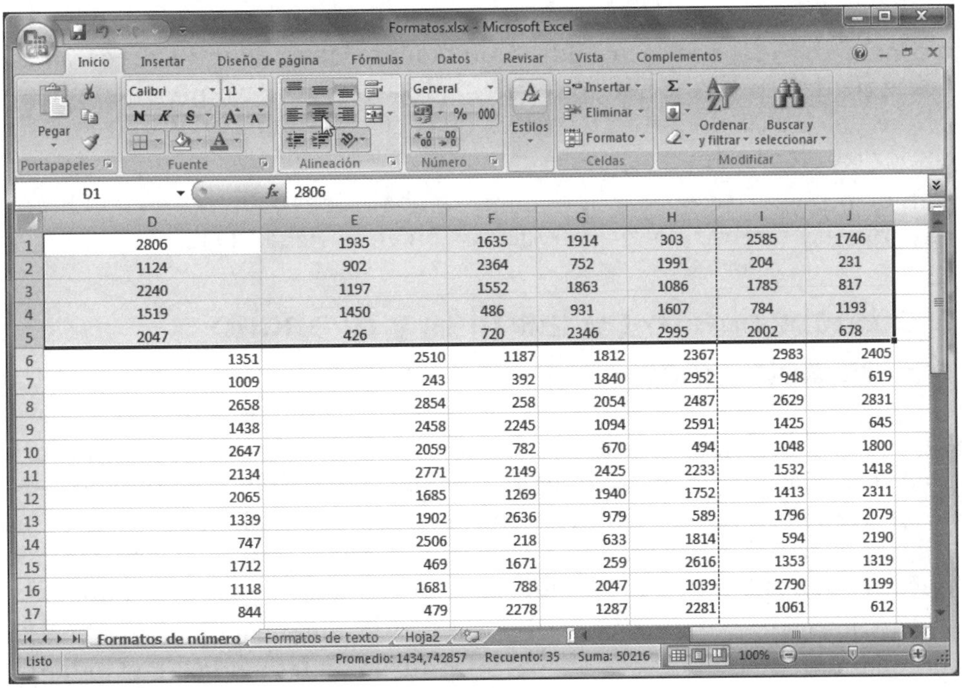

Formatos.xlsx - Microsoft Excel
Inicio
Insertar
Diseño de página
Fórmulas
Datos
Revisar
Vista
Complementos
Pegar
Calibri
11
General
Estilos
Insertar
Eliminar
Formato
Ordenar y filtrar
Buscar y seleccionar
Portapapeles
Fuente
Alineación
Número
Celdas
Modificar
D1
2806
D E F G H I J
1 2806 1935 1635 1914 303 2585 1746
2 1124 902 2364 752 1991 204 231
3 2240 1197 1552 1863 1086 1785 817
4 1519 1450 486 931 1607 784 1193
5 2047 426 720 2346 2995 2002 678
6 1351 2510 1187 1812 2367 2983 2405
7 1009 243 392 1840 2952 948 619
8 2658 2854 258 2054 2487 2629 2831
9 1438 2458 2245 1094 2591 1425 645
10 2647 2059 782 670 494 1048 1800
11 2134 2771 2149 2425 2233 1532 1418
12 2065 1685 1269 1940 1752 1413 2311
13 1339 1902 2636 979 589 1796 2079
14 747 2506 218 633 1814 594 2190
15 1712 469 1671 259 2616 1353 1319
16 1118 1681 788 2047 1039 2790 1199
17 844 479 2278 1287 2281 1061 612
Formatos de número
Formatos de texto
Hoja2
Listo
Promedio: 1434,742857
Recuento: 35
Suma: 50216
100%

Figura 7.4. Utilice los botones de alineación del grupo Alineación para alinear datos numéricos o de texto.

Otra posibilidad es hacer clic en el botón **Iniciador de cuadro de diálogo** del grupo Alineación para abrir el cuadro de diálogo Formato de celdas con la pestaña Alineación activa.

Aquí puede especificar la alineación de los datos en el interior de las celdas, puede elegir su disposición tanto en sentido horizontal (a la derecha, a la izquierda, centrados, justificados, etc., permitiendo, incluso, utilizar la sangría) como vertical (junto al límite inferior de la celda, al superior, en el centro, etc.).

También le permite el programa determinar la orientación del texto, con lo que podrá colocarlo en vertical o inclinado. En el caso de que desee inclinar el contenido de la celda, podrá decidir su grado de inclinación (entre 90° y −90°). Para ello, puede emplear la casilla numérica Grados, que se encuentra bajo la ventana que le permite ver cómo se ubicarán los datos en la celda. Si lo prefiere, puede ayudarse del ratón y arrastrar, manteniendo pulsado el botón izquierdo, la aguja de orientación sobre la ventana directamente.

Por último, la sección Control de texto le ofrece casillas para activar opciones que le permiten ajustar el tamaño de los datos para que se ajusten al ancho de la columna (Reducir hasta ajustar) o que todo un rango pase a convertirse en una única celda (Combinar celdas). Tenga en cuenta (Excel le pedirá confirmación antes de realizar tal acción) que al combinar celdas solo se conservarán los datos de la celda situada en el extremo superior izquierdo del rango seleccionado.

También puede acceder a la opción Combinar celdas a través del botón **Combinar y centrar** del grupo Alineación en la ficha Inicio.

Modificar el alto de las filas y el ancho de las columnas

Uno de los problemas más habituales al introducir texto en una hoja de cálculo es que las celdas suelen quedarse pequeñas y los datos no pueden leerse íntegramente. Excel permite modificar el alto de las filas y el ancho de las columnas de su hoja de cálculo. De este modo podrá personalizar el tamaño que las celdas tienen en un documento nuevo de forma predeterminada.

El alto de las filas suele establecerse automáticamente, teniendo en cuenta el tamaño de los caracteres que se introducen en las celdas. Por lo tanto, cuanto mayor sea el tamaño de fuente que se utilice en una fila, mayor será su altura.

No obstante, puede especificar el alto que desee para sus filas. Para ello, seleccione la celda o rango de celdas de las filas cuya altura necesita modificar. Haga clic en el menú desplegable del botón **Formato** dentro del grupo Celdas de la ficha Inicio y seleccione Alto de fila. Se abrirá el cuadro de diálogo Alto de fila, en el que deberá escribir la altura deseada. Haga clic en **Aceptar** para que su elección sea efectiva.

También puede cambiar la altura de la fila utilizando el ratón, para lo cual debe situar el puntero en la línea inferior de la fila cuya altura desea modificar, debajo del número de fila. Cuando el puntero del ratón se transforme en una línea horizontal con doble flecha de color negro, haga clic en el botón izquierdo y arrastre la línea hasta conseguir el alto deseado. Observe que, a medida que arrastra la línea, Excel le indica la nueva altura de fila.

Si hace clic en el botón **Ajustar texto**, el programa ajustará automáticamente el alto de la fila al contenido de la celda seleccionada o, si está vacía, al tamaño predefinido para las filas.

Truco:

Puede conseguir el autoajuste de una fila haciendo doble clic en el botón izquierdo del ratón sobre la línea inferior de separación, debajo del número de fila.

Sitúe el puntero en la línea de separación derecha, en la fila donde se muestran las letras de las columnas. Cuando el puntero del ratón se transforme en una línea vertical con doble flecha de color negro, haga clic en el botón izquierdo y seguidamente arrastre la línea hasta conseguir el ancho deseado.

Haga doble clic en el botón izquierdo del ratón sobre la línea derecha de separación de la columna para que se efectúe un ajuste automático del texto que contiene la columna.

Nota:

Con el fin de facilitar el manejo de grandes cantidades de filas y columnas, puede seleccionar las opciones presentadas por el comando Ocultar y mostrar *del botón desplegable del botón* **Formato** *en el grupo* Celdas *de la ficha* Inicio, *dentro de la sección* Visibilidad.

Configurar la hoja de cálculo

Para imprimir su hoja de cálculo deberá aplicarle un formato que facilite su lectura. Al igual que en Word, puede utilizar las opciones del grupo Configurar página de la ficha Diseño de página. El botón desplegable **Orientación** le permite seleccionar la orientación (Vertical u Horizontal), **Márgenes** le ayuda a seleccionar los márgenes de impresión, **Tamaño** le ayuda a elegir un tamaño de papel. En caso de necesitar un ajuste más personalizado, haga clic en el botón **Iniciador de cuadro de diálogo** del grupo Configurar página para abrir el cuadro de diálogo Configurar página desde donde podrá elegir otro tipo de diseño, los márgenes, el tipo de papel, la calidad de la impresión, etc. que desee. En la sección Ajuste de escala de dicho cuadro de diálogo podrá ampliar o reducir el porcentaje de tamaño normal que desee que ocupe la hoja al imprimirse o si desea que la hoja de cálculo ocupe, una vez impresa, una o varias páginas.

La pestaña Márgenes contiene una hoja con las líneas que simulan sus márgenes. Podrá seleccionar sus valores en los cuadros que la circundan (Superior, Inferior, Derecho, Izquierdo, Encabezado y Pie de página).

La pestaña Encabezado y Pie de página le permite editar encabezados y pies de página para su hoja eligiéndolos de entre los que Excel le ofrece en las listas desplegables que hay en la ficha. Aunque también podrá optar por diseñarlos a su gusto haciendo clic en los botones **Personalizar encabezado** y **Personalizar pie de página**.

La pestaña Hoja, específica de Excel, le ofrece herramientas específicas para la configuración de hojas de cálculo que explicaremos a continuación (véase la figura 7.5).

- Área de impresión: Permite definir, para su posterior impresión, un rango de celdas. Una vez seleccionado, en la pantalla aparecerá una línea discontinua a su alrededor para que distinga la parte de la hoja que se enviará a la impresora.

  También puede determinar el rango a imprimir seleccionándolo y ejecutando, posteriormente, el comando Establecer área de impresión del menú desplegable del botón **Área de impresión** en el grupo Configurar página de la ficha Inicio.

- Imprimir títulos: Le permite configurar la impresión de las filas y columnas de la hoja definidas como encabezados o títulos para que aparezcan en cada página impresa. De este modo, siempre sabrá a qué hacen referencia los datos contenidos en su hoja de cálculo.

- Imprimir: Le ofrece opciones como imprimir las líneas de división o el tipo y calidad de la impresión.
- Orden de las páginas: Para decidir el orden en que se paginará la hoja de cálculo al imprimir.

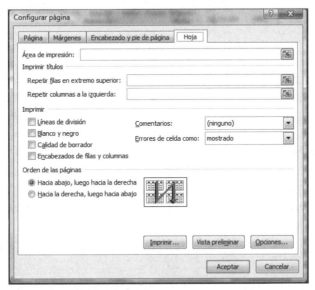

Figura 7.5. Cuadro de diálogo Configurar página con la pestaña Hoja activa.

Opciones de visualización de la hoja

Aunque las opciones de visualización no modifican el formato del documento de Excel, lo cierto es que son de gran ayuda para retocar el documento antes de imprimirlo. Por ello, vamos a repasarlas ahora.

A través del grupo Vistas de libro de la ficha Vista puede hacer clic en distintos botones de vistas: **Normal** (vista predeterminada al abrir la aplicación), **Diseño de página** (muestra el documento tal y como aparecerá en la página impresa), **Pantalla completa** (muestra el documento en modo de pantalla completa) o **Vista previa con saltos de página** (muestra una vista preliminar donde se interrumpen las páginas al imprimir el documento).

También puede visualizar su documento de Excel en modo de vista preliminar, seleccionando Imprimir>Vista preliminar del menú del **Botón de Office**.

Trabajar con hojas de gran tamaño

Además de poder ocultar y mostrar filas y columnas, Excel incorpora herramientas que facilitan el trabajo con hojas de cálculo de gran tamaño. El objetivo es evitar largos desplazamientos para consultar o introducir datos. Nos referimos a la división de la hoja de cálculo y a la inmovilización de paneles.

Dividir la hoja de cálculo

Si maneja una hoja de cálculo muy grande, puede que necesite ver en la pantalla distintas partes del documento alejadas entre sí. Para solucionarlo, haga clic en el botón **Dividir** del grupo Ventana en la ficha Vista. Al hacerlo, aparecerá en la pantalla la ventana del documento dividida en cuatro partes. En cada una de ellas podrá ver diferentes partes de la hoja de cálculo.

Para pasar de una a otra, haga clic sobre la que le interese en cada momento. Los comandos de movimiento afectarán a la división en la que se encuentre la celda activa. Por otra parte, las barras de desplazamiento serán operativas para cada división (véase la figura 7.6).

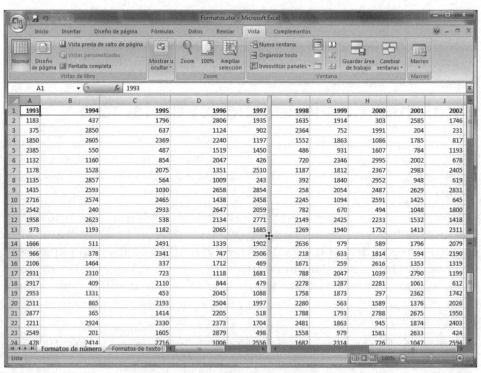

Figura 7.6. Comando Dividir activo.

Puede cambiar de tamaño las divisiones arrastrando con el ratón las barras de división. Si desea eliminar una de ellas, arrastre la barra de división hasta el borde de la ventana y suelte el botón del ratón. Si desea volver a visualizar la hoja de cálculo sin dividir, haga clic de nuevo en el botón **Dividir**.

Inmovilizar paneles

El botón desplegable **Inmovilizar paneles** del grupo Ventana en la ficha Vista, también le permite ver simultáneamente diferentes partes del documento. La diferencia con la división es que este comando inmoviliza una parte de la pantalla, que permanece fija y siempre visible.

La inmovilización de paneles es muy útil cuando es imprescindible tener siempre en pantalla, por ejemplo, las cabeceras de las filas y columnas y saber a qué concepto se corresponden los datos que se consultan o se introducen.

Al hacer clic en este botón, se abre un menú desplegable con las distintas opciones disponibles:

- **Inmovilizar paneles**: Mantiene visibles las filas y columnas mientras se desplaza por la hoja de cálculo (basándose en la selección actual).
- **Inmovilizar fila superior**: Mantiene visible la fila superior a medida que se desplaza por el resto de la hoja de cálculo.
- **Inmovilizar primera columna**: Mantiene visible la primera columna a medida que se desplaza por la hoja de cálculo.

Para desactivar la inmovilización de paneles, seleccione Movilizar paneles del menú desplegable del botón **Inmovilizar paneles** en el grupo Ventana dentro de la ficha Vista.

Opciones avanzadas de formato de hojas de cálculo

Hasta el momento hemos trabajado con los datos en una hoja de cálculo, aprendiendo a cambiar su aspecto mediante la modificación de las características tanto de los datos como de las celdas que los contienen. Pero Excel le ofrece opciones avanzadas para dar formato a sus hojas de cálculo. Estas son algunas de ellas.

Estilos

Los estilos simplifican la tarea de dar formato a las celdas de la hoja de cálculo. Permiten aplicar un conjunto de atributos a una serie de celdas, siempre que las haya seleccionado previamente, ejecutando una sola orden.

Para utilizar un estilo predeterminado, seleccione el rango de celdas y haga clic en la flecha desplegable del botón **Estilos de celda** dentro del grupo Estilos en la ficha Inicio. Se abrirá una galería de estilos desde donde puede seleccionar el deseado. La vista previa en el propio documento la facilitará la tarea de elegir (véase la figura 7.7).

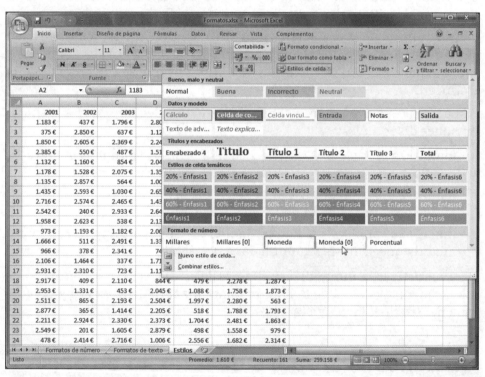

Figura 7.7. Galería de estilos de celdas con la opción Moneda sin decimales seleccionada.

Si desea modificar el estilo existente, seleccione la opción Nuevo estilo de celda para abrir el cuadro de diálogo Estilo. Haga clic en **Aplicar formato** y modifique las opciones deseadas. Haga clic en **Aceptar** para cerrar el cuadro de diálogo Formato de celdas y volver al cuadro de diálogo Estilo. Haga clic en **Aceptar** para cerrar el cuadro de diálogo Estilo.

Para crear un estilo personalizado, siga estos pasos:

1. Seleccione la celda o rango de celdas que contienen los formatos específicos que quiere definir como nuevo estilo.

2. Seleccione Nuevo estilo de celda del menú desplegable del botón **Estilos de celda** para abrir el cuadro de diálogo Estilo.

3. Escriba el nombre del estilo que desea crear en el cuadro de texto Nombre del estilo.

4. Haga clic en el botón **Aplicar formato** para añadir al nuevo estilo las características que considere necesarias y haga clic en **Aceptar** para cerrar el cuadro de diálogo Formato de celdas.

5. Haga clic en el botón **Aceptar** para que Excel almacene su configuración en el listado de estilos.

Truco:

Para copiar los estilos de otro libro de trabajo que tenga abierto en el libro activo, seleccione la opción Combinar del cuadro *del menú desplegable del botón* **Estilos de celda***.*

Formato condicional

Esta opción permite que el formato de las celdas cambie dependiendo de su contenido. Puede, por ejemplo, utilizar los formatos condicionales para que las celdas que contengan ciertos valores tengan un aspecto que las destaque del resto. Si cambia el valor de las celdas, su apariencia también cambiará.

Para aplicar formatos condicionales, seleccione las celdas que desea modificar y haga clic en la flecha desplegable del botón **Formato condicional** del grupo Estilos en la ficha Inicio. Se abrirá el menú desplegable con todas las opciones disponibles (véase la figura 7.8). Estas opciones son las siguientes:

* Resaltar reglas de celdas; Aplica formato únicamente a las celdas que contengan un valor mayor que, menor que, comprendido entre, igual a, un texto que contiene, una fecha o valores únicos o duplicados, según la opción seleccionada de este comando.

* Reglas superiores e inferiores: Aplica formato únicamente a los valores de rango inferior o superior, o por encima o por debajo del promedio.

- **Barras de datos:** Aplica formato a todas las celdas según sus valores empleando la longitud de una barra de datos.

- **Escalas de color:** Aplica formato a todas las celdas según sus valores utilizando un degradado de dos o tres colores.

- **Conjuntos de iconos:** Aplica formato a todas las celdas utilizando un conjunto de iconos.

- **Nueva regla:** Crea una nueva regla de formato condicional.

- **Borrar reglas:** Borra las reglas de la hoja o de las celdas seleccionadas.

- **Administrar reglas:** Crea, edita, elimina y muestra las reglas de formato condicional del libro utilizando el **Administrador de reglas de formato condicional** (véase la figura 7.9).

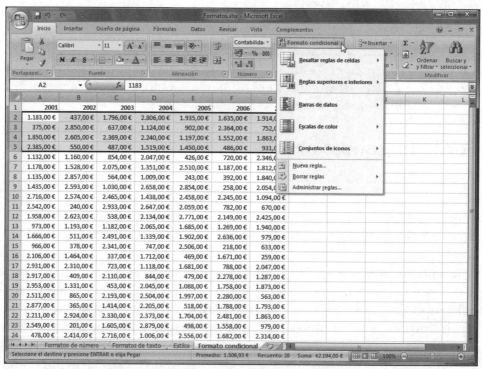

Figura 7.8. Menú desplegable de la opción Formato condicional.

Nota:

Para escribir reglas condicionales que no aparecen en esta lista, seleccione **Más reglas** *en el grupo correspondiente y escriba su propia regla.*

Figura 7.9. Administrador de reglas de formato condicional.

Capítulo 8

Uso de fórmulas y funciones en Excel

En este capítulo aprenderá a:

- Escribir y editar fórmulas aritméticas sencillas y funciones complejas para realizar cálculos en su hoja.
- Utilizar las referencias de celda en sus fórmulas y funciones.
- Utilizar referencias a datos contenidos en otras hojas de cálculo o en otros archivos.
- Comprobar las fórmulas con las herramientas ofrecidas por Excel.

En otros capítulos del libro hemos explicado cómo se puede introducir datos y mejorar la apariencia, tanto en pantalla como impresa, de los documentos de Excel.

En este capítulo, aprenderemos a utilizar una de las herramientas más eficaces y avanzadas del programa: las fórmulas y funciones para llevar a cabo todo tipo de cálculos. Comenzaremos con las operaciones aritméticas más sencillas y acabaremos utilizando las funciones y ecuaciones más complejas del programa.

Introducción

Excel permite insertar fórmulas en una celda. Una fórmula es una ecuación que utiliza operadores matemáticos para calcular un resultado a partir de una serie de valores contenidos en las celdas a las que se hace referencia en dicha fórmula. Es decir, para utilizar una fórmula en Excel, es necesario haber introducido previamente en otras celdas los datos que se emplearán en las operaciones.

Además de las referencias a otras celdas, puede optar por que los valores con que se realizan los cálculos sean constantes. Así, por ejemplo, una fórmula que sea "=6+A1", suma el valor constante 6 con el valor contenido en la celda referenciada, A1.

Las fórmulas ofrecen la posibilidad de obtener resultados de manera automática con tan solo introducir datos de forma sencilla. La utilización de fórmulas facilita que, al cambiar alguno de los datos que actúa como operando, varíe el resultado y se actualice automáticamente de acuerdo con los nuevos valores. Así, podrá realizar estas operaciones que suponen cálculos sistemáticos y repetitivos de manera ilimitada y sin necesidad de tener que volver a calcular en cada ocasión.

Por otra parte, las bibliotecas del programa contienen funciones, esto es, fórmulas predeterminadas e implementadas para ejecutar operaciones matemáticas complejas, aunque también pueden emplearse para cálculos sencillos. Las funciones se utilizan para simplificar y reducir las fórmulas presentes en una hoja de cálculo. Si las emplea para introducir una fórmula, tendrá que indicarle a Excel cuáles son los argumentos o parámetros con los que la función debe realizar los cálculos. Los argumentos de la función, que siempre se escriben entre paréntesis, son los valores utilizados para realizar las operaciones y su tipología depende de la propia función.

Para aprender a utilizar correctamente las fórmulas y las funciones, en las siguientes páginas se incluyen algunos ejemplos prácticos de su manejo.

Escribir y editar fórmulas

Fórmulas aritméticas sencillas

Ya sabemos que las fórmulas son ecuaciones que operan con los datos de la hoja de cálculo. Para indicarle a Excel que lo que queremos introducir en una celda es una fórmula, deberemos situarnos en ella y teclear el signo igual (=). Tras hacerlo, podrá comprobar que el programa ha interpretado su intención porque a la izquierda de la barra de fórmulas se activa el menú desplegable de las funciones utilizadas con más frecuencia. En el cuadro de nombres aparece mostrada la función utilizada con más frecuencia. Por ahora vamos a prescindir del menú de funciones, puesto que aprenderemos a utilizar fórmulas aritméticas simples.

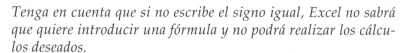

Advertencia:

Tenga en cuenta que si no escribe el signo igual, Excel no sabrá que quiere introducir una fórmula y no podrá realizar los cálculos deseados.

Detrás del signo igual deberá introducir los operandos y los operadores. Los operandos son los datos que se van a emplear en los cálculos. Los operadores separan los operandos entre sí e indican qué operaciones se van a llevar a cabo.

Los operandos pueden ser valores constantes, referencias a celdas y/o a rangos de celdas o una función de las implementadas en el programa. Escriba, por ejemplo, los valores constantes **8+35** y pulse la tecla **Intro**. La celda en la que ha introducido la fórmula mostrará el valor 43. Habrá validado, de forma sencilla, su primera fórmula en Excel. Compruebe, no obstante, que en la barra de fórmulas no aparece el resultado de la operación sino la fórmula que acaba de escribir.

Otros operadores aritméticos simples que podrá emplear son los signos de resta (-), multiplicación (*), división (/), y exponenciación (^).

* Teclee **=6-4**, pulse la tecla **Intro** y obtendrá en la celda activa el resultado de restar 4 de 6.

- Teclee **=6*4**, pulse la tecla **Intro** y obtendrá en la celda el resultado de multiplicar 6 por 4.
- Teclee **=6/4**, pulse la tecla **Intro** y obtendrá el resultado de dividir 6 entre 4.
- Teclee **=6^4**, pulse la tecla **Intro** y obtendrá el resultado de elevar 6 a la cuarta potencia.

Observará que, hasta el momento, nos hemos limitado a utilizar la celda como si fuera una calculadora. Sin embargo, la auténtica utilidad de la hoja de cálculo radica en utilizar referencias de celdas y no constantes numéricas a la hora de efectuar los cálculos.

En la figura 8.1 podrá observar que, para calcular el total, hemos escrito en la celda E14 las referencias de las celdas que queremos sumar. Al ir añadiéndolas, cada una ha tomado el mismo color que resalta su nombre. Cuando pulse la tecla **Intro**, se calculará la fórmula de manera automática. Con esta opción, al hacer referencia a las celdas y no a sus valores, si cambia los datos contenidos en estas celdas, la suma se volverá a calcular sin problemas.

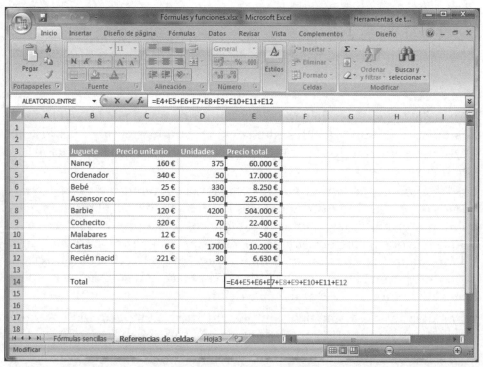

Figura 8.1. Referencias a celdas para una operación aritmética sencilla.

Por otro lado, los operadores son los símbolos que especifican el tipo de cálculo que se ejecutará sobre los elementos que se encuentran en la fórmula. Los operadores pueden ser:

- **Operadores aritméticos:** Para los cálculos matemáticos básicos. Son: suma (+), resta (-), multiplicación (*), división (/), exponenciación (^) y porcentaje (%).

- **Operadores lógicos o de comparación:** Comparan dos valores y generan una respuesta con el valor lógico Verdadero o Falso. Son: igual (=), mayor que (>), menor que (<), mayor o igual que (>=), menor o igual que (<=) y distinto (<>).

- **Operador de texto (&):** Concatena dos o más cadenas textuales en una sola secuencia que las contiene.

- **Operadores de referencia:** Se utilizan para combinar rangos de celdas. Como ya sabe, un rango es un grupo de celdas, contiguas o no. Un rango de celdas se identifica con los nombres de las dos celdas vértices del rango, es decir, situadas en los extremos, separados por dos puntos. Estos dos puntos (:) delimitan el rango, que hace referencia a todas las celdas entre las dos expresadas, ambas inclusive. Por ejemplo: el rango C1:C5 incluye las celdas C1, C2, C3, C4 y C5.

  El operador de referencia punto y coma (;) se utiliza para combinar varias referencias en una sola. Así, por ejemplo, una referencia como =SUMA(A1:A3;F1:F3) equivale a sumar los valores contenidos en las celdas A1, A2, A3, F1, F2 y F3.

Si se incluye más de un operador en una fórmula, debe tener en cuenta el orden en que se ejecutan los operadores, es decir, su precedencia. En caso de que dos operadores tengan el mismo orden de precedencia, se evalúan de izquierda a derecha. Para forzar al programa a que ejecute en primer lugar cualquier operación, escríbala entre paréntesis. A continuación le presentamos la tabla 8.1 con el orden, de mayor a menor, en que Excel calcula una fórmula.

Tabla 8.1. Orden de precedencia de los operadores.

Operador	Descripción
( )	Prioridad máxima.
(:) y (;)	Operadores de referencia.
-	Valores negativos (por ejemplo, -3).
%	Porcentaje.

Operador	Descripción
^	Exponenciación.
* y /	Multiplicación y división.
+ y -	Suma y resta.
&	Concatenación de textos.
= < > <= >= <>	Operadores de comparación.

Para editar una fórmula, haga doble clic sobre la celda que la contiene. Podrá modificar los datos introducidos, bien en la propia celda o bien en la barra de fórmulas. Cuando termine la edición, pulse la tecla **Intro** para que los cambios surtan efecto.

Funciones para las fórmulas complejas

Para efectuar operaciones avanzadas resulta muy útil emplear las funciones incluidas en Excel. Le ayudarán a realizar cálculos con un alto grado de complejidad sin demasiado esfuerzo. Como ya sabe, cuando escribe el signo igual (=) se activa, a la izquierda de la barra de fórmulas, el cuadro de nombres conteniendo la amplia variedad de funciones que el programa le ofrece. Una vez que ha seleccionado la que necesita emplear, se abrirá el Asistente para funciones que guiará sus pasos a la hora de crearla. En la figura 8.2, hemos utilizado el Asistente para funciones para realizar la misma operación que en la figura 8.1, pero esta vez hemos utilizado la función SUMA en lugar de sumar las referencias de las celdas una a una.

Excel precisa conocer los argumentos o parámetros con los que la función va a operar, por ello, el cuadro de diálogo que se abre para ayudarle en la elaboración de la función se denomina Argumentos de función. En el ejemplo que hemos utilizado, solo necesita conocer las celdas que queremos que se sumen. Tenga en cuenta, sin embargo, que el número y tipología de argumentos va a depender de la naturaleza de la función que desee utilizar.

Si lo que desea es sumar celdas contiguas, emplee el cuadro de texto Número1 del cuadro de diálogo. Podrá introducir los argumentos de dos formas. Una es escribir directamente la referencia a las celdas o al rango de celdas que vamos a incluir en la suma. Otra es hacer clic en el botón que contiene el icono de una hoja de cálculo, que aparece a la derecha del cuadro, para volver a la hoja de cálculo y seleccionar con el ratón las celdas afectadas por la operación. Cuando estén seleccionadas, pulse la tecla **Intro** para volver al cuadro de diálogo.

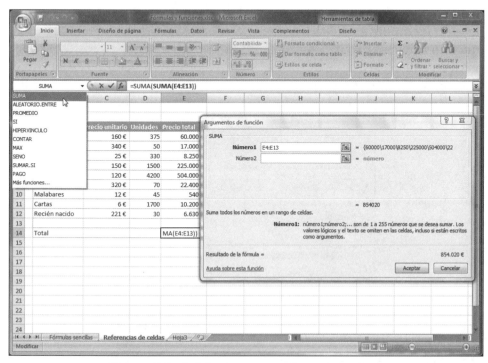

Figura 8.2. Asistente para realizar una suma.

Excel le permite sumar hasta 30 rangos de celdas. Si quiere que la suma afecte a más de una referencia y/o rango de celdas, repita los pasos que hemos visto en el párrafo anterior hasta que termine de incluir los datos afectados por la operación. Una vez finalizada la introducción de argumentos, haga clic en el botón **Aceptar** para que la función se ejecute. Se cerrará el Asistente y el resultado de la fórmula aparecerá en la celda activa, mientras que en la barra de fórmulas será visible la fórmula utilizada.

Truco:

*Otra forma de llamar al Asistente es a través del botón **Insertar función** de la barra de fórmulas. Contiene el símbolo "fx" y, al hacer clic sobre él, se abre el cuadro de diálogo con el mismo nombre. Seleccione la función que va a utilizar y podrá comprobar cómo se despliega el mismo Asistente.*

Funciones matemáticas, estadísticas, lógicas y de búsqueda

Hasta ahora hemos utilizado la función SUMA para explicar la inserción de funciones en las hojas de cálculo Excel, puede utilizar cualquier otra función mediante su selección entre las distintas ofrecidas en el menú de funciones del cuadro de nombres. En caso de que la que necesite no aparezca en el listado que se despliega, seleccione Más funciones. Se abrirá el cuadro de diálogo Insertar función, que se muestra en la figura 8.3, y que contiene toda la biblioteca de funciones predeterminadas en Excel.

Figura 8.3. Cuadro de diálogo Insertar función.

De forma predeterminada, el cuadro de diálogo Insertar función se abre con la categoría Todas activada. Si sabe qué función necesita, haga clic sobre ella en el listado de funciones. Si prefiere que solo aparezcan las funciones que pertenecen a una categoría determinada, selecciónela de la lista desplegable que contiene los nombres de las categorías y el cuadro que contiene los nombres de las funciones le mostrará exclusivamente las que pertenecen a ese ámbito. No olvide que Excel le proporciona, en la parte inferior del cuadro de diálogo, un modelo de la función, con sus correspondientes argumentos, y una breve explicación de en qué consiste cada una de ellas.

Dependiendo de la función seleccionada, el programa va a requerir de un número de argumentos diferente. Por otra parte, los parámetros exigidos por cada una de las funciones serán de distinta naturaleza. Así, la función SUMA, que hemos estado utilizando para los ejemplos explicados hasta el momento, solo le solicitaba las celdas que contenían los números que se iban a sumar. Sin embargo, la función CONTAR.SI, mostrada en la figura

8.4, le pide que delimite el rango de celdas sobre el que ejecutar la acción y la condición que deben cumplir los datos contenidos en las celdas que habrán de contarse. En este caso, hemos solicitado al programa que contabilice las celdas que contienen precios unitarios superiores a 100 euros. El propio cuadro de diálogo ofrece el resultado de la función.

También puede usar la ayuda de Excel haciendo clic en el enlace Ayuda sobre esta función que está en la parte inferior izquierda del cuadro de diálogo. El programa le da información sobre la utilidad y sintaxis de cada función, el formato que deben tener los argumentos requeridos y ejemplos de uso.

Truco:

Si no sabe qué función utilizar, puede escribir en el cuadro de texto Buscar una función, *en la parte superior del cuadro de diálogo* Insertar función, *una breve descripción de lo que quiere hacer. Pulse después el botón **Ir** y Excel le facilitará el listado de las funciones recomendadas para ejecutar esa operación. Seleccione la que mejor se ajuste a sus necesidades y haga clic en el botón **Aceptar**.*

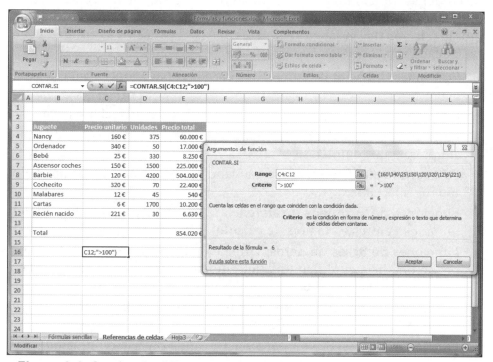

Figura 8.4. Cuadro de diálogo para introducir los argumentos de la función CONTAR.SI.

Como es lógico, una de las funciones más utilizadas en las hojas de cálculo es la función SUMA. El grupo **Biblioteca de funciones** de la ficha **Fórmulas** le permite ejecutarla por medio del botón **Autosuma**. Si hace clic sobre dicho botón, Excel escribirá la función y le sugerirá el rango de celdas que han de sumarse. En caso de que no sea el correcto, puede cambiar la selección del rango de celdas haciendo clic en la primera celda del nuevo rango y arrastrando el ratón con el botón izquierdo pulsado. Cuando haya terminado de delimitar el rango, pulse la tecla **Intro** o haga clic en el botón **Introducir** de la barra de fórmulas.

Si pulsa en la flecha desplegable del botón **Autosuma**, podrá seleccionar algunas de las opciones más utilizadas: la propia **Suma**, **Promedio** (para calcular el promedio de los valores del rango), **Contar números** (que contabiliza las celdas seleccionadas), **Máximo** (que devuelve el valor máximo del rango) y **Mínimo** (que hace lo propio con el valor mínimo). Puede desechar el rango propuesto y seleccionar el que le interese de la misma forma que acabamos de explicar. La opción **Más funciones** abre el cuadro de diálogo **Insertar función**, que ya conocemos y que permite elegir cualquiera de las demás funciones predeterminadas en el programa. La eficacia de la biblioteca de funciones de Excel es enorme. A continuación le presentamos la relación de las categorías en las que se clasifican y la utilidad general de cada una de ellas.

- **Funciones financieras:** Empleadas para las operaciones contables más usuales.

- **Funciones de fecha y hora:** Evaluan los valores de fecha y hora.

- **Funciones matemáticas y trigonométricas:** Ejecutan cálculos tanto simples como complejos.

- **Funciones estadísticas:** Llevan a cabo análisis estadísticos sobre los rangos seleccionados.

- **Funciones de búsqueda y referencia:** Utilizadas para localizar determinados valores en la hoja de cálculo.

- **Funciones de bases de datos:** Utilizadas para comprobar si los valores de una lista cumplen una determinada condición. Todas ellas comienzan con las letras BD.

- **Funciones de texto:** Empleadas para realizar cambios sobre bloques de texto.

- **Funciones lógicas:** Sirven para verificar una o varias condiciones.

- **Funciones de información:** Proporcionan información sobre el tipo de dato almacenado en las celdas.

- **Funciones de ingeniería:** Devuelve funciones de ingeniería, como BESSEL, conversión de un número complejo, etc.
- **Funciones de cubo:** Presenta diversas funciones de cubo.

Referencias de celdas

Las celdas donde se introducen tanto los valores específicos como las fórmulas y funciones que realizan cálculos con ellos tienen un nombre. El nombre de las celdas o del rango de celdas son las referencias que aparecen en las fórmulas.

En Excel las referencias de las celdas que se utilizarán en las fórmulas pueden ser relativas, absolutas o mixtas. Hasta ahora, en todos los ejemplos que hemos explicado hemos utilizado referencias relativas.

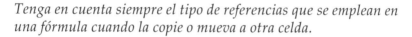

Advertencia:

Tenga en cuenta siempre el tipo de referencias que se emplean en una fórmula cuando la copie o mueva a otra celda.

Referencias relativas

Como ya sabe, las referencias relativas son las que se emplean normalmente para denominar a una celda en Excel. Se componen de la letra de la columna y el número de la fila donde se encuentra la celda en cuestión: A1, B3, D5. Se denominan relativas porque se basan en su posición relativa con respecto a la celda que contiene la fórmula.

Este tipo de referencia cambia para reflejar la posición de la celda que contiene los datos en cada momento. Por ello, si mueve o copia una fórmula, Excel ajustará de forma automática las nuevas referencias en la fórmula reutilizada.

Veamos un ejemplo. En la figura 8.5 observamos que la celda C1 contiene la fórmula que suma el contenido de las celdas A1 y B1. Es decir, se están sumando los datos de las celdas situadas tres posiciones a la izquierda y dos posiciones a la izquierda de la que contiene la fórmula. Compruebe como, si la copia o mueve a la celda C3, los valores de la fórmula reajustan su posición, por lo que su resultado va a cambiar. Ahora la fórmula suma los valores de las celdas A3 y B3, repitiendo la posición relativa de los operandos respecto de la celda que contiene la fórmula.

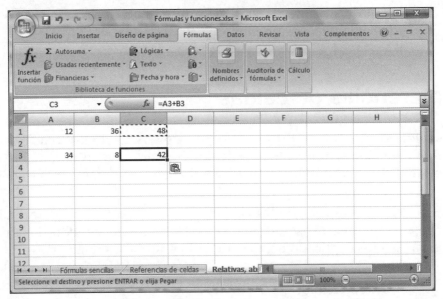

Figura 8.5. Referencias relativas.

Referencias absolutas

Por el contrario, las referencias absolutas son aquellas que conservan, aunque copie o mueva la fórmula que las contiene, las referencias de su posición exacta. Una referencia absoluta indica una posición específica de fila y columna dentro de la hoja de cálculo.

En la figura 8.6 puede comprobar cómo, al copiar la fórmula de la celda C7 a la celda C9, no varían las celdas que se suman, que seguirán siendo A7 y B7. La razón es que la fórmula que hemos escrito en la celda C7 contiene referencias absolutas. Para ello, hemos de introducir el signo dólar ($) delante de la letra de la columna y del número de la fila de cada referencia, como puede observar en la barra de fórmulas de la figura 8.6.

Referencias mixtas

Las referencias mixtas combinan una referencia absoluta y una referencia relativa. En ellas sólo se bloquea o la fila o la columna, de manera que al copiar o mover la fórmula que la contiene solo se reajustará la parte relativa de la referencia.

La figura 8.7 nos sirve para ejemplificar las referencias mixtas. Hemos indicado a Excel que deseamos utilizar una fórmula compuesta por una referencia mixta con la columna fija (`$A13`) para sumarla con otra referencia mixta con la fila fija (`B$13`). El programa ha efectuado estos ajustes al copiar la fórmula contenida en la celda `C14` (`=$A14+B$13`). El resultado es que la celda `C14` tendrá un contenido diferente al de los ejemplos anteriores.

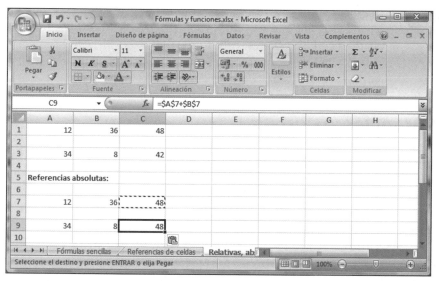

Figura 8.6. Referencias absolutas.

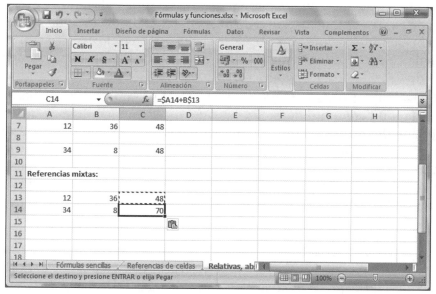

Figura 8.7. Referencias mixtas.

Truco:

*Si necesita modificar una referencia después de haberla introducido, puede hacerlo de forma sencilla con la tecla **F4**. Sitúese en la celda que contenga la fórmula y seleccione la referencia que desea cambiar, en la propia celda o en la barra de fórmulas, y pulse la tecla **F4**. Cada vez que lo haga el programa irá ofreciéndole las posibles combinaciones: columna y fila absolutas, columna relativa y fila absoluta, columna absoluta y fila relativa y, por último, columna y fila relativas.*

Referencias externas

Hasta este momento hemos visto fórmulas que se ubican en las dos dimensiones de una hoja de cálculo: las filas y las columnas en cuya intersección se encuentran las celdas. Pero Excel permite crear fórmulas que contengan referencias a otras hojas de cálculo del mismo libro. Se trata de fórmulas tridimensionales o 3D en las que, además de la verticalidad y horizontalidad, debemos considerar la profundidad del libro de trabajo.

Cuando desee utilizar una referencia a una celda o a un rango de celdas que se encuentra en otra hoja de cálculo del mismo libro, debe especificar el nombre de la hoja en la que se encuentra, seguido del signo de exclamación de cierre (!) inmediatamente antes del nombre de la celda o del rango. Por ejemplo, si quiere multiplicar el valor contenido en la celda D1 por el de la celda A1 de la segunda hoja de un libro, la fórmula que deberá introducir en la celda activa es =D1*hoja2!A1.

Del mismo modo que se pueden agrupar celdas, también puede hacer referencia a un conjunto de hojas. La sintaxis es muy similar. Si quiere el resultado del promedio de los datos contenidos en la celda B6 de las cuatro primeras hojas de su libro, solo tiene que escribir la función =PROMEDIO(hoja1:hoja4!B6). Observe que, al agrupar las hojas sobre las que desea realizar la operación, escribirá la exclamación de cierre detrás de la última hoja del grupo.

Advertencia:

Tenga en cuenta en qué hoja se encuentra la celda activa en la que introduce la fórmula con las referencias 3D pues el resultado se escribirá en esa celda y en esa hoja.

Excel también le permite utilizar en sus fórmulas referencias a hojas de cálculo de libros de trabajo externos al que está utilizando en ese momento. Son las fórmulas de cuatro dimensiones o tetradimensionales. Para especificar el libro del que quiere tomar los datos, deberá escribir su nombre entre corchetes ([ ]) delante de la hoja en la que se encuentra la celda que contiene el dato que precisa. Por ello, si quiere realizar el mismo cálculo que en el ejemplo anterior pero utilizando celdas de otros libros de Excel, solo tiene que escribir =PROMEDIO([Libro1]hoja1: hoja4!B6).

Tenga en cuenta que estos requisitos son algo distintos si el libro que quiere llamar no se encuentra en la misma carpeta que el libro desde el que realiza la llamada. En el caso de que el libro donde escribe la fórmula no esté en el mismo directorio, tendrá que especificarlo. Escriba la ruta de acceso al libro en cuestión comenzando con el nombre del directorio raíz o principal de su ordenador que, normalmente, recibe el nombre de C. La ruta completa para llegar a la hoja que nos interesa debe ir entre comillas simples (' ').

Por ejemplo, imaginemos que hemos decidido guardar todos nuestros archivos elaborados con Excel en una subcarpeta denominada Contabilidad, creada en la carpeta de Documentos. Si el libro donde insertamos la fórmula lo hemos guardado en cualquier otra subcarpeta de Documentos, escribiremos: 'c:\Documentos\Contabilidad[Calculos.xlsx] hoja1'!A1. Observe que las comillas abarcan desde el inicio hasta la exclamación de cierre que pone fin a la ruta de acceso a la celda o rango de celdas especificadas.

Truco:

Recuerde que la extensión de los archivos generados con Excel es .xlsx. Necesitará escribir el nombre del libro de trabajo que va a emplear seguido de un punto (.) y la extensión de ese tipo de documentos Office.

Nombres

Los nombres sirven para identificar elementos dentro de la hoja de cálculo y son especialmente útiles a la hora de hacer referencia a celdas en las fórmulas y funciones de Excel. Su funcionamiento es similar al de las referencias absolutas y se pueden emplear tanto para definir celdas y rangos de celdas como para los valores constantes y las fórmulas.

Cuanto más descriptivo sea el nombre elegido, la identificación será más rápida y eficaz. El programa puede definir nombres basándose en los encabezamientos de columnas y/o filas. Es decir, es posible determinar rótulos del tipo `Precio unitario` o `Unidades` aprovechando los títulos, por ejemplo, de las columnas. Resulta más sencillo y legible elaborar una fórmula como `=Precio unitario*Unidades`, que la consabida `=C4*D4`.

Para definir los nombres de las celdas, seleccione la celda o el rango de celdas que van a ser referidas con ese nombre y haga clic en el botón **Asignar nombre a un rango** del grupo Nombres definidos de la ficha Fórmulas. Se abrirá el cuadro de diálogo Nombre nuevo (véase la figura 8.8), que le permite ir agregando nombres en el libro, nombres que se añadirán al listado del cuadro de nombres. El rango al que afectará esta denominación aparece en el cuadro Hace referencia a y podrá modificarlo haciendo clic en el botón que aparece a su derecha. Cuando haya finalizado el proceso de definición del nombre, haga clic sobre el botón **Aceptar** para que surta efecto.

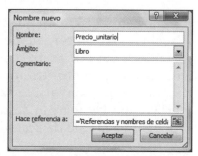

Figura 8.8. Cuadro de diálogo Nombre nuevo.

Desde ese instante, en el cuadro de nombres situado a la izquierda de la barra de fórmulas estarán disponibles todos los nombres que acaba de activar para su uso en la hoja de cálculo y, por extensión, en todo el libro de trabajo.

Si desea reemplazar todas las referencias a las celdas que acaba de nombrar en las hojas de su libro, haga clic en la flecha desplegable del botón **Asignar nombre a un rango** del grupo Nombres definidos de la ficha Fórmulas y seleccione Aplicar nombres.

Si lo que desea es modificarlos o eliminarlos, haga clic en el botón **Administrador de nombres** del grupo Nombres definidos de la ficha Fórmulas para abrir el cuadro de diálogo Administrador de nombres, desde donde puede crear un nuevo nombre haciendo clic en **Nuevo**, eliminar uno existente seleccionando el nombre y haciendo clic en **Eliminar** o modificar uno existente haciendo clic en **Editar** tras la selección del nombre.

Verificación de las fórmulas

Es bastante habitual que las fórmulas introducidas en las hojas de cálculo tengan errores en su definición que impidan su correcto cálculo o muestren resultados no deseados.

Para ayudar al usuario a rectificar las posibles equivocaciones cometidas, Excel pone a disposición del mismo una serie de herramientas que vamos a ir explicando en las siguientes páginas. Veremos los valores de error más frecuentes, algunas de las técnicas para solventarlos y los comandos de la auditoria de fórmulas.

Valores de error

Cuando el programa no puede calcular y facilitar un valor adecuado como resultado de una fórmula, muestra un valor de error en la celda donde la fórmula se había insertado. Todos los valores de error comienzan con el carácter almohadilla (#) y los que Excel suele proporcionar son:

- #####: El programa muestra este valor en la celda cuando el ancho de columna no es lo suficientemente amplio para el valor resultante de la fórmula. En realidad lo que indica es que debe ampliarse el ancho de columna para visualizar el resultado. También puede deberse a una fecha o a una hora negativas.

- #¡DIV/0!: Es la respuesta a un intento de dividir por cero cualquier número.

- #N/A: Este valor se genera cuando se intenta acceder a un valor que no está disponible ("non avaible", en inglés).

- #¿NOMBRE?: Excel no reconoce el texto escrito en la fórmula. Es corriente que ocurra si escribe incorrectamente el nombre de la función.

- #¡NULO!: Responde a la especificación de una intersección que, en realidad, no es válida.

- #¡NUM!: Aparece cuando en una fórmula o en una función se emplea un valor numérico que no es adecuado.

- #¡REF!: La fórmula utiliza una referencia a una celda que no es válida. Es habitual esta respuesta cuando se ha eliminado alguna celda que estaba referenciada en la fórmula.

- #¡VALOR!: Indica que se está usando un argumento o un operando incorrectos.

Rastrear un error

Excel avisa de que una celda contiene un error mostrando un triángulo verde en la parte superior izquierda. Al pasar el puntero del ratón sobre ella, se abre el botón **Rastrear error**. Si hace clic en la flecha desplegable de dicho botón, se le facilita información sobre cómo solucionar el error. La única excepción es el valor ##### que, como ya sabe, se corrige con un simple ensanchamiento de la columna en la que se ubica la celda problemática.

Hasta que no corrija el error, la etiqueta será visible cada vez que seleccione la celda que lo contiene. Cuando pase el puntero del ratón sobre el botón, Excel le informará de la naturaleza del error. En la figura 8.9, por ejemplo, el botón nos indica que la fórmula o función utilizada está dividiendo entre cero o entre celdas vacías.

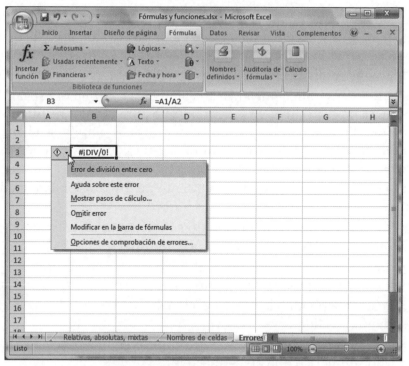

Figura 8.9. Botón Rastrear error.

Desde este botón podrá acceder a la ayuda de Excel sobre el error concreto que se haya producido. Pero también podrá omitirlo, en cuyo caso se desactivará la etiqueta inteligente, o modificarlo desde la barra de fórmulas, para lo que el programa recurrirá a la función de información ESERR.

Tenga en cuenta que las opciones que se le ofrecen en el menú desplegable del botón **Rastrear error** dependen del tipo de error cometido. Considere, además, que una fórmula que hace referencia a una celda que contiene un valor de error producirá, a su vez, un valor de error que solo podrá evitar si soluciona el error originario.

Comprobación de errores

Excel permite utilizar otras herramientas para la comprobación de las fórmulas contenidas en su hoja de cálculo. De hecho, podrá comprobarlas todas ejecutando el comando **Comprobación de errores** que se encuentra dentro del grupo Auditoría de fórmulas de la ficha Fórmulas. A continuación, se abrirá el cuadro de diálogo Comprobación de errores (véase la figura 8.10).

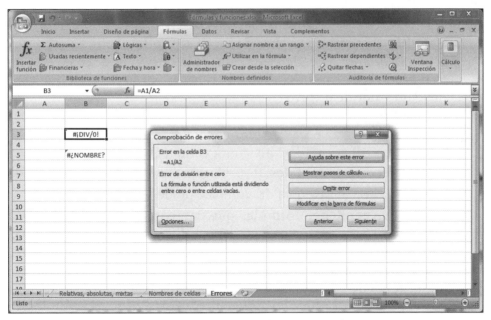

Figura 8.10. Cuadro de diálogo Comprobación de errores.

Como puede observar, en el propio cuadro aparece el nombre de la celda donde se encuentra el error, el tipo de error y la causa que lo ha provocado. También desde aquí podrá obtener información de las posibles soluciones para el problema planteado. Para ello, haga clic sobre el botón **Ayuda sobre este error**.

La ventaja de este sistema es que puede validar de una vez toda la hoja de cálculo haciendo uso de los botones **Anterior** y **Siguiente**. Excel le irá conduciendo a través de las celdas que contengan valores de error hasta finalizar el proceso de revisión.

Para la evaluación de funciones con una alta complejidad se le ofrece la posibilidad de comprobar cada uno de los pasos de la fórmula introducida por medio del botón **Mostrar pasos de cálculo**. Se abrirá el cuadro de diálogo Evaluar fórmula. En él se contiene la referencia a la celda que contiene el error y su evaluación, cuyo resultado más reciente se marca en cursiva. Una vez corregido, haga clic en el botón **Cerrar** para volver al cuadro de diálogo Comprobación de errores.

Por último, el botón **Opciones** le permitirá abrir el cuadro de diálogo del mismo nombre en el que podrá configurar cómo debe el programa realizar la verificación de las fórmulas y funciones introducidas (véase la figura 8.11). Las opciones son:

- Dentro de la sección Comprobación de errores:
  - **Habilitar comprobación de errores en segundo plano:** Esta casilla, activada de forma predeterminada, es la opción que señala con un triángulo verde en la esquina superior izquierda la celda que contiene un valor de error.
  - **Indicar errores con el color:** Este botón abre una paleta de colores que puede utilizar para cambiar el color verde predeterminado de las esquinas de las celdas que contienen un error.
  - **Restablecer errores omitidos:** Restablece los errores omitidos en la hoja.
- Dentro de la sección Reglas de verificación de Excel:
  - **Celdas que contienen fórmulas que dan como resultado un error:** Esta casilla permite que Excel reconozca los errores en las fórmulas y los señale.
  - **Columna de fórmula calculada incoherente en las tablas:** Muestra indicadores de error y habilita la corrección de errores para celdas que contienen fórmulas o valores incoherentes con las fórmulas de las columnas para tablas.
  - **Celdas que contienen años representados con 2 dígitos:** Excel considera erróneas las fórmulas que contengan celdas en formato de texto con los años representados por medio de dos dígitos.
  - **Números con formato de texto o precedidos por un apóstrofo:** El programa evalúa como error los números con formato de texto y los precedidos por un apóstrofo.

- **Fórmulas incoherentes con otras fórmulas de la región:** Consigue que las fórmulas de un área de la hoja que difieran del resto de las de la misma área sean consideradas como erróneas.

- **Fórmulas que omiten celdas en una región:** Se tratará como error la omisión de algunas celdas de un área determinada de la hoja de cálculo.

- **Celdas desbloqueadas que contengan fórmulas:** El programa considera erróneas las fórmulas en celdas desbloqueadas.

- **Fórmulas que se refieran a celdas vacías:** Se tratará como error toda fórmula que haga referencia a una celda vacía. Es la única opción no activada de forma predeterminada.

- **Los datos de una tabla no son válidos:** Muestra indicadores de error y habilita la corrección de errores para celdas que contienen valores incoherentes con el tipo de datos de columna de tablas conectadas a datos de SharePoint.

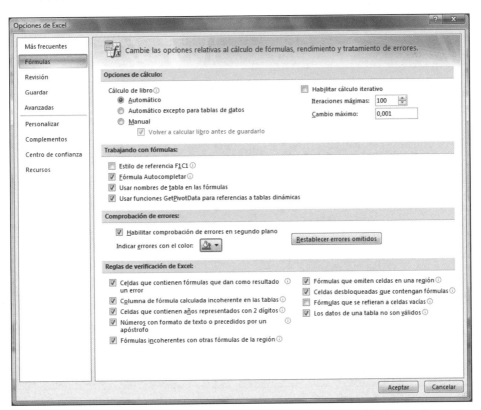

Figura 8.11. Cuadro de diálogo Opciones de Excel con la sección Fórmulas activa.

Ventana Inspección

Excel le ofrece la posibilidad de inspeccionar las fórmulas y sus resultados, aunque no se encuentren visibles en pantalla en ese momento, utilizando la Ventana Inspección. Gracias a esta herramienta, obtendrá una visión general y rápida de todas las fórmulas que necesite revisar.

Para abrir esta ventana, haga clic en el botón **Ventana Inspección** del grupo Auditoría de fórmulas de la ficha Fórmulas. Al abrirse por primera vez, la ventana estará vacía. Con el fin de que se añadan celdas o rangos de celdas para su comprobación, tendrá que hacer clic en el botón **Agregar inspección**. Se activará el cuadro de texto en el que podrá introducir las celdas que se van a verificar, bien escribiendo el rango o bien seleccionándolo con el ratón. Cuando haya finalizado, haga clic en **Agregar** y se cerrará el cuadro de diálogo Agregar inspección.

Una vez terminada la elección de fórmulas que se van a inspeccionar, para desplazarse de una a otra y poder corregir sus errores, haga doble clic en cada entrada del listado de celdas que se muestra en la Ventana Inspección. El aspecto final puede ser similar al que le presentamos en la figura 8.12.

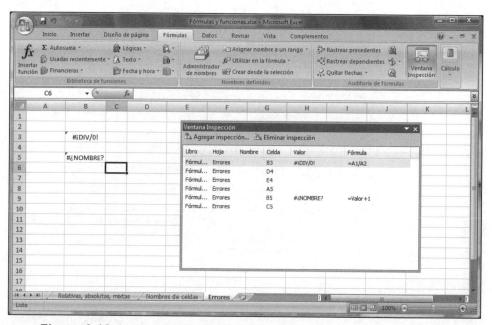

Figura 8.12. Imagen de la ventana Inspección tras agregar algunas inspecciones.

Es conveniente que incluya en el proceso de inspección todas las celdas que contengan fórmulas. Es una opción especialmente recomendable para hojas de cálculo grandes o con muchas fórmulas en su interior.

Para evitar tener que seleccionarlas una a una, pulse **Control-I** para abrir el cuadro de diálogo Ir a (véase la figura 8.13). En dicho cuadro de diálogo, haga clic en **Especial**, que abrirá un nuevo cuadro de diálogo: Ir a Especial. Una vez en él, seleccione la opción Celdas con fórmulas y el programa le permitirá especificar qué tipo de fórmulas desea localizar: exclusivamente las que contengan valores lógicos, las que produzcan error, etc. De forma predeterminada, Excel marca todas las opciones posibles, con lo que, si no lo modifica, podrá buscar todas las fórmulas de la hoja, sea cual sea su naturaleza.

Figura 8.13. Cuadro de diálogo Ir a.

Para terminar, haga clic en el botón **Aceptar** y compruebe que todas las celdas que contengan fórmulas han sido seleccionadas. Si aún tiene abierta la Ventana Inspección, haga clic en el botón **Agregar inspección** y las celdas pasarán, de una vez, a la ventana. Si ya la había cerrado, ábrala de nuevo haciendo clic en el botón **Ventana Inspección** de la ficha Fórmulas dentro del grupo Auditoría de fórmulas.

Advertencia:

Las celdas que contengan referencias externas a otros libros de trabajo de Excel solo se muestran en la ventana de inspección cuando dichos libros están abiertos.

Rastrear precedentes y dependientes

Para terminar con todas las opciones que le permiten comprobar el correcto funcionamiento de las fórmulas empleadas y examinar las causas de los posibles errores, Excel le facilita algunas herramientas más de gran utilidad.

Rastrear precedentes y dependientes

Si selecciona alguna celda que contenga una fórmula y hace clic en el botón **Rastrear precedentes** del grupo Auditoría de fórmulas en la ficha Fórmulas, Excel le mostrará con una flecha azul todas las celdas que sirven de referencia para dicha fórmula (véase la figura 8.14).

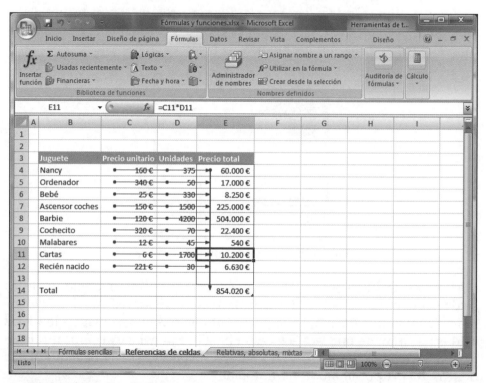

Figura 8.14. Rastreo de precedentes de todas la fórmulas en una tabla de Excel.

Del mismo modo, podrá utilizar el botón **Rastrear dependientes** del mismo grupo y ficha para seguir, desde su origen, los procesos que ha sufrido una determinada celda.

Auditoría de fórmulas

Si obtiene un mensaje de error al crear fórmulas complejas, debe utilizar las opciones que le ofrece el grupo Auditoría de fórmulas de la ficha Fórmulas.

Las opciones proporcionadas son las siguientes:

- **Rastrear precedentes:** Muestra las flechas que indican las celdas que afectan al valor de la celda seleccionada.

- **Rastrear dependientes:** Muestra las flechas que indican las celdas afectadas por el valor de la celda seleccionada actualmente.

- **Quitar flechas:** Este comando le ofrece las opciones Quitar flechas, Quitar un nivel de precedentes o Quitar un nivel de dependientes.

- **Mostrar fórmulas:** Muestra la fórmula en cada celda en lugar del valor resultante.

- **Comprobación de errores:** Ofrece las opciones Comprobación de errores, Rastrear error o Referencias circulares.

- **Evaluar fórmula:** Abre el cuadro de diálogo del mismo nombre.

Nota:

Cuando una celda contiene una fórmula y en esa fórmula se hace referencia a la propia celda que la contiene, nos encontramos ante una referencia circular. Excel no permite realizar este tipo de cálculo y abre el cuadro Advertencia de referencia circular *que le ayudará a corregir el error.*

Capítulo 9

Los gráficos en Excel

En este capítulo aprenderá a:
- Utilizar los gráficos de Excel y conocer sus elementos.
- Crear gráficos ayudándose del asistente de Excel.
- Modificar los gráficos después de haberlos creado.
- Preparar la impresión de un gráfico de Excel.

En los capítulos anteriores dedicados a Excel hemos aprendido a introducir datos en las hojas de cálculo y a operar con ellos con ayuda de fórmulas y funciones. También hemos aplicado formato a todos los elementos de un libro de trabajo con el objeto de mejorar su apariencia. Finalizado el procesamiento de la información contenida en los documentos Excel, el programa ofrece la posibilidad de mostrar las conclusiones por medio de gráficos que aportan un aspecto visual muy interesante para presentar los resultados de manera rápida y legible.

En las siguientes páginas aprenderemos a crear gráficos a partir de los datos contenidos en una hoja de cálculo y a aplicarles el formato adecuado para lograr la mejor presentación posible. De este modo, la representación de su trabajo será clara y eficaz, y quienes accedan a él obtendrán una mejor información de su contenido.

Introducción

Los gráficos son meras representaciones visuales de los datos, fundamentalmente numéricos, contenidos en una hoja de cálculo Excel. Su función primordial es facilitar que las personas que lean o revisen estos documentos puedan emplear los gráficos para conseguir la óptima comprensión de la estructura y la información que se les proporciona. Por ello, los gráficos nos serán especialmente útiles tanto para mostrar la variación de datos atendiendo al tiempo transcurrido como para comparar dos o más series de valores.

A continuación veremos que Excel permite utilizar gráficos de diversos tipos. Se incluyen en su galería de gráficos estándar, que contiene además multitud de subtipos para cada uno de ellos. Como puede imaginar, la diversidad de opciones es enorme, pero las técnicas de creación y edición de los gráficos son siempre las mismas, de manera que, conocidos los principios básicos para su elaboración, podrá aplicarlas en sus trabajos de forma sistemática.

Elementos de un gráfico

Vamos a introducir ahora los elementos que componen un gráfico de Excel. Para ello, nos vamos a referir a la figura 9.1, que nos va a ayudar a presentar cada uno de los elementos.

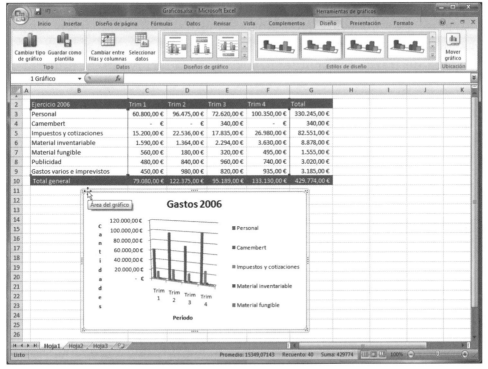

Figura 9.1. Elementos de un gráfico de Excel.

En esta figura aparece, en la parte superior de la hoja de cálculo, la tabla que será el origen de los datos que nos servirán para confeccionar el gráfico de columnas que se muestra en la parte inferior de la pantalla.

Aparte de la tabla y del gráfico, podrá ver que cuando se encuentra seleccionado el gráfico, se abren las **Herramientas para gráficos** presentando las fichas contextuales **Diseño**, **Presentación** y **Formato**. Estas fichas contienen grupos con los comandos utilizados con más frecuencia en la elaboración de gráficos con Excel.

En cuanto al gráfico propiamente dicho, contiene los siguientes elementos:

- **Título del gráfico:** En este caso, `Ventas por trimestres`.

- **Títulos de los ejes del gráfico:** Identifican los datos representados en cada uno de los ejes. Para nuestro gráfico, `Cantidades` en el eje vertical y `Periodos` en el eje horizontal.

- **Series de datos:** Son los conjuntos de datos representados en el gráfico. Se muestran con columnas (o la forma de representación que se desee) del mismo color.

- **Leyenda:** El cuadro que contiene las claves donde se especifica el concepto que representa cada barra. Se asocia esta información con un cuadro de color junto a cada una de las claves.

- **Área de trazado:** Zona del gráfico que no incluye ni su título ni la leyenda.

- **Área del gráfico:** Zona que contiene todos los elementos integrantes del gráfico propiamente dicho.

- **Marcas de graduación:** Marcas que aparecen en los ejes y sirven para determinar el valor del eje en cada uno de sus puntos.

- **Rótulos de los ejes.** Textos que se muestran a lo largo de los ejes informando sobre los valores que se representan en los mismos.

- **Ejes:** Líneas perpendiculares que marcan la referencia del gráfico. En los gráficos de dos dimensiones, dos ejes, aunque en los gráficos tridimensionales encontraremos tres. Uno de ellos es horizontal, denominado eje de abscisas o eje X, y es el que contiene las categorías representadas. El otro es vertical, eje de ordenadas o eje Y, y recoge los valores posibles en el gráfico.

  - Los gráficos de dispersión (XY) muestran valores en el eje x y en el eje y, mientras que los gráficos de líneas sólo muestran valores en el eje y. Utilice un gráfico de dispersión si desea cambiar la escala del eje x, o conviértala en una escala logarítmica.

  - Los gráficos 3D tienen un tercer eje (z) para que los datos se puedan representar junto con la profundidad de un gráfico.

  - Los gráficos circulares y de anillos no tienen ejes.

- **Líneas de división:** Líneas horizontales o verticales, que aparecen en el fondo del gráfico y sirven para apreciar con mayor facilidad el valor que pueden alcanzar las series.

- **Etiquetas:** Textos que se pueden añadir para identificar categorías de datos o cantidades específicas de ellos.

- **Planos del gráfico:** Planos utilizados trazar el gráfico. En los gráficos 3D se muestran dos planos laterales y uno inferior.

Crear un gráfico

La creación de un gráfico en una hoja de cálculo requiere la selección previa del rango de celdas que contiene los datos que se van a representar en el gráfico o, al menos, que la celda activa esté incluida en dicho rango. A continuación, dentro del grupo Gráficos de la ficha Insertar, siga estos procedimientos.

* Haga clic en un tipo de gráfico y, en su caso, en el subtipo de gráfico que desea utilizar.

* Para ver todos los tipos de gráficos disponibles, haga clic en un tipo de gráfico y seleccione Todos los tipos de gráfico (o haga clic en el botón **Iniciador de cuadro de diálogo** del grupo) para abrir el cuadro de diálogo Insertar gráfico (véase la figura 9.2).

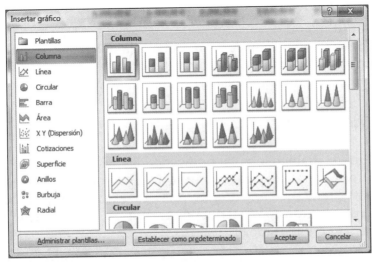

Figura 9.2. Cuadro de diálogo Insertar gráfico.

* Haga clic en las flechas de desplazamiento para desplazarse por todos los tipos y subtipos de gráficos disponibles y seleccione el que desea utilizar.

El gráfico se coloca en la hoja de cálculo como un gráfico incrustado y se abren las Herramientas de gráfico con las fichas contextuales de Diseño, Presentación y Formato.

Nota:

Si coloca el puntero del ratón sobre un tipo o subtipo de gráfico, aparecerá una información en pantalla con el nombre del tipo de gráfico.

Estas son algunas sugerencias para la creación de gráficos:

- Para crear rápidamente un gráfico basado en un tipo de gráfico predeterminado, seleccione los datos que desea utilizar para el gráfico y pulse **ALT-F1** o **F11**. Al pulsar **ALT-F1**, el gráfico se muestra como un gráfico incrustado. Al presionar **F11**, el gráfico aparece en una hoja de gráfico independiente.

- Si utiliza frecuencia utiliza un tipo de gráfico específico cuando crea un gráfico, es recomendable que establezca como predeterminado dicho tipo de gráfico. Para ello, tras seleccionar el tipo y el subtipo de gráfico en el cuadro de diálogo Insertar gráfico, haga clic en **Establecer como predeterminado**.

- Si desea utilizar de nuevo un gráfico personalizado, guárdelo haciendo clic en el botón **Guardar como plantilla** del grupo Tipo en la ficha contextual Diseño de Herramientas de gráficos. Así estará disponible siempre en la carpeta Plantillas del cuadro de diálogo Insertar gráfico.

Tipos de gráfico

En el cuadro de diálogo Insertar gráfico, podrá seleccionar el tipo y, en su caso, subtipo de gráfico que desea utilizar. Excel ofrece diversos tipos de gráficos estándar y cada uno de ellos presenta varios subtipos. Además, si prefiere crear un tipo combinado, puede, por ejemplo, utilizar varios tipos de gráficos en uno solo.

Tenga en cuenta que cada tipo de gráfico suele aplicarse a un tipo de información determinado. Así, por ejemplo, puede utilizar gráficos de columnas o de barras agrupadas para comparar valores entre categorías. Pero, también, puede elegir que sean apiladas en lugar de agrupadas, con lo que obtendrá la representación gráfica del aporte de cada valor al total. Le será posible, incluso, seleccionar gráficos de aplicación exclusiva a ámbitos muy concretos como, por ejemplo, las cotizaciones de bolsa, que requieren una serie de valores fijos para su configuración. Para mostrar las cotizaciones de valores en el mercado bursátil, le serán necesarios los datos de apertura, máximos, mínimos, volumen y cierre, combinados según los requerimientos del subtipo elegido.

En la parte inferior del cuadro de diálogo Insertar gráfico, encontrará los botones **Administrar plantillas**, **Establecer como predeterminado**, **Aceptar** y **Cancelar**. El primero le permite administrar sus plantillas, el segundo le ayuda a establecer un gráfico como gráfico predeterminado para sus hojas de cálculo, **Aceptar** acepta la selección efectuada y **Cancelar** cierra el cuadro de diálogo sin ejecutar ninguna selección.

Nota:

*Para cambiar rápidamente el tipo de gráfico de un gráfico creado, haga clic en el botón **Cambiar tipo de gráfico** del grupo* Tipo *en la ficha contextual* Diseño *de* Herramientas de gráficos.

Datos de origen del gráfico

Los datos de origen del gráfico pueden modificarse con ayuda del botón **Seleccionar datos** del grupo Datos en la ficha Diseño de Herramientas de gráficos. Efectúe las modificaciones oportunas en el cuadro de diálogo Seleccionar origen de datos que se abre y haga clic en el botón **Aceptar** para aplicar los cambios (véase la figura 9.3).

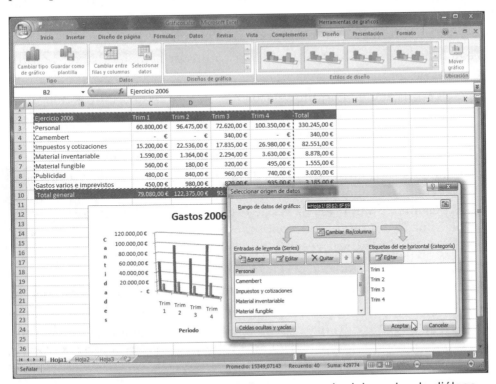

Figura 9.3. Modifique los datos de origen con ayuda del cuadro de diálogo Seleccionar origen de datos.

Nota:

Para que se encuentren disponibles las fichas contextuales de **Herramientas de gráficos**, *debe seleccionar previamente el gráfico.*

Utilice los botones **Agregar**, **Editar** y/o **Quitar** para añadir, modificar o eliminar series del gráfico.

El botón **Cambiar entre filas y columnas** del grupo Datos en la ficha Diseño de Herramientas de gráficos intercambia los datos del eje (los datos colocados en el eje X se moverán al eje Y y viceversa).

Opciones y ubicación del gráfico

Las distintas opciones que se pueden modificar individualmente para cada elemento del gráfico y para el gráfico en general se encuentran dentro de las fichas Presentación y Formato de Herramientas de gráficos respectivamente, que le van a permitir especificar las características y formatos de cada uno de los elementos que componen el gráfico así como los estilos, organización y tamaño del gráfico en general.

Veamos primero los contenidos de los grupos principales de la ficha Presentación:

- Selección actual: Permite seleccionar elementos específicos del gráfico, aplicar formato al elemento seleccionado y restablecer el formato para que coincida con el estilo general.

- Insertar: Permite insertar archivos, formas y cuadros de texto.

- Etiquetas: Permite modificar el título del gráfico, los rótulos de los ejes, la leyenda, las etiquetas de datos y la tabla de datos. La Tabla de datos le permite adjuntar los datos de origen de un gráfico en forma de tabla. Puede ser interesante para mostrar los datos que originan la representación gráfica (véase la figura 9.4).

- Ejes: Permite modificar los ejes y las líneas de cuadrícula.

- Líneas de cuadrícula: Permite mostrar u ocultar las líneas de división.

- Fondo: Permite activar o desactivar el Área de trazado o mostrar u ocultar el cuadro gráfico, mostrar u ocultar el plano inferior del gráfico o realizar un giro 3D (estas tres últimas opciones sólo se activarán en gráficos 3D y la primera sólo en gráficos 2D).

Ahora vamos a examinar los principales grupos de la ficha contextual Formato de Herramientas de gráficos:

- **Selección actual:** Permite seleccionar elementos específicos del gráfico, aplicar formato al elemento seleccionado y restablecer el formato para que coincida con el estilo general.

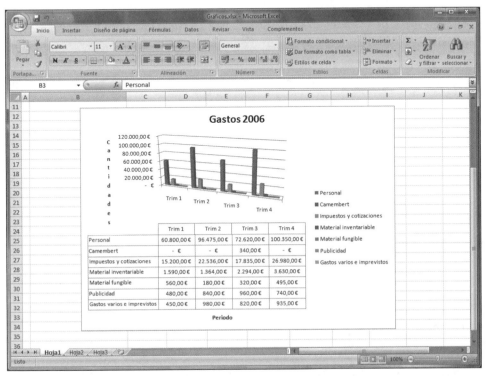

Figura 9.4. Gráfico de ejemplo mostrando la tabla de datos.

- **Estilos de forma:** Ofrece opciones para cambiar el estilo del gráfico mostrando estilos visuales desde donde poder seleccionar uno y el relleno, el contorno y los efectos de formas. Para personalizar aún más los estilos, el relleno, el contorno o los efectos, haga clic en el botón **Iniciador del cuadro de diálogo** de este grupo para abrir el cuadro de diálogo **Formato del área de trabajo** con el que podrá personalizar todo lo que desee. Tras hacerlo, haga clic en **Aceptar** para introducir los cambios realizados (véase la figura 9.5).

- **Estilos de WordArt:** Ofrece opciones de estilos para el texto.

- **Organizar:** Ofrece opciones de organización de objetos.

- **Tamaño:** Ofrece opciones para cambiar el tamaño y las propiedades del gráfico. Para opciones más avanzadas, haga clic en su botón **Ini-**

ciador de cuadro de diálogo para abrir el cuadro de diálogo Tamaño y opciones.

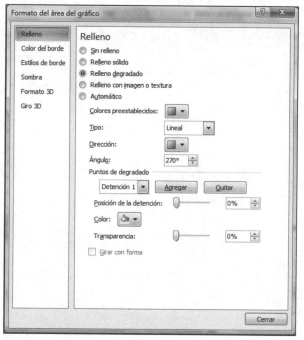

Figura 9.5. Cuadro de diálogo Formato del área de trabajo.

Al seleccionar un tipo predeterminado de gráfico en su creación, el gráfico se incrusta en la hoja de cálculo que contiene los datos que han servido para su elaboración, pero puede optar por que aparezca en una hoja nueva. Para ello, siga estos pasos:

1. Haga clic en el gráfico incrustado o en la hoja de gráfico cuya ubicación desea cambiar para abrir las Herramientas de gráficos.

2. Haga clic en el botón **Mover gráfico** que se encuentra en la ficha Diseño, dentro del grupo Ubicación.

3. Siga uno de estos procedimientos para seleccionar las opciones del cuadro de diálogo Mover gráfico:

   • Para mostrar el gráfico en una hoja de gráfico, seleccione Hoja nueva.

   • Para mostrar el gráfico como un gráfico incrustado en una hoja de cálculo, seleccione Objeto en y haga clic en una hoja de cálculo en el cuadro Objeto en (véase la figura 9.6).

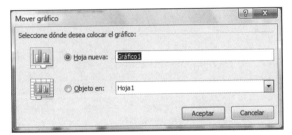

Figura 9.6. Opciones para mover un gráfico.

4. Haga clic en **Aceptar** para mover el gráfico según las opciones seleccionadas.

Truco:

Para duplicar un gráfico, puede utilizar los comandos Copiar *y* Pegar *del grupo* Portapapeles *de la ficha* Inicio *o bien arrastrarlo hasta la posición donde quiere situar la copia manteniendo pulsada la tecla* **Control**.

Si tras haber efectuado los cambios necesarios, el resultado sigue sin satisfacerle, no dude en hacer clic en el botón **Cambiar tipo de gráfico** situado en el grupo Tipo de la ficha Diseño de Herramientas de gráficos.

Añadir datos

En algunas ocasiones puede ser necesario añadir nuevos datos a un gráfico ya creado. Estos datos pueden ser una nueva serie, lo que supone una nueva columna en el gráfico, o datos incluidos en las series ya existentes. En ambos casos, el procedimiento para incluirlos será el mismo. Veamos un ejemplo.

En la figura 9.7 se ha sumado la serie "Total" a las que ya estaban presentes en nuestro gráfico. Para ello, hemos hecho clic en el botón **Seleccionar datos** del grupo Datos dentro de la ficha Diseño de Herramientas de gráficos para abrir el cuadro de diálogo Seleccionar origen de datos, donde aparece activo el rango actual en el cuadro de texto Rango de datos del gráfico. Escriba en su interior el nuevo rango o haga clic en el botón de su derecha para seleccionarlo sobre la propia hoja de cálculo. Cuando termine, haga clic en **Aceptar** y el gráfico, automáticamente, asumirá la nueva serie o ampliará los datos ya representados.

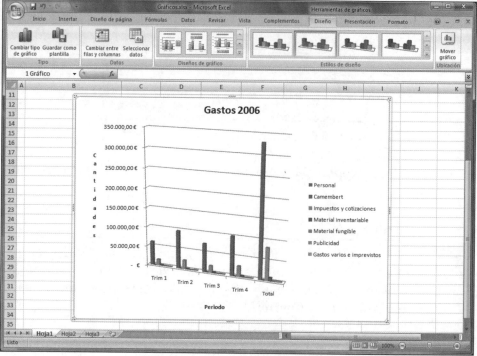

Figura 9.7. Gráfico de ejemplo con la nueva serie Total.

También puede agregar datos siguiendo estos pasos:

• Seleccione el gráfico en la hoja de cálculo.

• Los datos ya representados en él se mostrarán enmarcados en un recuadro de color azul en la tabla de datos originarios.

• Coloque el puntero del ratón sobre cualquiera de las esquinas hasta que se convierta en una flecha negra con doble punta.

• Arrastre, manteniendo pulsado el botón izquierdo del ratón, hasta incorporar los nuevos datos.

Otras opciones de gráficos

Como ha podido comprobar en las páginas anteriores, Excel proporciona eficaces herramientas para obtener el máximo partido de sus hojas de cálculo. Este último apartado está dedicado a algunas utilidades que serán, sin duda, de su interés. Empezaremos personalizando sus gráficos con imágenes, continuaremos vinculando el título del gráfico a una celda de una hoja de cálculo, y finalizaremos preparando la impresión del gráfico.

Utilizar imágenes

Excel permite insertar imágenes como fondo del área de trazado, de la leyenda o de cualquier otro elemento del gráfico que sea susceptible de contener efectos de relleno. Para utilizar imágenes en un gráfico, deberá emplear el siguiente procedimiento:

- Seleccione el elemento del gráfico en el que va a incluir la imagen. Para hacerlo, puede utilizar el cuadro de texto Elementos de gráfico del grupo Selección actual en la ficha Formato de Herramientas de gráficos.
- A continuación, haga clic en la flecha desplegable del botón **Relleno de forma** en la misma ficha y seleccione la opción Imagen.
- Se abrirá el cuadro de diálogo Insertar imagen (véase la figura 9.8) desde donde puede seleccionar una imagen que servirá como fondo del elemento seleccionado.

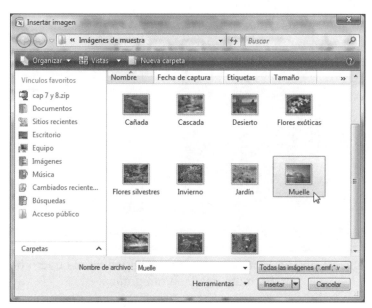

Figura 9.8. Cuadro de diálogo Insertar imagen.

- Seleccione la imagen deseada y haga clic en **Insertar**. Se insertará la imagen en el elemento seleccionado anteriormente.

Si desea aplicar una transparencia a dicha imagen para que se vea mejor el gráfico, siga este procedimiento:

1. Haga clic con el botón derecho del ratón sobre el gráfico y seleccione Formato del área del gráfico del menú contextual para abrir el cuadro de diálogo del mismo nombre.

2. En el cuadro de diálogo Formato del área del gráfico, arrastre el control deslizante Transparencia, dentro de las opciones de Relleno y compruebe su efecto en el propio documento.

3. Cuando encuentre el nivel de transparencia apropiado, haga clic en Cerrar para aplicar los cambios (véase la figura 9.9).

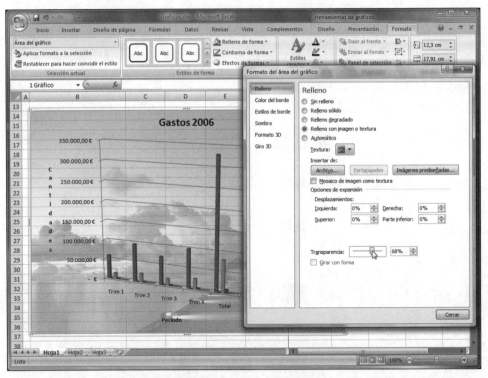

Figura 9.9. Cambie la transparencia de la imagen en el cuadro de diálogo Formato del área del gráfico.

Además de permitirle insertar imágenes, el cuadro de diálogo Formato del área del gráfico le será de gran utilidad para jugar con la apariencia de sus gráficos. Podrá elegir y aplicar las múltiples opciones y efectos proporcionados en las distintas opciones que ofrece.

Vincular el título del gráfico

Excel le ofrece la posibilidad de vincular elementos de carácter textual con una celda de la hoja de cálculo. De tal forma que, por ejemplo, podrá definir el título del gráfico con el contenido del encabezamiento de la tabla origen de datos. Podrá, además, establecer cuantos vínculos necesite e insertar nuevos cuadros de texto con el fin de mostrar, desde una descripción detallada de su contenido hasta alguna información destacada.

Para realizar la vinculación siga estos pasos:

1. Seleccione primero el elemento que se verá afectado. Puede tratarse del título del gráfico o quizás prefiera insertar un cuadro de texto en el área del gráfico.

2. Tras seleccionar el elemento, escriba en la barra de fórmulas el signo igual (=).

3. Escriba o seleccione con el ratón la celda de la hoja de cálculo que contiene el texto que se vinculará al gráfico.

4. Una vez terminada esta tarea, pulse la tecla **Intro** y, si la vinculación es correcta, se mostrará en el gráfico.

Advertencia:

Al incluir la referencia de la celda en la barra de fórmulas debe escribir el nombre de la hoja y la referencia absoluta a la celda referenciada, como por ejemplo, `=Hoja1!$H$12`.

Cada vez que modifique el contenido de la celda vinculada, el gráfico se actualizará automáticamente de manera que el texto que se verá en el gráfico responderá a los cambios efectuados.

Por ejemplo, en la figura 9.10, hemos sustituido el título del gráfico con el contenido de la celda `B3` y hemos insertado en el área del gráfico un cuadro de texto vinculado a la celda `H12`. Asimismo, para poder visualizar con más nitidez el área de trabajo, hemos minimizado la cinta de opciones.

Truco:

Para minimizar rápidamente la cinta de opciones, haga doble clic sobre una de las fichas. Para restablecer de nuevo la cinta de opciones, haga doble clic sobre el nombre de una de las fichas minimizadas.

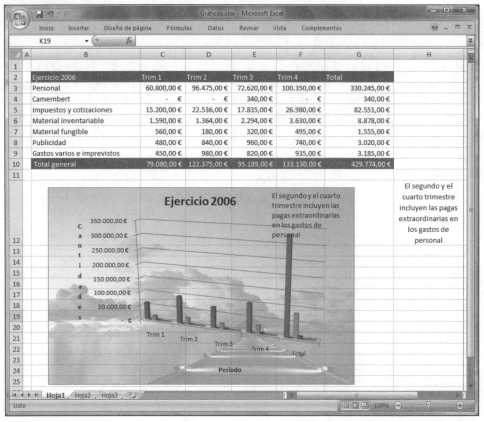

Figura 9.10. Gráfico con elementos textuales vinculados a celdas de la hoja de cálculo.

Preparar el gráfico para su impresión

Si desea imprimir un gráfico primero tendrá que prepararlo con el fin de que tenga la mejor apariencia posible. Pruebe, en primer lugar, seleccionando Imprimir>Vista preliminar del **Botón de Office** y podrá comprobar su disposición en la hoja impresa. Sin embargo, es posible que lo que vea no responda del todo a sus expectativas. En tal caso, deberá recurrir a alguno de los métodos que pasamos a explicar. El modo de preparar la impresión de su gráfico será diferente dependiendo de si lo ha incrustado en una hoja de cálculo o si lo ha ubicado en una hoja de gráfico.

Si el gráfico se ha colocado en la hoja de datos activa como un objeto incrustado, haga clic con el ratón en cualquier punto de la hoja, a excepción del área de gráfico. A continuación haga clic en el botón **Vista previa de**

salto de página en el grupo Vistas de libro de la ficha Vista para obtener un resultado similar el mostrado en la figura 9.11, en la que podrá observar que una línea azul discontinua indica un salto de página en la impresión. Para solucionar este problema y que el gráfico no corra riesgo de imprimirse dividido en dos páginas, arrastre hacia la derecha, con el ratón, dicha línea azul. El programa se encargará de ajustar los contenidos de la hoja para que tanto la tabla de datos como el gráfico se distribuyan de forma adecuada y se impriman bien.

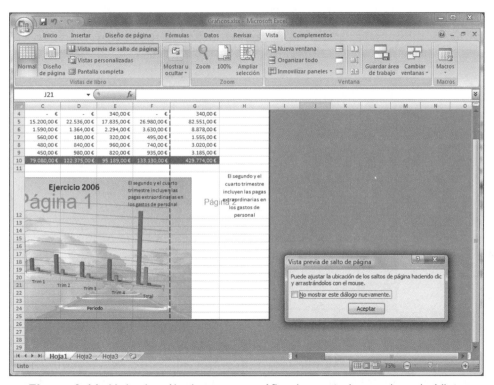

Figura 9.11. Hoja de cálculo con un gráfico incrustado en el modo Vista previa de salto de página.

El propio cuadro de diálogo Vista previa de salto de página, que se abre automáticamente, le informa de que podrá ajustar la ubicación de los saltos de página arrastrándolos con el ratón. Este modo de visualización le permite, además, modificar el tamaño y mover el gráfico también con la ayuda del ratón. Para volver a la vista normal de la hoja de cálculo, haga clic en el botón **Normal** del grupo Vistas del libro de la ficha Vista.

Si no desea imprimir el gráfico incrustado junto con los datos de la hoja de cálculo asociada, selecciónelo y siga las instrucciones de la hoja de gráficos sin incrustar.

Si el gráfico se encuentra en una hoja de gráfico independiente dentro del libro, seleccione la pestaña de la hoja que lo contiene y haga clic en el botón **Iniciador de cuadro de diálogo** del grupo Configurar página de la ficha Diseño de página. Cuando se abra el cuadro de diálogo Configurar página, seleccione Gráfico (véase la figura 9.12) para definir, por ejemplo, su tamaño y la calidad de impresión.

Figura 9.12. Cuadro de diálogo Configurar página con la ficha Gráfico activa.

El resto de las pestañas del cuadro de diálogo le van a servir para determinar el tamaño y la orientación del papel empleado, los márgenes de las páginas y los encabezamientos y/o pies de página. Cuando crea que el aspecto del gráfico es el deseado, pulse el botón **Aceptar** para volver a la hoja.

En cualquier caso, con esta herramienta podrá mover y cambiar el tamaño del área de gráfico, especificar el lugar donde colocar la página impresa y darle su beneplácito final en la ventana de vista previa.

Para imprimir rápidamente una hoja de cálculo, seleccione Imprimir>Impresión rápida desde el **Botón de Office** para enviar la impresión a la impresora predeterminada o seleccione Imprimir>Imprimir del **Botón de Office** para seleccionar la impresora, el número de copias y otras opciones antes de la impresión.

Truco:

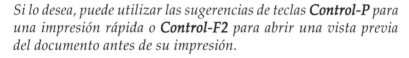

*Si lo desea, puede utilizar las sugerencias de teclas **Control-P** para una impresión rápida o **Control-F2** para abrir una vista previa del documento antes de su impresión.*

Capítulo 10

Diapositivas y presentaciones: PowerPoint

En este capítulo aprenderá a:
- Familiarizarse con el uso de diapositivas para sus presentaciones.
- Seguir los consejos básicos para la creación de presentaciones eficaces.
- Crear una presentación en blanco o utilizar una plantilla.
- Visualizar presentaciones para exponerlas en público.

PowerPoint es el programa de Office 2007 para la creación y edición de presentaciones. Con él podrá cubrir todas sus necesidades personales y profesionales creando presentaciones eficaces con las que acompañar un discurso en público, disponer de verdaderos folletos electrónicos para sus productos, presentar gráficamente un organigrama o simplemente transmitir de forma clara y espectacular cualquier tipo de mensaje.

En el primer capítulo de los tres que dedicaremos a esta aplicación aprenderemos las técnicas fundamentales para trabajar con presentaciones y con los elementos que las componen: las diapositivas.

Objetos de una diapositiva

En PowerPoint hablamos de las diapositivas para referirnos a cada una de las pantallas o páginas que componen una presentación. A su vez, una presentación sirve para reforzar la exposición de una idea haciéndola más atractiva. Utilizando diferentes presentaciones conseguirá aumentar la eficacia de sus comunicaciones, al tiempo que podrá reducir los minutos para exponer una idea en público.

En una diapositiva puede mostrar varios elementos: gráficos, textos, tablas u organigramas, con el objetivo de presentar intuitiva y eficazmente el contenido del mensaje que desea transmitir con la presentación.

Las diapositivas pueden imprimirse en papel, en hojas de transparencias, o mostrarse en una página Web de Internet o en la pantalla de su ordenador. Sin embargo, su aplicación más habitual es ejecutarlas en un ordenador conectado a un proyector para mostrarlas al público a través de una pantalla de vídeo.

En general, sus presentaciones serán tanto más eficaces cuanto más atractiva y resumida sea cada una de las diapositivas que la componen y cuanto más coherente sea el diseño de todas ellas en su conjunto.

Para crear algunas presentaciones, es recomendable seguir los siguientes consejos:

- Utilice diapositivas sencillas, ya que un exceso de datos puede dificultar la comunicación de la esencia de su mensaje y desviar la atención de su audiencia.

- El tamaño de la letra debe ser grande para asegurarse de que las diapositivas pueden leerse desde cualquier punto de la sala donde vaya a tener lugar la exposición.

- Cuando le sea posible, utilice elementos gráficos para facilitar la comprensión y estructura de los datos (sin embargo, no utilice demasiados ya que contradeciría la regla de sencillez en las diapositivas).

- Para facilitar la visión y la lectura de las diapositivas puede utilizar combinaciones de color agradables al ojo humano.

- Introduzca elementos flexibles para que el presentador pueda alterar el orden de la exposición en función de las reacciones que observe en la audiencia.

- Mantenga la coherencia de la presentación utilizando diseños comunes para todas las diapositivas.

Para insertar contenidos en una diapositiva deberá utilizar los denominados objetos. Un objeto es cualquier elemento que se pueda crear y editar dentro de una diapositiva.

Por ejemplo, en PowerPoint puede trabajar con objetos como cuadros de texto (para insertar textos), gráficos, imágenes, otros archivos de Office e incluso objetos multimedia como películas y sonidos. En los siguientes apartados, aprenderemos a utilizar los diversos tipos de objetos disponibles en el programa para crear presentaciones.

Iniciar PowerPoint

Como en el resto de aplicaciones de Office, para ejecutar el programa seleccionaremos la opción correspondiente del menú Iniciar>Todos los programas. Como resultado obtendremos la pantalla mostrada en la figura 10.1.

La ventana de PowerPoint

En esta sección, describiremos brevemente los distintos elementos de la ventana de PowerPoint específicos de esta aplicación.

La sección central de la pantalla representa el área de trabajo, que nos muestra una diapositiva de títulos en blanco ya que éste es el tipo de diapositiva con el que PowerPoint abre cualquier nuevo documento de forma predeterminada. Como puede comprobar, este programa nos indica que para comenzar a trabajar en la diapositiva podemos hacer clic en el área destinada al título o en la destinada al subtítulo.

Debajo del área de trabajo visualizará el área de notas, en la que puede escribir todas las notas que desee correspondientes a la diapositiva que se muestra en la parte superior.

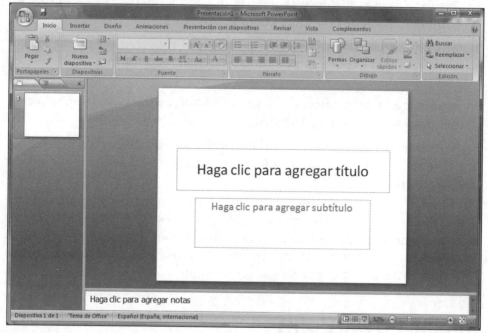

Figura 10.1. Pantalla inicial de PowerPoint.

A la izquierda del área de trabajo vemos un panel que contiene dos fichas: Esquema y Diapositivas (véase la figura 10.2).

Este panel nos muestra las diversas diapositivas de que consta la presentación (una vista previa en el caso de la pestaña Diapositivas y un esquema del contenido de cada una en el caso de la pestaña Esquema).

Al tratarse de un nuevo documento de PowerPoint, la pestaña Diapositivas solo muestra el marco de la diapositiva en blanco. En la figura 10.3 sin embargo, puede observar cómo esta pestaña muestra una vista previa de las cuatro diapositivas que componen una presentación.

Situadas bajo el área de presentación, en la parte derecha de la barra de tareas, junto al botón y el controlador de Zoom, PowerPoint presenta tres botones casillas que le permiten cambiar el modo de visualización. El primero activa la Vista Normal (la de las figuras 10.1 y 10.3, por lo que si hacemos clic en ella no observaremos ningún efecto). El segundo activa el Clasificador de diapositivas, que solo muestra miniaturas de las distintas diapositivas de la presentación (véase la figura 10.4). Por su parte, el tercer botón activa el modo **Presentación con diapositivas**, que es el utilizado para proyectar la presentación y por tanto puede servirnos para verificar cómo se visualizarán las diapositivas que hayamos creado.

Figura 10.2. Panel que contiene las fichas Diapositivas y Esquema.

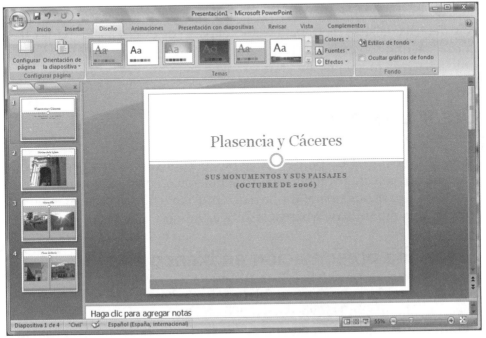

Figura 10.3. Vista normal de un archivo de PowerPoint con cuatro diapositivas.

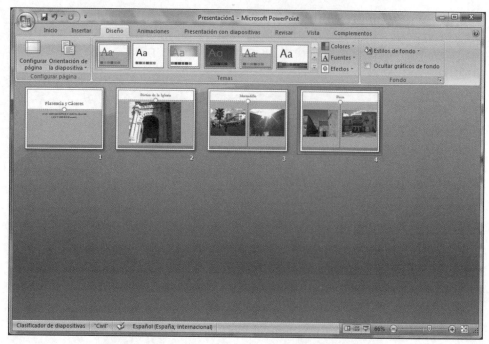

Figura 10.4. Vista Clasificador de diapositivas.

A la derecha del área de trabajo vemos el panel de tareas Inicio (figura 10.1) que nos permite obtener ayuda de Microsoft Office Online, abrir los archivos utilizados recientemente con el programa o crear nuevas presentaciones.

Crear una presentación

El menú Nuevo del **Botón de Office** nos permite abrir una presentación existente, o bien crear una nueva presentación en blanco, una nueva presentación a partir de una plantilla existente o una nueva presentación utilizando una plantilla de Microsoft Office Online.

Crear una presentación en blanco

Para crear una presentación en blanco, haga clic en el **Botón de Office**, seleccione la opción Nuevo y haga clic en Presentación en blanco en el cuadro de diálogo Nueva presentación dentro de la sección En blanco y reciente (véase la figura 10.5). Por último, haga clic en **Crear**.

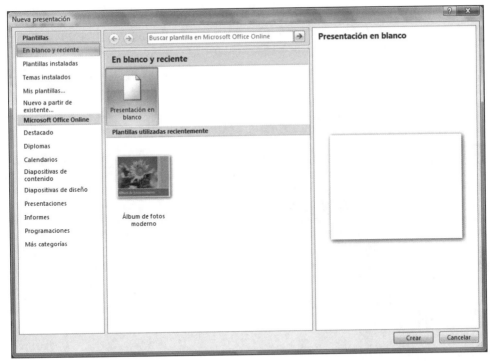

Figura 10.5. Cuadro de diálogo Nueva presentación.

El resultado es una presentación con una plantilla, como la presentación predeterminada presentada cuando se abre la aplicación.

Nota:

En el margen derecho del cuadro de diálogo Nueva presentación, *una sección de vista previa le proporciona una imagen preliminar del resultado final de la presentación.*

Utilizar una plantilla de diseño

La plantilla constituye la forma más rápida y sencilla de crear una presentación, y ofrece las diapositivas necesarias sobre las que puede trabajar para obtener un resultado compacto y de aspecto profesional. Por ejemplo, la presentación que muestra la figura 10.6 es la presentación que resulta al hacer clic en **Crear** seleccionando la plantilla Álbum de fotos de la sección Plantillas instaladas del cuadro de diálogo Nueva presentación.

Esta plantilla le indica en forma de texto los pasos a seguir para agregar títulos, crear otras diapositivas, etc. Sólo tiene que seguir los pasos propuestos para crear una bonita presentación.

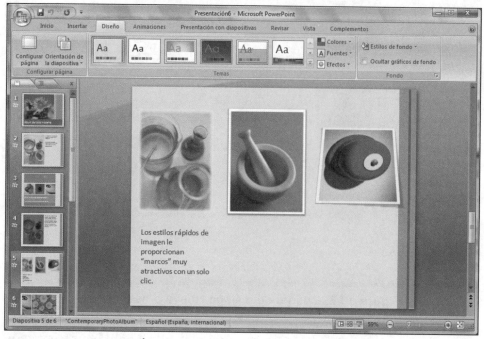

Figura 10.6. Plantilla Álbum de fotos sobre la que puede empezar a trabajar.

La sección Plantillas del panel de tareas Nueva presentación le permite además seleccionar otras plantillas. La ventaja de utilizarlas es que proporcionan un estilo coherente a su presentación ya que todos los títulos, gráficos y resto de elementos de las distintas diapositivas tendrán muchas características en común.

Asimismo, Office 2007 le permite conectarse a Internet para descargar plantillas de Office Online u otros sitios Web personales. Por ejemplo, cuando seleccionamos la opción Presentaciones>Académico de la sección Microsoft Office Online del cuadro de diálogo Nueva presentación, podrá ver la plantilla ilustrada en la figura 10.7.

La sección Plantillas instaladas (véase la figura 10.8) muestra una lista de las plantillas existentes en nuestro ordenador.

Por último, la sección Mis plantillas le muestra las plantillas guardadas por el usuario.

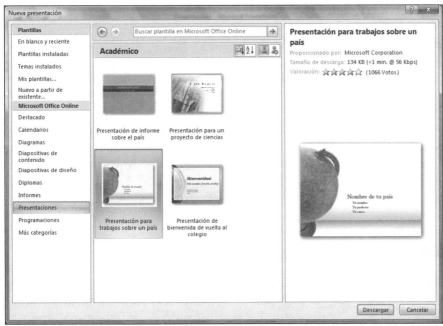

Figura 10.7. Ficha Microsoft Office Online del cuadro de diálogo Nueva presentación con una plantilla seleccionada.

Figura 10.8. Plantillas instaladas del cuadro de diálogo Nueva presentación.

Visualizar la presentación

Vista normal

Una vez haya creado su presentación (por ejemplo, con la plantilla Álbum de fotos moderno), puede visualizarla, como hemos visto con anterioridad, en el modo normal.

Ésta es la vista más utilizada, ya que es la que se abre por defecto al crear una diapositiva. Con la vista normal puede trabajar en la diapositiva activa, que es la que se muestra en el área de trabajo. Para activar este modo, haga clic en la casilla correspondiente de la barra de tareas, o bien haga clic en el botón Normal del grupo Vistas de presentación en la ficha Vista.

Clasificador de diapositivas

La figura 10.9 muestra la vista Clasificador de diapositivas de una presentación PowerPoint que no solo permite trabajar con una diapositiva sino que además edita toda la presentación modificando el orden en que aparecerán las diapositivas, borrándolas o copiándolas, etc. Para ello, utilice los comandos Copiar, Cortar y Pegar como en el resto de aplicaciones de Office 2007.

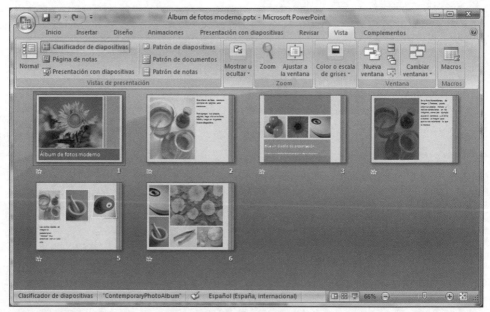

Figura 10.9. Vista Clasificador de diapositivas de la presentación creada con la plantilla Álbum de fotos moderno.

Para activar esta vista, haga clic en el botón **Clasificador de diapositivas** de la barra de tareas, o bien haga clic en el botón del mismo nombre en el grupo Vistas de presentación de la ficha Vista.

Presentación con diapositivas

Esta vista se activa bien mediante el botón correspondiente de la barra de tareas del programa, o bien haciendo clic en el botón **Presentación con diapositivas** del grupo Vistas de presentación en la ficha Vista. En esta vista, la diapositiva activa ocupa la totalidad de la pantalla de su ordenador (véase la figura 10.10).

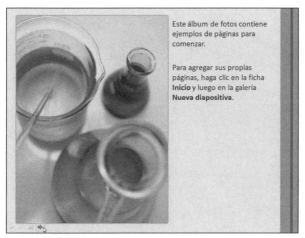

Figura 10.10. Vista Presentación con diapositivas de la presentación anterior.

Para ver la presentación y pasar de una a otra diapositiva, haga clic en la flecha hacia adelante que aparece al colocar el puntero del ratón en la esquina inferior izquierda de la pantalla y para retroceder, haga clic en la flecha hacia atrás. Si en cualquier momento desea suspender la presentación, pulse la tecla **Esc**. Utilice la vista Presentación con diapositivas para ejecutar sus presentaciones en público, y para comprobar cómo se visualizan sus creaciones de PowerPoint.

Truco:

Para moverse rápidamente por las diapositivas en la vista Presentación con diapositivas, *haga clic sobre la presentación para avanzar a la siguiente diapositiva y pulse la tecla **Retroceso** para volver a la diapositiva anterior.*

Capítulo 11

Edición
de diapositivas

Hasta ahora hemos analizado las técnicas básicas para el trabajo con dia-positivas y presentaciones. Sin embargo, aún no hemos estudiado con detalle el proceso de elaboración y formato de las diapositivas que utili-zaremos en nuestra presentación. En este capítulo aprenderemos a editar los textos que aparecen en las diapositivas.

Trabajaremos con los títulos y subtítulos de las distintas diapositivas, y aprenderemos a crear y editar listas con viñetas, así como a tratar otros elementos de las diapositivas que pueden contener texto, como por ejem-plo textos artísticos, organigramas o tablas.

Diapositivas con textos

Trabajar con cuadros de texto

En general, el texto que aparece en una diapositiva de PowerPoint se co-loca dentro de un contenedor denominado cuadro de texto. Por ejemplo, la figura 11.1 presenta dos cuadros de texto claramente visibles. En uno de ellos se colocará el título de la diapositiva y en el otro su subtítulo.

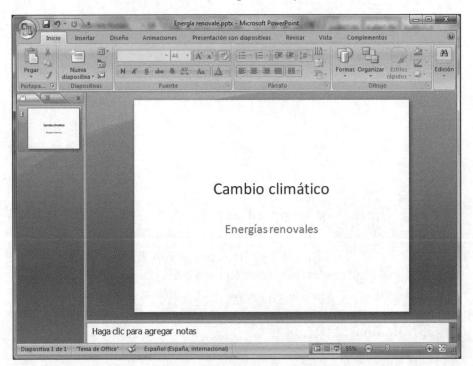

Figura 11.1. Dos cuadros de texto en una diapositiva de títulos.

Para escribir un texto en un cuadro de texto, simplemente haga clic en él y comience a escribir. Observe que el cuadro de texto se activa y aparece un punto de inserción parpadeante que le muestra el lugar exacto dónde se escribirá. Tras escribir el título de la diapositiva en la figura 11.1, haga clic en el otro cuadro de texto para activarlo y comenzar a escribir el subtítulo.

Lógicamente, también puede aplicar el formato que desee a los textos introducidos. Por ejemplo, puede cambiar el tamaño o el color de la fuente, la alineación o el estilo de letra utilizado. Para ello seleccione la parte del texto que desea modificar (o todo el cuadro de texto entero si desea que los cambios afecten a todo su contenido) y utilice los mismos comandos y técnicas que hemos explicado en Word.

Para seleccionar un cuadro de texto (o cualquier otro tipo de objeto incluido en una presentación), actívelo haciendo clic y aparecerá un recuadro enmarcándolo que muestra los bordes y puntos de control del cuadro de texto, lo que indica que el objeto en cuestión (en este caso, el cuadro de texto) se ha seleccionado.

Nota:

*Si desea seleccionar más de un objeto de forma simultánea, seleccione el primero y a continuación el segundo mientras mantiene pulsada la tecla **Mayús**, o bien, pulse el botón izquierdo del ratón y arrástrelo para crear un recuadro de selección que contenga todos los objetos a seleccionar.*

La figura 11.2 muestra el resultado de cambiar el tipo y el color de la letra tras seleccionar ambos cuadros de texto.

Los cuadros de texto de las figuras 11.1 y 11.2 aparecen situados en el centro de la pantalla. Sin embargo, PowerPoint le permite cambiar la posición de cualquier objeto de una diapositiva con solo seleccionarlo, hacer un clic sobre su marco y, a continuación, arrastrarlo con el ratón o utilizar las teclas del cursor para moverlo a la situación deseada. Si lo desea, también puede mover simultáneamente más de un objeto seleccionándolos primero.

Nota:

Puede modificar el tamaño del marco de un cuadro de texto arrastrando con el ratón sus puntos de control.

Figura 11.2. Edición de cuadros de texto.

Hasta el momento hemos estado trabajando con cuadros de texto ya existentes. Si desea añadir un nuevo texto a su diapositiva, lo primero que deberá crear será un cuadro de texto para poder colocarlo. Para ello, haga clic en el botón **Cuadro de texto** del grupo Texto en la ficha Insertar. El puntero del ratón cambiará de forma, y tendrá que hacer clic en el punto de la diapositiva donde desea insertar el nuevo cuadro y, sin soltar el ratón, moverlo hasta conseguir la forma y tamaño que desea aplicar.

Por último, para eliminar un cuadro de texto o cualquier otro objeto de la diapositiva, seleccione su marco y pulse la tecla **Supr**.

Además de los formatos de texto que explicamos en Word, PowerPoint le permite cambiar la orientación de un cuadro de texto, para lo cual, cree un nuevo cuadro de texto y haga clic en el punto de control de color verde que aparece por encima del marco nuevo objeto. Desplace el ratón a derecha o izquierda hasta conseguir la orientación deseada (véase la figura 11.3).

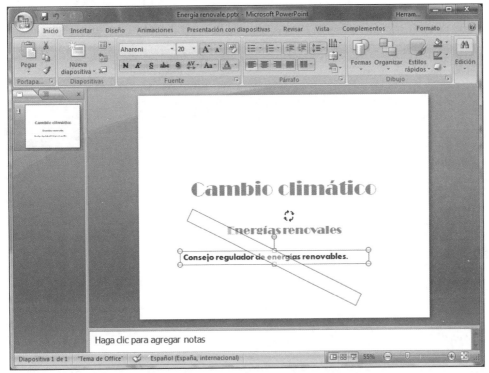

Figura 11.3. Rotación de un cuadro de texto.

Advertencia:

Si no puede cambiar la orientación de los cuadros de texto que aparecen en las figuras 11.1 y 11.2, no se preocupe.

Estos cuadros de texto están predefinidos por un estilo de PowerPoint, por lo que algunas de sus características no pueden modificarse.

Listas con viñetas

La diapositiva de la figura 11.1 corresponde a una diapositiva de títulos. Ésta es la diapositiva en blanco predeterminada de PowerPoint, pero si lo desea puede cambiar una diapositiva por otro estilo, con solo seleccionar la opción correspondiente en el menú del botón **Diseño** que se encuentra en el grupo Diapositivas de la ficha Inicio. Si lo que desea es añadir una nueva diapositiva con un nuevo estilo, haga clic en la flecha desplegable del botón **Nueva diapositiva** del mismo grupo (véase la figura 11.4). Al abrir el menú desplegable, si selecciona la opción Título y objetos podrá utilizar listas con viñetas en su presentación.

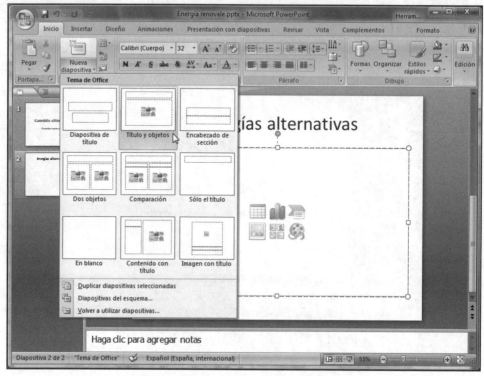

Figura 11.4. Menú desplegable de Nueva diapositiva.

En una lista con viñetas, cada apartado del texto está precedido por una viñeta, lo que aumenta la legibilidad y comprensión de sus presentaciones. La figura 11.5 muestra una diapositiva en la que se está escribiendo una lista con viñetas a una columna.

Para escribir texto en una lista con viñetas, haga clic en su correspondiente cuadro y comience a escribir. Cada vez que cambie de párrafo pulsando la tecla **Intro**, aparecerá automáticamente una nueva viñeta para el siguiente punto de la lista. Para cambiar de nivel de sangría y crear subapartados dentro de la lista con viñetas, utilice la tecla **Tab**.

Truco:

Si desea crear una nueva lista con viñetas en un cuadro de texto normal, debe hacer clic en el botón **Viñetas** *del grupo* Párrafo *en la ficha* Inicio *antes de escribir.*

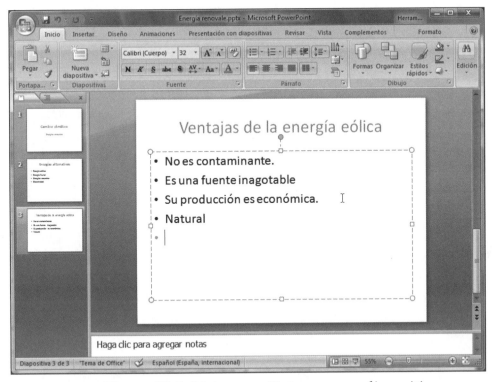

Figura 11.5. Lista con viñetas en una diapositiva.

Cambiar el símbolo de las viñetas

Para conseguir un diseño más efectivo, puede sustituir la viñeta predeterminada por cualquier otra imagen. Para ello, seleccione las líneas a las que quiere cambiar la viñeta teniendo en cuenta que para facilitar la comprensión es conveniente que las del mismo nivel de sangría utilicen el mismo símbolo.

A continuación, abra la lista desplegable del botón **Viñetas** del grupo Párrafo en la ficha Inicio, seleccione la opción Numeración y viñetas y haga clic sobre el botón **Imagen**. Se abrirá el cuadro de diálogo Viñeta de imagen (véase la figura 11.6).

Desplácese entre las distintas opciones de viñeta que le ofrece el cuadro de diálogo y seleccione la que más le convenga (véase la figura 11.7). Si lo desea, haga clic sobre el botón **Importar** para seleccionar una imagen propia que tenga guardada en su ordenador (por ejemplo, puede utilizar como viñeta una miniatura del logotipo de su empresa).

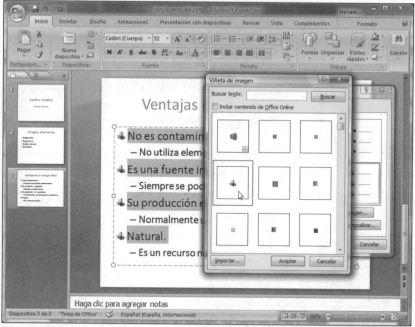

Figura 11.6. Cuadro de diálogo Viñeta de imagen.

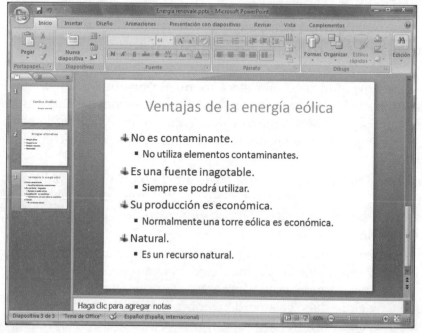

Figura 11.7. Mejora del diseño de una diapositiva modificando los símbolos.

Utilizar los estilos de WordArt para textos especiales

Un caso especial de textos que puede insertar en una diapositiva son los creados mediante la herramienta WordArt de Office. Para crear un texto con WordArt, inserte una nueva diapositiva en blanco (sin contenedores de texto ni de imágenes) y haga clic en el botón desplegable de **WordArt** que se encuentra en el grupo Texto de la ficha Insertar. Seleccione una de las opciones disponibles. Se insertará un cuadro (que se tratará como imagen) indicando que escriba lo deseado (véase la figura 11.8).

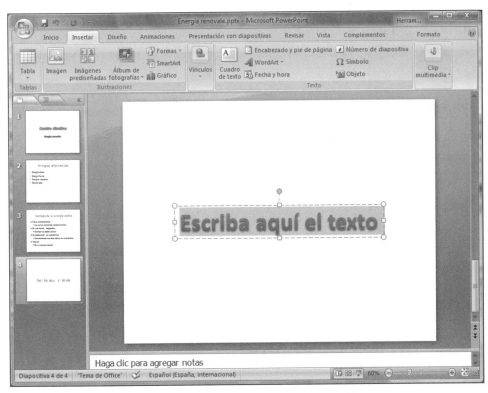

Figura 11.8. Cree un texto con WordArt.

Al crear y seleccionar el texto WordArt, también se abrirá una ficha contextual Formato de Herramientas de dibujo que le ayudará a aplicar estilos y formatos a sus textos. Por ejemplo, para cambiar rápidamente un título a un estilo de WordArt, seleccione el título y haga clic en la flecha

desplegable del botón **Estilos rápidos** del grupo Estilos de WordArt y seleccione una de las opciones disponibles en la galería (véase la figura 11.9).
También puede cambiar el color, el relleno y aplicar un efecto de sombra
con los botones disponibles en el mismo grupo y el tamaño de la forma
modificando los valores de los cuadros Alto y Ancho del grupo Tamaño
de la misma ficha Formato.

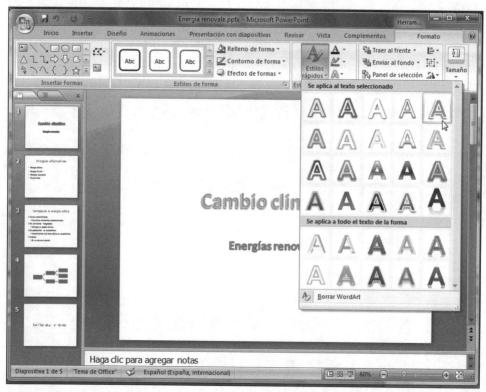

Figura 11.9. Menú desplegable de estilos rápidos para WordArt.

Crear un organigrama

Mediante un organigrama puede mostrar gráficamente la estructura or-
ganizativa de una empresa o de un departamento de la empresa. Power-
Point dispone de utilidades específicas para la confección de organigramas.

Para crear un organigrama en la diapositiva activa, haga clic en el botón
SmartArt del grupo Ilustraciones de la ficha Insertar para abrir el cuadro
de diálogo Elegir un gráfico SmartArt. Seleccione el tipo de organigrama

que desee haciendo clic sobre él. (Podrá ver una vista previa del gráfico en cuestión en el panel derecho del cuadro de diálogo). En la diapositiva activa aparecerá el organigrama elegido con un esquema inicial del mismo y un cuadro de texto donde puede escribir el texto correspondiente (véase la figura 11.10).

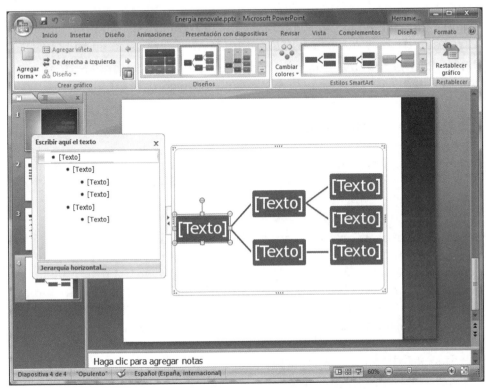

Figura 11.10. Crear un organigrama con PowerPoint.

Para cerrar el cuadro de texto, haga clic en su botón Cerrar. Si desea agregar nuevos elementos al esquema, haga clic con el botón derecho del ratón sobre una de las formas y seleccione Agregar forma del menú contextual. Haga clic en su flecha desplegable y seleccione entre las siguientes opciones: Agregar forma detrás, Agregar forma delante, Agregar forma superior o Agregar forma debajo.

Nota:

*Para cambiar el diseño del organigrama, selecciónelo y vuelva a hacer clic en el botón **SmartArt** del grupo* Ilustraciones *en la ficha* Insertar *y seleccione un nuevo diseño.*

Crear una tabla

Con PowerPoint también puede trabajar con tablas. Para crear una tabla en una diapositiva activa, haga clic en el menú desplegable del botón **Tabla** en la ficha Insertar y arrastre para seleccionar el número de filas y columnas que debe contener la tabla. Tras la creación de la tabla, ya puede introducir datos y modificarla tal como hemos explicado en Word.

Para editar el tamaño o la posición de la tabla, selecciónela como haría con un cuadro de texto y utilice sus puntos de control.

El patrón de diapositivas

Cuando utilizamos plantillas para crear una presentación, las distintas diapositivas que la componen utilizan el llamado patrón de diapositivas. Éste contiene la información general sobre el fondo de la diapositiva, los objetos que contiene, los formatos de los diferentes textos, etc.

Si ha creado una presentación utilizando una plantilla y desea editar alguno de los elementos comunes que se encuentran contenidos en el patrón de diapositivas, haga clic en el botón **Patrón de diapositivas** del grupo Vistas de presentación de la ficha Vista. La figura 11.11 muestra el patrón de diapositivas de una presentación creada utilizando la plantilla prediseñada de PowerPoint Álbum de fotos moderno. En la vista Patrón de diapositivas puede modificar la disposición y los diferentes formatos comunes que utilizan todas las diapositivas de su presentación. Para ello, seleccione en primer lugar el objeto o elemento que desee modificar y, a continuación, haga los cambios oportunos igual que si estuviera editando una diapositiva normal.

Cuando haya finalizado, cierre el patrón de las diapositivas utilizando para ello el botón **Cerrar vista Patrón**. Todos los cambios que haya realizado se aplicarán automáticamente a todas las diapositivas de la presentación.

El patrón de documentos

El patrón de documentos cambia el diseño y la presentación de los documentos impresos. Para abrir esta vista, haga clic en el botón **Patrón de documentos** en la ficha Vista dentro del grupo Vistas de presentación y seleccione o anule la selección las opciones deseadas ofrecidas en los distintos grupos de la ficha Patrón de documentos: Configurar página, Marcadores de posición, Editar temas o Fondo (véase la figura 11.12).

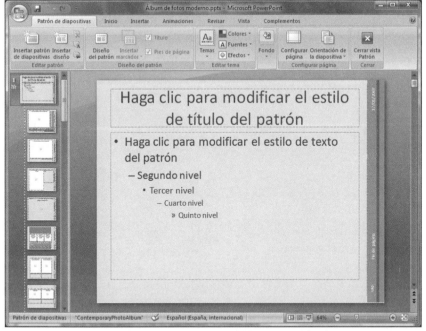

Figura 11.11. Patrón de diapositivas.

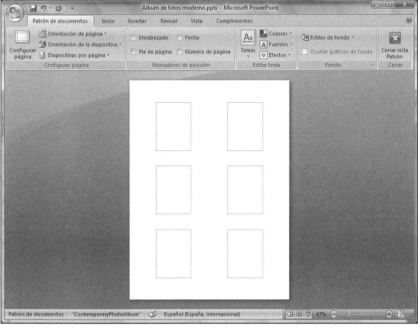

Figura 11.12. Patrón de documentos de una presentación.

Capítulo 12

Cómo crear presentaciones de aspecto profesional

En este capítulo aprenderá a:
- Utilizar gráficos, imágenes y otros objetos en sus presentaciones.
- Trabajar simultáneamente con diversos objetos incrustados.
- Utilizar efectos de transición entre las distintas diapositivas que componen la presentación.
- Animar textos, títulos e imágenes mediante los efectos de animación de PowerPoint.

Las diapositivas con las que hemos trabajado hasta el momento han utilizado elementos de texto como cuadros de texto y listas con viñetas, tablas u organigramas. Sin embargo, la eficacia de una presentación mejora radicalmente con una buena utilización de elementos gráficos como gráficos, imágenes, efectos animados o efectos de transición entre diapositivas.

En este capítulo vamos a comprobar cómo podemos trabajar con diapositivas que utilicen estas herramientas para lograr unas presentaciones verdaderamente espectaculares con las que consigamos atraer la atención de una audiencia y comunicar nuestros mensajes de forma eficaz e intuitiva.

Diapositivas con gráficos

El trabajo con gráficos en PowerPoint utiliza los mismos procedimientos y técnicas que vimos en Excel, por lo que utilizar gráficos en sus diapositivas no requerirá ningún esfuerzo adicional.

Para insertar un gráfico en una diapositiva, haga clic en la flecha desplegable del botón **Insertar gráfico** del grupo Ilustraciones de la ficha Insertar y seleccione un tipo de gráfico. A continuación haga clic en **Aceptar**. PowerPoint abrirá automáticamente una ventana con una hoja de gráfico de Excel para que cambie o inserte los datos que quiera utilizar en el gráfico y le ofrece los comandos más habituales para trabajar gráficos (figura 12.1).

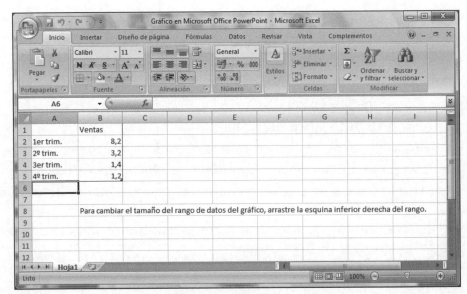

Figura 12.1. Hoja de gráfico en Excel para un gráfico de PowerPoint.

En la hoja de cálculo, introduzca los datos como en una hoja de cálculo normal de Excel. Observe que a medida que los introduce y se desplaza a una nueva celda, la visualización previa del mismo incorpora los nuevos datos introducidos. Para poder ver la ventana de PowerPoint y la ventana de Excel, reduzca ésta última al mínimo y así podrá ver la vista previa de los resultados en la diapositiva de PowerPoint (véase la figura 12.2).

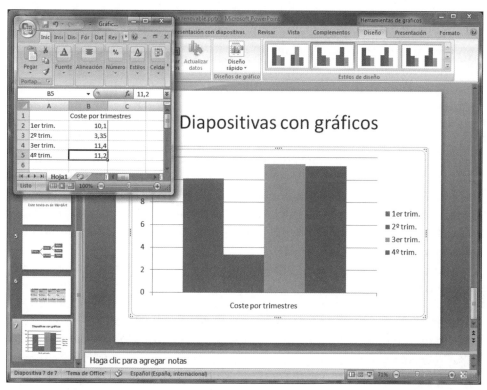

Figura 12.2. Introducción de datos en Excel para un gráfico de PowerPoint.

Una vez introducidos los datos, cierre si lo desea la ventana de la hoja de cálculo (en cualquier momento puede volver a verla para editar los datos introducidos haciendo clic con el botón derecho del ratón sobre el gráfico en PowerPoint y seleccionando **Modificar datos** del menú contextual). Para cambiar el tipo de gráfico, seleccione el mismo y haga clic en el botón **Cambiar tipo de gráfico** de la ficha **Diseño** de **Herramientas** de gráficos y seleccione un nuevo tipo. Los cambios se aplicarán automáticamente en el gráfico.

Para editar cualquier otro elemento del gráfico, como las líneas de división, las series de datos o la leyenda, siga los mismos procedimientos que vimos en Excel. En general, para editar una determinada característica, primero debe seleccionarla en el gráfico y posteriormente ejecutar el comando correspondiente de los distintos grupos de la ficha Presentación que ofrece las Herramientas de gráficos.

Imágenes

Uno de los tipos de objetos más utilizados en las diapositivas que componen una presentación son las imágenes.

Las imágenes que utilice en sus diapositivas pueden ser prediseñadas (incluidas en la galería de imágenes del programa o disponibles en la Web), archivos de imagen guardados en su ordenador, formas (formas simples que veremos más adelante), creaciones de WordArt e incluso imágenes procedentes de una captura con el escáner o con una cámara fotográfica.

En general, el trabajo con imágenes emplea los mismos comandos y técnicas, sea cual sea el tipo de imagen que desee incorporar a una diapositiva. Para insertarlas, sólo tiene que hacer clic en el icono correspondiente del contenedor. Si dichos elementos no aparecen en su diapositiva, haga clic en el botón correspondiente del grupo Ilustraciones de la ficha Insertar para insertar el elemento deseado.

La figura 12.3 muestra el resultado de insertar una imagen prediseñada en una diapositiva tras hacer clic en el botón **Imágenes prediseñadas** del contenedor de elementos de la diapositiva. Como puede ver, se abre el panel de tareas Imágenes prediseñadas desde donde puede seleccionar una imagen e insertarla en una diapositiva haciendo doble clic sobre ella.

Busque y seleccione la imagen deseada y, tras insertarla, si lo desea, cambie su posición y tamaño utilizando el mismo procedimiento que utilizará para un cuadro de texto o de cualquier otro objeto.

Asimismo, utilice la opción Formato de imagen del menú contextual para especificar un color de relleno o los bordes que desea aplicar a la imagen seleccionada, etc. Si lo prefiere, utilice los botones correspondientes que se encuentran en los grupos Estilos de imagen, Organizar, Tamaño o Ajustar de la ficha contextual Formato de Herramientas de imagen.

Advertencia:

El relleno de una imagen solo tendrá efectos si está utiliza un color de fondo transparente.

Figura 12.3. Diapositiva con imágenes prediseñadas insertadas.

Formas

Las formas son formas geométricas y simples que puede insertar en sus diapositivas y adaptarlas en tamaño, bordes, color de relleno y otras características para que encajen perfectamente con el diseño que está utilizando en su presentación. La figura 12.4 muestra varios ejemplos de formas creadas con PowerPoint.

Para trazar una forma, ejecute el haga clic en la flecha desplegable del botón **Formas** que se encuentra en el grupo **Ilustraciones** de la ficha **Insertar**. Se abrirá un menú desde donde puede seleccionar la forma deseada.

Truco:

También puede seleccionar un botón de acción para que, por ejemplo, al hacer clic en él, se pueda volver a una diapositiva anterior, o al inicio de la presentación (este tema lo trataremos con más detalle un poco más adelante en el capítulo).

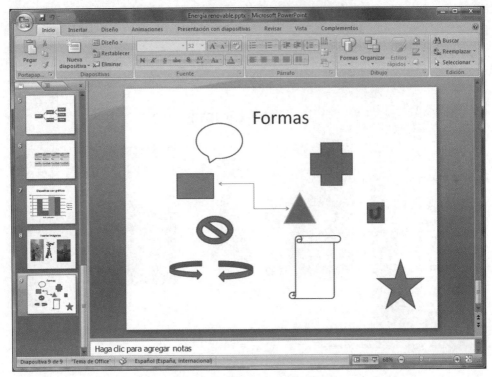

Figura 12.4. Ejemplos de formas.

El puntero del ratón adoptará una forma de cruz. Haga clic en la posición en la que desea situar el vértice de la forma y arrastre el ratón hasta obtener el tamaño deseado.

Para acabar de configurar correctamente la forma, haga clic sobre ella con el botón derecho del ratón y especifique sus características utilizando el comando Formato de forma del menú contextual y los puntos de control de la forma.

Si desea que la forma quede centrada respecto a un punto (en lugar de tomar ese punto como vértice de la misma), mantenga pulsada la tecla **Control** mientras arrastra el ratón.

Truco:

*Para conseguir que la forma quede inscrita en un cuadro perfecto, pulse la tecla **Mayús** mientras arrastra el ratón.*

Otros objetos

Además de cuadros de texto, gráficos, tablas, organigramas o imágenes, puede insertar en sus diapositivas objetos multimedia, como archivos de vídeo o de sonido, o archivos creados con otras aplicaciones de Windows.

Para ello, haga clic en la flecha desplegable del botón **Película** o del botón **Sonido** y del grupo Clip multimedia de la ficha Insertar para seleccionar clips de película o de sonido respectivamente o haga clic en el botón **Objeto** del grupo y seleccione la opción deseada del cuadro de diálogo Insertar objeto. Puede ver los resultados de estas acciones en la figura 12.5.

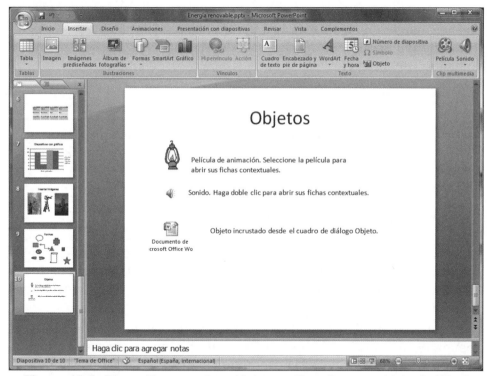

Figura 12.5. Diapositiva con dos objetos multimedia y un objeto de Word insertados.

Nota:

En el cuadro de diálogo Insertar objeto *seleccione la casilla* Mostrar como icono *para que en la diapositiva no se muestre el contenido del objeto insertado sino que lo represente con un icono. Para abrirlo, deberá hacer doble clic sobre él.*

Trabajar simultáneamente con varios objetos

Como hemos visto anteriormente, todos los objetos insertados en una diapositiva de PowerPoint pueden modificarse para editar tanto su contenido como su formato.

Para trabajar simultáneamente con varios objetos, utilice el menú desplegable del botón **Organizar** del grupo Dibujo en la ficha contextual Formato de Herramientas de dibujo. El comando Agrupar agrupa los objetos seleccionados para que puedan manejarse como si se trataran de un único objeto. Cuando un objeto está agrupado a otros, no es posible seleccionarlo individualmente. Para poder hacerlo, deberá utilizar previamente el comando Desagrupar.

Truco:

El comando Reagrupar *permite volver a agrupar un objeto desagrupado sin tener que volver a seleccionar el resto de objetos que formaban el grupo.*

Objetos superpuestos

Si sus diapositivas contienen muchos objetos superpuestos (por ejemplo, dos imágenes superpuestas, o una imagen insertada sobre un cuadro de texto), en ocasiones puede resultar difícil seleccionar el que se desea modificar (véase la figura 12.6).

Para trabajar simultáneamente con varios objetos superpuestos, utilice los comandos incluidos en la opción Ordenar objetos del menú desplegable del botón **Organizar** que se encuentra en el grupo Dibujo de la ficha contextual Formato de Herramientas de dibujo. El comando Traer al frente envía el objeto seleccionado al primer plano de entre varios objetos superpuestos. El comando opuesto es Enviar al fondo, mediante el que colocará el objeto seleccionado en el plano más alejado respecto al resto de objetos.

Por último, los comandos Traer adelante y Enviar atrás, respectivamente, adelantan o retrasan una posición el objeto seleccionado respecto a los objetos contiguos.

Figura 12.6. Objetos superpuestos.

Nota:

Si está trabajando con imágenes en lugar de con objetos, los comandos que acabamos de explicar se encuentran dentro del mismo grupo y ficha contextual pero de Herramientas de imagen.

Efectos de animación

Los efectos de animación no se aplican a las propias diapositivas, sino a los objetos que éstas contienen. Estos efectos, permiten animar textos, títulos e imágenes insertados en una presentación PowerPoint.

Para aplicar un efecto animado a cualquier objeto incluido en una diapositiva, seleccione el objeto y, posteriormente, haga clic en la flecha desplegable de Animar dentro del grupo Animaciones de la ficha Animaciones para seleccionar un efecto de animación. Si lo prefiere, haga clic en el botón **Personalizar animación** del mismo grupo y ficha.

PowerPoint mostrará el panel de tareas **Personalizar animación**, que le permitirá elegir el tipo de animación a aplicar al objeto.

Como puede comprobar en la figura 12.7, en este panel de tareas debe, en primer lugar, elegir el efecto a aplicar a los objetos seleccionados. Para ello, pulse el botón **Agregar efecto** y elija la categoría de efecto deseada (puede elegir entre efectos de entrada, de salida, de énfasis, o de trayectoria de desplazamiento).

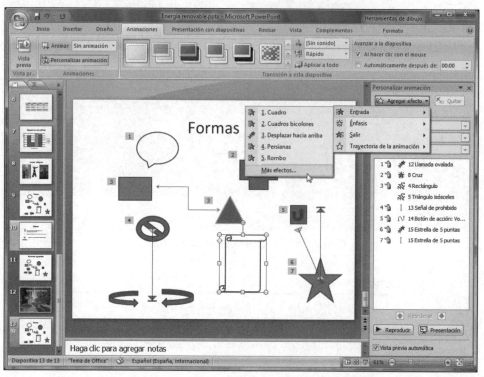

Figura 12.7. Vista del panel de tareas Personalizar animación.

Observe que los distintos menús desplegables le permiten elegir entre los efectos de animación más habituales. Si lo desea, seleccione en cada categoría la opción **Más efectos** (**Más trayectorias de la animación** en el caso de efectos de desplazamiento por pantalla) y se abrirá una ventana que muestra todos los efectos disponibles para esa categoría (véase la figura 12.8).

Una vez seleccionado el efecto deseado, PowerPoint le mostrará una vista previa del mismo en la propia diapositiva. Si no le gusta el resultado, pulse el botón **Quitar** del panel de tareas **Personalizar animación** para eliminarlo.

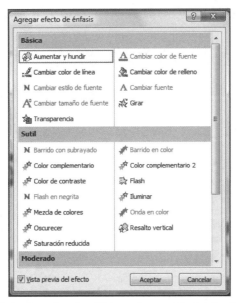

Figura 12.8. Cuadro de diálogo Agregar efecto de énfasis.

Si establece más de un efecto para un mismo objeto, podrá ordenar la secuencia en la que deben aparecer en la pantalla utilizando los botones en forma de flecha situados junto a la leyenda Reordenar. Además, observe que para cada efecto de animación puede configurar distintos parámetros (dirección, grado de giro, etc.) los cuales le ayudarán a obtener la apariencia buscada. (Por ejemplo, observe los parámetros configurables para el efecto Girar en la figura 12.9).

Efectos e intervalos de transición

Los efectos de transición son efectos especiales que modifican la forma en que una diapositiva se presenta en la pantalla del ordenador. (Se denominan así porque el efecto se produce al pasar de una diapositiva a otra.) PowerPoint cuenta con numerosos efectos de transición predefinidos que puede aplicar a toda la presentación o sólo a determinadas diapositivas.

Para configurar un efecto de transición, seleccione la diapositiva y haga clic en una de las opciones ofrecidas en el grupo Transición a esta diapositiva de la ficha Animaciones (véase la figura 12.10).

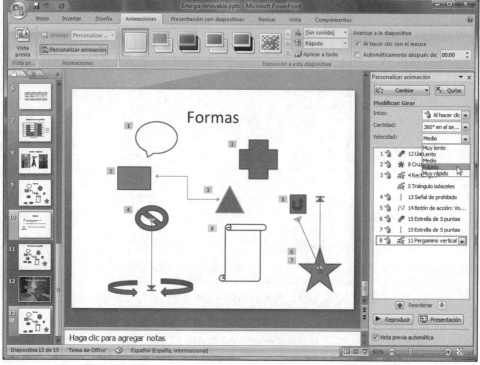

Figura 12.9. Panel de tareas Personalizar animación tras agregar dos efectos a la selección.

Figura 12.10. Seleccione un efecto de transición de los ofrecidos en el grupo Transición de la ficha Animaciones.

En la primera sección del grupo puede observar una colección gráfica de los efectos que se encuentran disponibles. Haga clic sobre cualquiera de ellos y PowerPoint ejecutará una vista previa del efecto de transición sobre la diapositiva activa.

Truco:

Para aplicar un efecto de transición a más de una diapositiva simultáneamente, ha de seleccionarlas primero en el clasificador de diapositivas o bien en las fichas Diapositivas *o* Esquema *de la ventana de PowerPoint.*

A continuación, debe configurar la velocidad de la transición y, si lo desea, aplicar un sonido que se reproducirá conjuntamente con el efecto visual. Seleccione si desea que la transición se ejecute al hacer un clic (es la opción por defecto y la más recomendable) o automáticamente una vez transcurrido cierto tiempo de visualización de la diapositiva precedente.

Para aplicar la configuración especificada a todas las diapositivas que componen la presentación, haga clic en el botón **Aplicar a todo**, para reproducir el efecto de transición en la diapositiva actual, haga clic en el botón **Vista previa** del grupo Vista previa de la ficha Animaciones y para iniciar el modo de presentación de diapositivas haga clic en el botón **Presentación con diapositivas** que se encuentra en la barra de tareas.

PowerPoint dispone de una función que le permitirá comprobar las transiciones entre las diferentes diapositivas mientras el programa asigna automáticamente a cada diapositiva el tiempo de transición que considera oportuno.

Para ensayar los intervalos de transición de una presentación, siga estos pasos:

1. Haga clic en el botón **Clasificador de diapositivas** que se encuentra en la barra de tareas.

2. Haga clic en el botón **Ensayar intervalos** del grupo Configurar de la ficha Presentación con diapositivas. La presentación comenzará a ejecutarse en modo pantalla completa, y sobre ella aparecerá la barra flotante Ensayo (véase la figura 12.11).

En la sección central de la barra puede observar el tiempo transcurrido desde que se mostró la diapositiva actual (cuadro Tiempo de exposición). A la derecha, un segundo reloj muestra el tiempo total de ejecución de la presentación.

Figura 12.11. Ensayo de los intervalos de una presentación.

Los restantes controles de la barra **Ensayo** tienen la siguiente utilidad:

* Haga clic sobre el botón **Siguiente** para pasar a la siguiente diapositiva de la presentación, o bien utilice las teclas **Intro** o **AvPág**.

* Haga clic sobre el botón **Pausa** para parar los relojes.

* Haga clic sobre el botón **Repetir** para volver a ensayar la diapositiva actual. El contador parcial (el de la propia diapositiva) se pondrá a cero y el global (a la derecha) volverá a mostrar el intervalo de tiempo original disponible antes de iniciar la diapositiva.

Si cierra la barra flotante **Ensayo**, llega al final de la presentación o pulsa la tecla **Esc**, aparecerá en la pantalla del ordenador el cuadro de diálogo que muestra la figura 12.12.

Dicho cuadro le informará sobre el tiempo total empleado en la presentación y le preguntará si desea que PowerPoint guarde los intervalos de diapositiva para utilizarlos la próxima vez que la ejecute.

Truco:

Si sabe qué intervalo desea utilizar para una diapositiva, puede escribirlo directamente en el cuadro Tiempo de exposición *de la barra flotante* Ensayo.

Figura 12.12. Cuadro de diálogo final del ensayo de intervalos.

Los botones de acción

PowerPoint incorpora una útil herramienta para crear presentaciones totalmente interactivas. Los botones de acción (que citamos anteriormente cuando creábamos formas) facilitarán la navegación a través de una presentación incluso en el caso de que la persona que la esté ejecutando no conozca las técnicas propias de PowerPoint.

En la vista Normal inserte un botón de acción de la forma deseada desde el menú desplegable del botón **Formas** en la ficha Insertar o seleccione uno de los botones de acción creados anteriormente y haga clic con el botón derecho del ratón para seleccionar la opción Modificar hipervínculo de su menú contextual. En ambos casos se abrirá el cuadro de diálogo Configuración de la acción, mostrado en la figura 12.13.

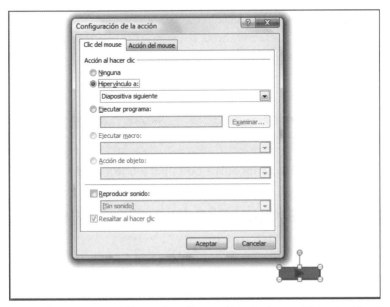

Figura 12.13. Cuadro de diálogo Configuración de la acción y botón de acción seleccionado.

En la pestaña Clic del mouse, seleccione la acción que desea ejecutar al hacer clic sobre el botón. Si configura una acción desde la pestaña Acción del mouse, la acción se ejecutará con solo pasar el puntero del ratón por encima del botón.

Por ejemplo, la figura 12.14 muestra el resultado de insertar tres botones de acción en una diapositiva. Al hacer clic sobre ellos, la persona que ejecute la presentación se desplazará automáticamente al inicio de la presentación, a la diapositiva anterior o a la siguiente.

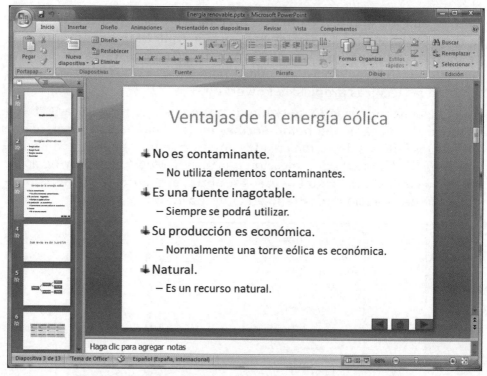

Figura 12.14. Diapositiva que utiliza botones de acción.

Utilizar notas durante la presentación

Cuando presente en público sus diapositivas, le será útil contar con un guión en el que anotar los comentarios que va a decir durante la exposición de las diapositivas. PowerPoint le facilita esta tarea con la utilización de notas.

Las notas se pueden imprimir como páginas de notas con objeto de emplearlas durante la presentación o bien, si se trata de notas que van dirigidas a la audiencia, distribuirlas para complementar la propia presentación de diapositivas.

Escriba sus notas para cada diapositiva mientras trabaja en la vista Normal (véase la figura 12.15). Tenga en cuenta que puede aplicar a sus notas el formato que desee con sólo seleccionar el texto y utilizar los mismos procedimientos que utiliza para dar formato en todas las aplicaciones de Office 2007.

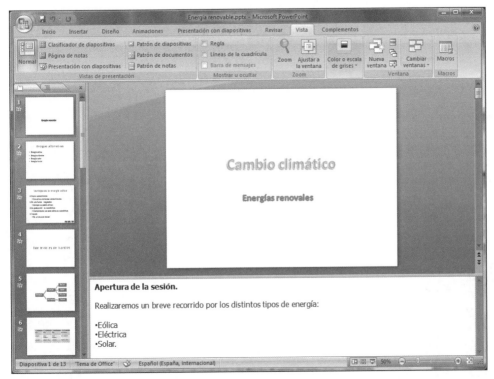

Figura 12.15. Escriba y edite notas en la vista Normal.

Si quiere ver las notas tal y como quedarán impresas, utilice la ficha Vista y haga clic en el botón **Página de notas** del grupo Vistas de presentación (véase la figura 12.16). Haga clic en el botón **Patrón de notas** para crear encabezados y pies de página o bien añadir o modificar otras opciones para la impresión.

Observe que en la pantalla aparece una versión en tamaño reducido de la diapositiva y de las notas correspondientes. Cada página de notas corresponde a una diapositiva de la presentación. Desde esta vista, puede adornar las notas con gráficos, imágenes o tablas, así como agrandar, cambiar la posición o dar formato al área de la imagen de diapositivas o notas.

Advertencia:

*Las imágenes o cualquier otro objeto que inserte en la vista **Página de notas** no son visibles desde la vista* Normal. *Además, tampoco se mostrarán en el navegador cuando se guarde la presentación como una página Web.*

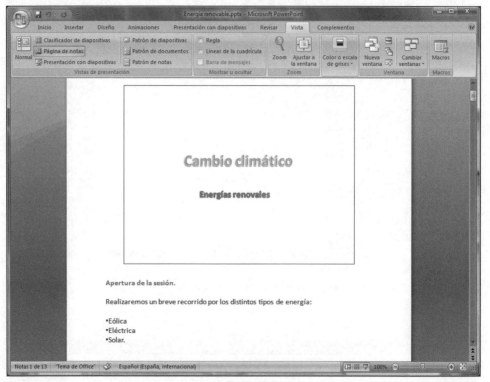

Figura 12.16. Vista Página de notas.

Diseño de la presentación con Temas

Tras crear la presentación y realizar todos los pasos que hemos indicado a lo largo de estos capítulos dedicados a PowerPoint, sólo tiene que imprimirla o visualizarla. Pero antes, quizá desee cambiar totalmente el diseño de todas las diapositivas para que tengan un estilo común y ofrezcan un diseño profesional.

Con PowerPoint 2007 se trata de una tarea muy sencilla. Simplemente tiene que seleccionar una diapositiva en la vista normal y elegir una de las diversas opciones ofrecidas, en forma gráfica, por PowerPoint en el grupo Temas de la ficha Diseño.

Por ejemplo, en la figura 12.17 hemos utilizado el tema Brío del menú desplegable de Temas y hemos cambiado simultáneamente el diseño de todas las diapositivas de la presentación. Asimismo, hemos cambiado la combinación de colores utilizando la flecha desplegable de **Colores** y seleccionando el color Civil predeterminado, hemos cambiado la fuente por una fuente Clásica de Office desde el menú desplegable del botón **Fuentes** y hemos aplicado el efecto Técnico seleccionándolo desde el menú del botón **Efectos**. ¡Así de fácil!

Como puede comprobar, sólo hemos tenido que hacer clic cuatro veces sobre las distintas opciones para que nuestra presentación cambie todas las diapositivas a la vez para ofrecer así un diseño mucho más profesional.

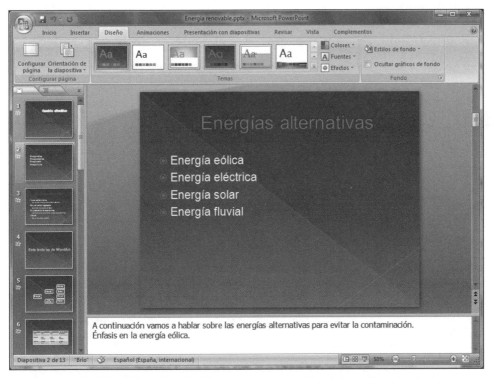

Figura 12.17. Aplicación de Temas para cambiar la apariencia de todas las diapositivas de la presentación simultáneamente.

Imprimir documentos

En muchas ocasiones puede ser útil imprimir las presentaciones con una, dos, tres, cuatro, seis o nueve diapositivas por página (por ejemplo, si desea entregar a los asistentes a su exposición un resumen que les pueda servir de referencia futura, o si desea imprimir un borrador de su trabajo con PowerPoint).

Truco:

El documento de tres diapositivas por página proporciona espacio para que los asistentes a la exposición puedan tomar sus propias notas.

Cuando queramos trabajar con documentos de PowerPoint utilizaremos la opción Vista preliminar del menú Imprimir del **Botón de Office**. En esta vista, podrá comprobar el aspecto final del documento impreso y utilizar la lista desplegable del cuadro Imprimir para decidir cómo desea imprimir las diapositivas.

Por ejemplo, la figura 12.18 nos muestra un documento en el que se imprimirán tres diapositivas por página, con el menú de opciones desplegado.

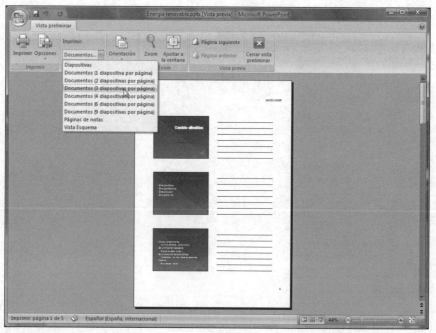

Figura 12.18. Vista preliminar de un documento de tres diapositivas por página.

Patrón de documentos

Igual que en el caso de las notas, puede utilizar el Patrón de documentos (botón **Patrón de documentos** del grupo Vistas de presentación de la ficha Vista) e insertar objetos o imágenes, o modificar la apariencia, la posición y el tamaño del texto de encabezados y pies de página.

Capítulo 13

Microsoft Office Outlook 2007

En este capítulo aprenderá a:

- Conocer los elementos que componen la ventana de Outlook.
- Configurar cuentas de correo electrónico.
- Enviar y recibir correo electrónico con Outlook.
- Organizar la bandeja de mensajes de correo electrónico, enviados y recibidos.

Office 2007 incluye entre sus aplicaciones una versión de Outlook muy eficaz. Si nunca ha trabajado con Outlook, le conviene saber que este programa constituye un verdadero gestor y organizador personal.

Con Outlook no sólo podrá enviar y recibir correo electrónico, sino también controlar su agenda y calendario, proyectar reuniones con miembros de su equipo de trabajo, etc. En este capítulo describiremos en detalle las características generales de la aplicación (sus posibilidades como programa o su interfaz de usuario), así como su función como gestor de correo electrónico.

Introducción a Outlook

Como ya hemos comentado en páginas anteriores, Outlook ha sido diseñado para permitirle gestionar eficazmente su información personal. Así, puede utilizar el programa para enviar y recibir correo electrónico, administrar su agenda, tareas y contactos, llevar un registro de sus actividades, etc.

También encontrará opciones como el panel de exploración y el panel de lectura, opciones de administración de la Bandeja de entrada, como los filtros de correo no deseado, carpetas de búsqueda o creación rápida de marcas, mejoras de productividad, etc.

En este capítulo describiremos la interfaz de usuario de Outlook y profundizaremos en una de sus funciones más importantes: la herramienta de gestión de correo electrónico.

La ventana de Outlook

Para ejecutar Outlook, haga clic sobre su icono en la carpeta Todos los programas>Microsoft del menú Iniciar de Windows. Aparecerá en pantalla la ventana principal del programa tal como se ilustra en la figura 13.1.

Como puede comprobar, esta ventana se parece más a la de otras versiones anteriores de Office ya que incorpora en su parte superior las barras de título, de menús y de herramientas, no la típica cinta de opciones que hemos visto hasta ahora.

En el lateral izquierdo de la pantalla, aparece el panel de exploración, que proporciona un acceso rápido y directo a las distintas funciones del programa, representadas mediante iconos. Así, podrá acceder desde este panel a su calendario, a sus contactos o a sus tareas. A no ser que lo cierre haciendo clic en el botón **Minimizar el panel de exploración** « (que se convertirá entonces en el botón **Expandir el panel de exploración** »), el panel estará visible en todo momento mientras trabaje con el programa.

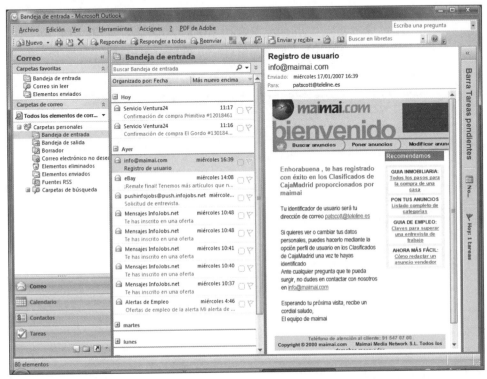

Figura 13.1. Ventana principal de Outlook.

El área de trabajo del programa puede dividirse a su vez en dos secciones diferentes. En la figura 13.1, observamos que la zona central, o área de trabajo propiamente dicha, muestra todos los mensajes de correo disponibles en la bandeja de entrada de Outlook. La sección de la derecha, representa el denominado panel de lectura. Dicho panel muestra una vista previa de la información seleccionada en cada momento en el área de trabajo de la aplicación. La mayoría de las herramientas de Outlook disponen de un panel de lectura como este.

La carpeta Outlook para hoy (véase la figura 13.2) representa una excepción al formato habitual de presentación del programa. Tal como vemos en la figura, aparte del panel de exploración, el área de trabajo muestra un resumen de las tareas y mensajes más urgentes. Para mostrar la ventana de Outlook para hoy, seleccione la carpeta Carpetas personales en el panel de exploración.

Truco:

Puede modificar la ubicación del panel de lectura o desactivarlo seleccionando la opción Panel de lectura *del menú* Ver *en la* Barra de menús *y haciendo clic en la opción deseada (*Derecha, Inferior *o* Desactivado*).*

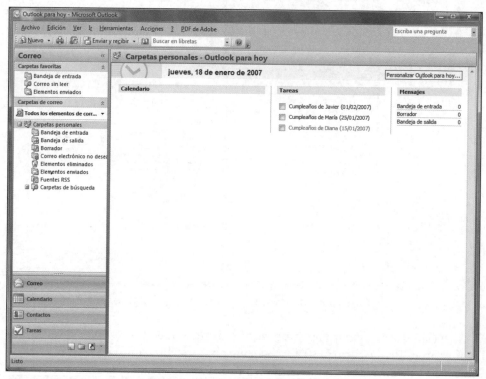

Figura 13.2. Outlook para hoy.

Si desea que Outlook se inicie siempre con la ventana de Outlook para hoy, haga clic en el botón **Personalizar Outlook para hoy** que se encuentra en la esquina superior derecha del área de trabajo.

A continuación, active la casilla de verificación Al iniciar, ir directamente a Outlook para hoy de la sección Inicio y haga clic en el botón **Guardar cambios**.

Gestionar el correo

Outlook permite gestionar el correo electrónico y los faxes que enviemos y/o recibamos desde el ordenador. Para ello, lógicamente, debe disponer de algún tipo de servidor de correo. En este sentido, Outlook permite trabajar simultáneamente con diversas cuentas de correo: por ejemplo, puede gestionar desde Outlook una cuenta de correo en Internet tipo Hotmail o una cuenta de correo POP3.

Configurar las cuentas de correo

El primer paso para poder enviar y recibir correo electrónico desde Outlook consiste en configurar correctamente sus cuentas de correo.

La configuración es mucho más sencilla si antes de instalar Office 2007 ya utilizaba algún otro programa de correo electrónico, como Outlook Express o Netscape Messenger.

En este caso, puede importar la información de sus cuentas de correo electrónico en esos programas utilizando el comando Archivo>Importar y exportar. Se abrirá el cuadro de diálogo Asistente para importar y exportar que mostramos en la figura 13.3.

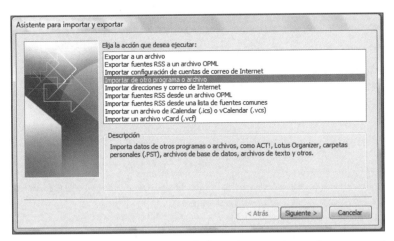

Figura 13.3. Cuadro de diálogo Asistente para importar y exportar.

Para importar la información de sus cuentas de correo, seleccione la opción Importar configuración de cuentas de correo de Internet y pulse el botón **Siguiente**. Se abrirá el Asistente para la conexión a Internet. Proporcione toda la información que se le pide en las sucesivas ventanas del Asistente y Outlook ya estará listo para enviar y recibir correo con la configuración que utilizaba antes de instalarlo.

Truco:

El Asistente para importar y exportar *también le permite importar todos sus contactos y mensajes desde el programa de correo electrónico que venía utilizando antes de instalar Microsoft Office 2007.*

Si nunca antes ha utilizado el correo electrónico desde el ordenador, deberá configurar manualmente las cuentas que desea utilizar con Outlook. Para ello, ejecute el comando Herramientas>Configuración de la cuenta. En la pantalla del ordenador aparecerá el cuadro de diálogo Configuración de la cuenta (véase la figura 13.4). Haga clic en el botón **Nuevo** y, posteriormente, haga clic en **Siguiente**.

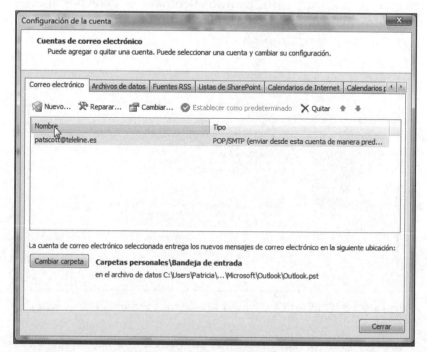

Figura 13.4. Cuadro de diálogo Configuración de la cuenta.

En la siguiente pantalla, seleccione el tipo de cuenta de correo electrónico que desea configurar, haga clic sobre el botón **Siguiente** y cumplimente todos los pasos hasta que Outlook le informe de que la cuenta ha sido creada. Recuerde que para poder crear la cuenta es imprescindible disponer de sus datos de conexión al correo electrónico que le debe haber proporcionado su proveedor de servicios de Internet.

Truco:

Para asegurarse de que la cuenta ha sido configurada de forma correcta, ha de verificar su buen funcionamiento cuando Outlook se lo sugiera. Recuerde que para poder probarla, debe estar conectado a Internet.

Enviar y recibir correo

Para trabajar con el correo electrónico, utilizaremos las carpetas Bandeja de entrada, Bandeja de salida, Borrador, etc. Si hace clic sobre el botón **Correo** del panel de exploración de Outlook obtendrá una lista de todas las carpetas disponibles en el sistema bajo el epígrafe Todas las carpetas de correo. Para acceder a la bandeja de entrada (la bandeja donde se colocan todos los mensajes recibidos nuevos) haga clic sobre su icono en las secciones Carpetas favoritas o Todas las carpetas de correo del panel de exploración.

Redactar un mensaje

Para redactar un nuevo mensaje, haga clic en el botón **Nuevo** de la barra de herramientas. De forma predeterminada, Outlook abre una ventana especialmente diseñada para el envío de mensajes de correo electrónico. Dicha ventana sí ofrece la cinta de opciones que proporcionaban los distintos programas que hemos examinado hasta el momento. La ventana será muy parecida a la mostrada en la figura 13.5.

En esta nueva ventana:

- Escriba la dirección de correo electrónico del destinatario en el cuadro de texto Para. (Si hace clic sobre el botón **Para** accederá a su libreta de contactos y podrá seleccionar en una lista el destinatario al que quiere enviar el mensaje). Recuerde que puede especificar tantos destinatarios como desee.

- Si desea que alguna otra persona reciba una copia del mensaje, escriba su dirección de correo electrónico en el cuadro de texto CC ("con copia").

- Escriba el título que quiere dar al mensaje en el cuadro Asunto.

- Finalmente, redacte el contenido del mensaje en la sección en blanco de la parte inferior de la pantalla.

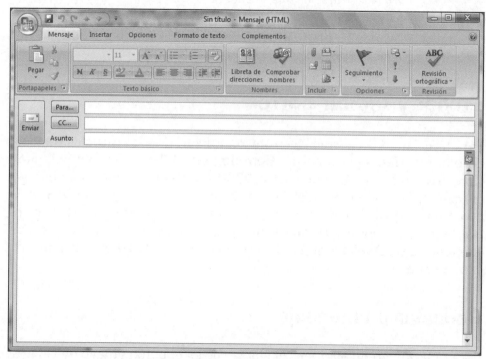

Figura 13.5. Ventana para un nuevo mensaje.

Advertencia:

No abra nunca un documento adjunto a un mensaje de correo electrónico si desconoce su procedencia o no dispone de un programa antivirus actualizado.

Outlook proporciona las mismas posibilidades de gestión del correo electrónico que cualquier otro programa especializado. Por lo tanto, si lo desea puede adjuntar documentos a sus mensajes, solicitar acuses de recibo, o establecer la prioridad de cada mensaje utilizando las distintas opciones y grupos de las fichas ofrecidas.

Responder y reenviar mensajes recibidos

Además de redactar un mensaje nuevo, puede redactar mensajes en respuesta a mensajes recibidos, así como reenviar un mensaje a otros destinatarios.

Para ello, seleccione el mensaje al que desea responder o que desea reenviar y siga estos pasos:

- Si desea responder al remitente, haga clic en el botón **Responder** de la barra de herramientas Estándar.

- Si desea responder al remitente y al resto de destinatarios del mensaje original, haga clic el botón **Responder a todos** de la barra de herramientas Estándar.

- Si desea reenviar el mensaje a un nuevo destinatario, haga clic en el botón **Reenviar** de la barra de herramientas Estándar.

Enviar y recibir

Para enviar un mensaje, haga clic en el botón **Enviar** que se encuentra a la izquierda de los botones **Para** y **CC** en la ventana de redacción de mensajes (véase la figura 13.5). Outlook cerrará de manera automática dicha ventana y colocará el mensaje en la Bandeja de salida. Esta bandeja contiene los mensajes que se tienen que enviar, pero que aún no han sido enviados.

Advertencia:

La instalación típica de Outlook intenta enviar los mensajes inmediatamente. Si no dispone de una conexión permanente a Internet, puede cambiar esta opción y configurar Outlook para que envíe y reciba correo cuando usted lo desee.

Si ha configurado Outlook para que envíe y reciba mensajes sólo cuando usted lo indique, para enviar su mensaje deberá ejecutar la opción correspondiente de la lista desplegable del botón **Enviar y recibir** que se encuentra en la barra de herramientas Estándar (o hacer clic en el menú Herramientas>Enviar y recibir de la Barra de menús para seleccionar una opción).

Según la cuenta seleccionada, el programa enviará todos los mensajes contenidos en la Bandeja de salida y conectará con el servidor de correo correspondiente para recibir los nuevos mensajes.

Gestión de las bandejas de correo

Para organizar los mensajes de correo electrónico de una manera eficiente, Outlook utiliza las llamadas bandejas de correo. Estas bandejas no son más que carpetas que contienen los diferentes mensajes. Así, la Bandeja de salida contiene los mensajes pendientes de enviar, y la bandeja Elementos enviados guarda los mensajes que ya se han enviado.

Las columnas de información disponibles en cada bandeja sirven para mostrar los detalles de cada mensaje: fecha de envío o recepción, asunto, destinatario o remitente, prioridad, si el mensaje incluye algún documento adjunto, etc. En cada bandeja, puede ordenar sus mensajes por cualquiera de estos conceptos. Para ello, haga clic sobre el botón de cabecera de cada columna.

Para abrir un mensaje, haga doble clic sobre él, de esta forma podrá leerlo, responderlo si es un mensaje recibido o modificarlo si es un mensaje de salida, eliminarlo, etc. Dependiendo de las opciones de configuración del programa, el mensaje se mostrará también en el panel de lectura.

Si abre la barra de herramientas Avanzadas, Outlook le mostrará en todo momento (mediante la lista desplegable Vista actual) la bandeja de correo en la que se encuentra. Para cambiar de carpeta, selecciónela en dicha lista o en el panel de exploración del programa.

Para crear sus propias carpetas haga clic con el botón derecho del ratón sobre el nombre de la bandeja donde desea albergar el nuevo elemento. En el menú contextual, seleccione el comando Nueva carpeta.

En el cuadro de diálogo Crear nueva carpeta (figura 13.6) puede especificar el nombre de la nueva bandeja de correo y seleccionar su ubicación (por ejemplo, puede crear la carpeta "Personal." dentro de la Bandeja de entrada).

Para mover un mensaje de una bandeja a otra, seleccione el mensaje que desea mover, haga clic con el botón derecho del ratón y seleccione Mover a una carpeta.

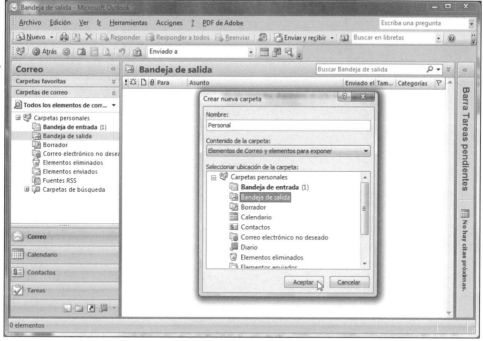

Figura 13.6. Cuadro de diálogo Crear nueva carpeta.

Capítulo 14

Organizar
el trabajo
con Outlook

En el capítulo anterior hemos estudiado las principales características de Outlook, así como el modo de trabajar con este programa para gestionar su correo electrónico.

En este capítulo aprenderá a utilizar el programa para gestionar su libreta de direcciones, a proyectar reuniones con otros miembros de su equipo y a organizar su calendario personal y su agenda de trabajo.

Gestionar la agenda de trabajo con el Calendario

Para acceder a la ventana del Calendario de Outlook sólo tiene que hacer clic en el icono correspondiente del panel de exploración. En la figura 14.1 se muestra la vista predeterminada de la aplicación. Como puede comprobar, el área principal de la pantalla muestra la agenda del día actualmente seleccionado. En el borde superior del panel de exploración encontrará a su disposición un calendario para recorrer fácilmente las distintas anotaciones que haya realizado en el programa.

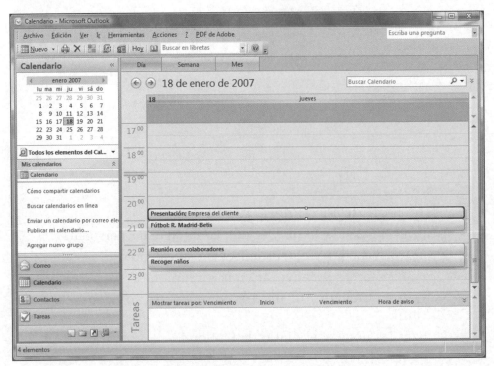

Figura 14.1. La ventana Calendario con su agenda y un calendario.

De este modo, la ventana **Calendario** proporciona todas las características de una agenda de mesa. Si lo prefiere puede modificar la vista predeterminada de la agenda para que, en lugar de ver las citas y reuniones planificadas para el día en curso, se muestre un esquema de la semana laboral, de toda la semana, o del mes en curso. Para ello, haga clic respectivamente los botones **Semana** y **Mes** de la barra de herramientas.

Para añadir una nueva cita o compromiso a su agenda de trabajo, haga clic en la hora en la que desee anotarla y teclee su descripción. Al terminar de escribir, pulse la tecla **Intro** y verá la tarea anotada.

Si la fecha planificada para la cita es distinta a la fecha actualmente seleccionada, actívela primero en el calendario del panel de exploración.

Outlook 2007 también permite destacar sus entradas en la agenda con distintos colores, en función de la urgencia o del tipo de compromiso en cada caso. Para ello, haga clic con el botón derecho del ratón sobre una tarea y despliegue el submenú **Clasificar** del menú contextual. A continuación, seleccione el tipo de etiqueta deseado haciendo clic sobre su icono.

Además, con Outlook puede configurar las diversas anotaciones del **Calendario** con opciones avanzadas de suma utilidad. Para configurar una anotación, haga doble clic sobre ella. Se abrirá la ventana **Cita**, que se muestra en la figura 14.2.

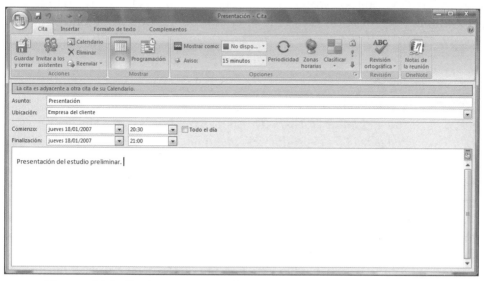

Figura 14.2. Opciones avanzadas para poder configurar una cita del Calendario.

Desde esta ventana (que como puede comprobar tiene el formato de la cinta de opciones, no de las barras de herramientas y menús), puede establecer la periodicidad de la anotación haciendo clic en el botón **Periodicidad** de la ficha Cita dentro del grupo Opciones. Esta opción es muy útil si, por ejemplo, quiere programar en el Calendario una reunión que va a tener lugar todos los viernes del mes.

Además, si establece un tiempo en el cuadro Aviso del mismo grupo y ficha, Outlook le avisará con antelación de la proximidad de la cita.

Por otro lado, el botón **Invitar a los asistentes** del grupo Acciones de la ficha Cita le permite enviar un mensaje de correo electrónico a los miembros de su equipo o a las personas que quiera que acudan a la cita.

Tras la configuración de la cita, haga clic en el botón **Guardar y cerrar** del grupo Acciones en la misma ficha para que Outlook valide los cambios.

El resto de las operaciones que puede realizar con las citas resultan totalmente intuitivas. Por ejemplo, para cambiar la hora de una cita, arrástrela con el ratón hasta la nueva ubicación en el calendario o, para eliminarla, selecciónela con el ratón y pulse la tecla **Supr**.

Tareas

Para abrir la ventana Tareas de Outlook 2007, haga clic sobre su botón en el panel de exploración o ejecute el comando Tareas del menú Ir (véase figura 14.3).

Nota:

*Para expandir la Barra de Tareas pendientes, haga clic en su botón **Expandir la barra Tareas pendientes**. Así podrá comprobar todas las tareas pendientes, incluidas las del día en curso.*

Esta ventana le permite introducir, modificar y eliminar tareas. Para introducir una nueva tarea, haga clic en la sección Haga clic aquí para agregar un nuevo Tarea, escriba su descripción y pulse la tecla **Intro**. Si hace clic en la columna Vencimiento, podrá seleccionar del calendario desplegable una fecha de vencimiento para la misma. Por otro lado, haciendo doble clic sobre una tarea, accederá a la ventana de configuración avanzada en la que, de nuevo, podrá especificar su prioridad o periodicidad, asignar la tarea a un miembro de su equipo y avisarle de ello por medio del correo electrónico, etc.

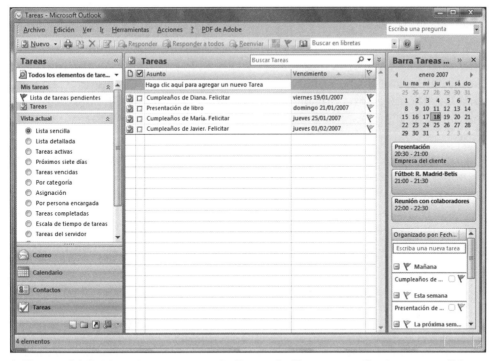

Figura 14.3. Lista de tareas con la Barra de Tareas pendientes expandida.

Si especifica un tiempo de aviso en el cuadro de la tarea, al acercarse la fecha de vencimiento Outlook puede avisarle con una ventana de Aviso como se muestra la figura 14.4. Este cuadro de diálogo le permite descartar el aviso si la tarea ya no es necesaria o ha sido realizada, abrir la tarea para editarla, o indicar a Outlook que le avise de nuevo pasado un tiempo determinado.

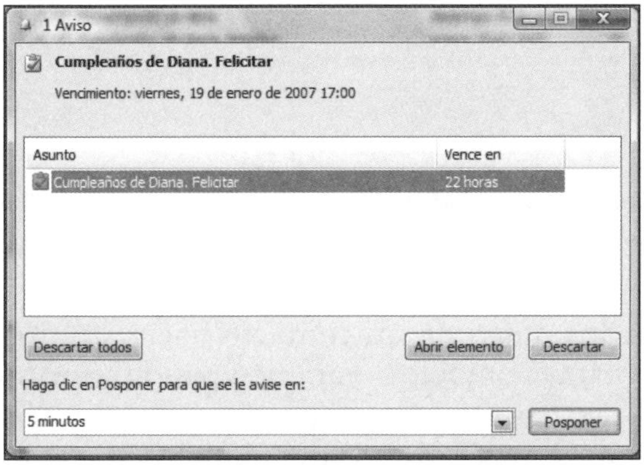

Figura 14.4. La ventana Aviso.

Contactos

Para abrir la ventana Contactos de Outlook, haga clic sobre su icono en el panel de exploración o ejecute el comando Contactos del menú Ir. La ventana Contactos es una libreta de direcciones, donde puede guardar todos los datos de las personas con las que se relaciona en su trabajo y tiempo libre.

Para crear un nuevo contacto, una vez en la ventana Contactos, haga clic en el botón **Nuevo** de la barra de herramientas. Se abrirá una ventana en la que podrá introducir todos los datos para el contacto mediante las distintas categorías de información, representadas por las secciones correspondientes (véase la figura 14.5). Una vez creado, haga clic sobre el botón **Guardar y cerrar** para volver a la ventana Contactos, o en el botón **Guardar y nuevo** para seguir introduciendo nuevos contactos.

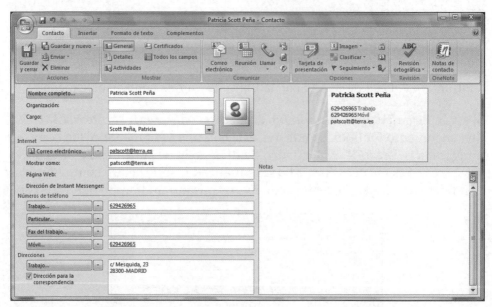

Figura 14.5. Ventana de Contactos de Outlook.

Puede modificar los datos de un contacto haciendo doble clic sobre su entrada en la ventana Contactos. También puede suprimirlo pulsando la tecla **Supr** tras seleccionarlo. Los contactos introducidos en Outlook no sólo permiten consultar los datos introducidos, sino también enviarles mensajes de correo electrónico, acceder automáticamente a sus páginas

Web o marcar su número de teléfono. Para ello, utilice los botones correspondientes de la barra de herramientas en la ventana del contacto.

Truco:

Utilice la libreta de direcciones para guardar la información referente a sus contactos y conseguirá agilizar extraordinariamente el envío de mensajes de correo electrónico y facilitar el trabajo en equipo.

Notas

La ventana **Notas** de Outlook permite crear notas similares a las notas adhesivas que suele pegar en el marco de la pantalla de su ordenador o en su mesa de trabajo. Las notas creadas desde Outlook permanecerán visibles en el escritorio de su ordenador hasta que las cierre.

Para crear una nota, haga doble clic en cualquier punto del área en blanco de la ventana **Notas** o haga clic en el botón **Nuevo** de la barra de herramientas. A continuación, escriba directamente el texto que desee en la nota que aparecerá en la pantalla (véase la figura 14.6).

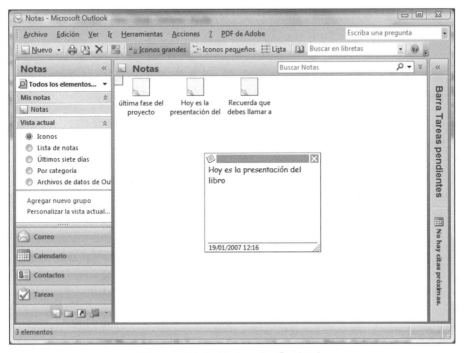

Figura 14.6. Notas de Outlook.

El diario de Outlook

El Diario de Outlook es un registro de todas las actividades llevadas a cabo con un determinado contacto de la libreta de direcciones o aplicación del entorno. Por ejemplo, si desea llevar un registro de las actividades realizadas o de la correspondencia mantenida con un miembro del equipo, puede configurar el diario para que le muestre, para ese contacto, las convocatorias de reuniones, los mensajes de correo electrónico, o los archivos de Office con los que han estado trabajando. No obstante, el mejor método para realizar un seguimiento de las actividades llevadas a cabo con un contacto es utilizar las distintas opciones de la ficha Actividades de su ventana de contacto. Para activar el Diario, haga clic sobre su icono en el panel de exploración (si se encuentra disponible) o seleccione el comando Diario del menú Ir. La primera vez que acceda a la ventana Diario, Outlook mostrará un cuadro de diálogo que le permitirá iniciar un seguimiento automático de la utilización de sus documentos Office.

Figura 14.7. Outlook permite realizar un seguimiento de los documentos Office.

Haga clic sobre el botón **Sí** y, a continuación, configure el diario para los contactos que desee utilizando las distintas opciones del cuadro de diálogo Opciones del Diario (véase la figura 14.8).

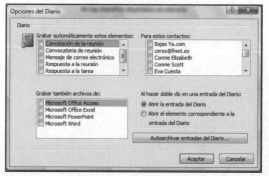

Figura 14.8. Cuadro de diálogo Opciones del Diario.

Capítulo 15

Microsoft Office
Access 2007

En este capítulo aprenderá a:
- Conocer el funcionamiento de una base de datos.
- Abrir y cerrar Access.
- Crear una base de datos.
- Crear tablas utilizando diferentes procedimientos.
- Crear relaciones entre tablas.

En este capítulo iniciamos el aprendizaje de Access, la aplicación de Office 2007 para la administración de bases de datos. Empezaremos familiarizándonos con los conceptos fundamentales de las bases de datos y estudiaremos los principales componentes de la aplicación.

Gestión de bases de datos relacionales

En general, una base de datos es un conjunto de información organizada sistemáticamente. Por ejemplo, una agenda telefónica es, de hecho, una base de datos. En este caso, la información sobre los contactos contenidos en la agenda está organizada de manera que, para cada contacto, la agenda sistematiza la información sobre el número de teléfono, la dirección postal o de correo electrónico, etc. También podríamos organizar en una base de datos elementos de información tales como ventas y datos de clientes, compras y datos de proveedores, la contabilidad de una empresa, etc.

Dentro de una base de datos, la información se guarda en tablas, tal como se ilustra en la figura 15.1.

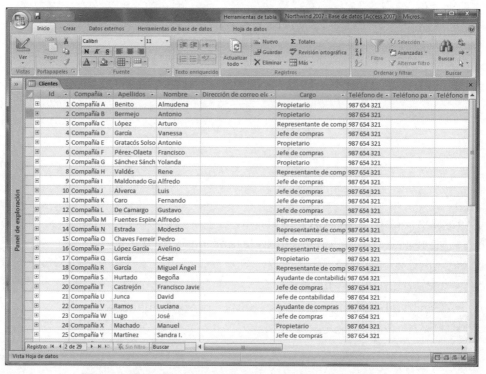

Figura 15.1. Ejemplo de tabla de una base de datos.

Como se puede ver en la figura 15.1, la tabla está formada por filas y columnas. En la terminología de bases de datos, las filas se denominan registros y las columnas campos.

Cada registro muestra los datos de un cliente, mientras que cada campo muestra los datos de una misma categoría (por ejemplo, Compañía o Cargo) para todos los clientes introducidos en la tabla.

Por su parte, los datos de la base de datos son el contenido de las celdas de intersección entre cada registro y cada campo. Por ejemplo, el dato Bermejo se corresponde con el campo Apellidos del registro 2.

Bases de datos planas

Las bases de datos formadas por una única tabla son las más sencillas y fáciles de comprender, y se denominan bases de datos planas o simples. Si bien hay muchos casos en que una base de datos plana es suficiente para organizar la información, en muchas ocasiones utilizar una única tabla de datos acarrea una serie de complicaciones que restarán eficiencia a nuestro trabajo.

Por ejemplo, la tabla que muestra la figura 15.2 muestra las facturas correspondientes a las ventas efectuadas a diversos clientes durante un período de tiempo.

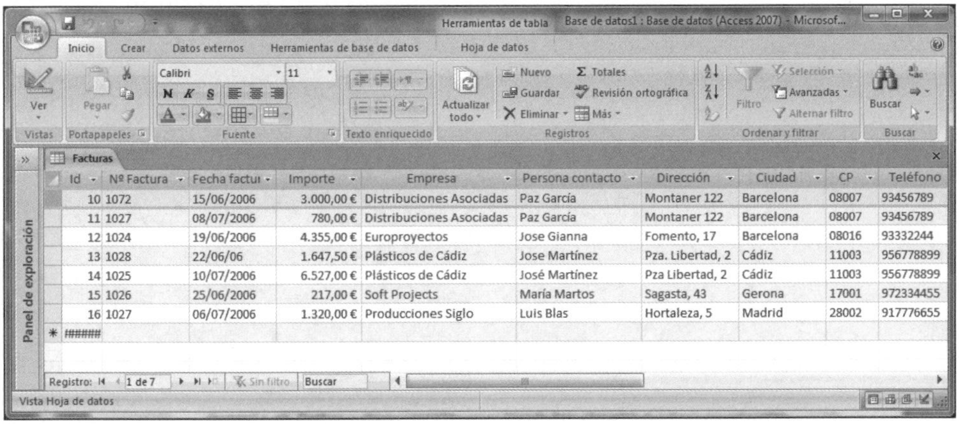

Figura 15.2. Ejemplo de una tabla con datos repetidos.

Como puede comprobar, cada vez que se factura una venta a un mismo cliente, la tabla repite sus datos de identificación para cada registro (en este caso, cada registro corresponde a los datos de una factura).

Esto supone que, al trabajar con una única tabla, ésta contiene una misma información repetidas veces. Imagine ahora que uno de los clientes cambia de dirección o de número de teléfono. En una tabla con datos repetidos como la de la figura 15.2, será necesario cambiar todos los registros que contengan el dato que se debe modificar, lo que puede suponer un problema importante si la base de datos es muy grande.

Además, si se olvida de actualizar uno de los registros en los que aparece el dato modificado, la tabla puede contener incoherencias.

Por último, tenga en cuenta que cuanto mayor sea el número de datos que contiene la base de datos, más tiempo tardará el ordenador en procesarlos, por lo que siempre es recomendable evitar en lo posible la duplicación de datos.

Bases de datos relacionales

Las bases de datos relacionales organizan la información en más de una tabla para evitar precisamente los problemas derivados de la duplicación de información. Por ejemplo, la figura 15.3 muestra los datos de la figura 15.2, pero sin repetir la información referida a cada empresa. La única información que se repite es el campo Código cliente, que es el que sirve para relacionar ambas tablas.

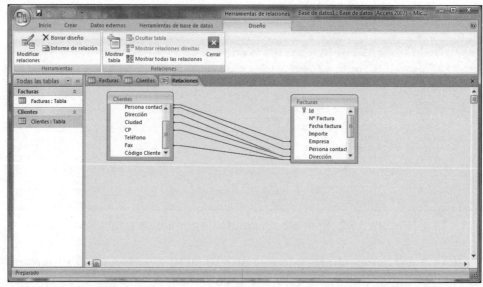

Figura 15.3. Base de datos relacional que utiliza dos tablas.

Así, en la tabla `Facturas`, cada uno de los registros se asocia al cliente correspondiente utilizando el campo `Código cliente`, que coincide con los utilizados en la tabla `Clientes`. En este caso, si uno de los clientes modifica sus datos de contacto, solo deberemos actualizarlo en el correspondiente registro de la tabla `Clientes`, y la relación entre ésta y la tabla `Facturas` garantizará que ésta última también esté totalmente actualizada.

Lógicamente, para que una base de datos relacional sea útil es esencial garantizar la correcta configuración de las distintas relaciones que asocian a las diversas tablas que la componen.

Otros objetos de las bases de datos Access

Hasta ahora hemos visto únicamente uno de los tipos de objetos que puede contener una base de datos Access: las tablas. Las tablas guardan los datos contenidos en la base de datos, estructurándolos en filas y columnas, pero en ocasiones le resultará más útil trabajar con presentaciones de los datos más atractivas o utilizar herramientas que faciliten la gestión de sus bases de datos.

En este sentido, además de tablas, las bases de datos Access pueden contener, entre otros, los siguientes objetos:

- **Consultas:** Permiten consultar todos los datos contenidos en una base de datos. Por ejemplo, combinando los diferentes datos de las tablas `Facturas` y `Clientes`, podemos crear una consulta que calcule de manera automática la suma de todas las ventas realizadas a los distintos clientes.

- **Formularios:** Facilitan el proceso de introducción y edición de los datos utilizando una interfaz más agradable al usuario que las tablas.

- **Informes:** Se utilizan para imprimir los datos de una forma atractiva.

- **Páginas:** Se utilizan para gestionar bases de datos en entornos Web.

- **Macros:** Permiten configurar las operaciones que se hacen con frecuencia para que Access las ejecute de modo automático.

- **Módulos:** Permiten realizar tareas especializadas en Access utilizando el lenguaje de programación VBA de Microsoft.

Iniciar Access

Cuando se inicia Office Access 2007 haciendo clic en el botón **Inicio** de Windows o un acceso directo de escritorio (pero no haciendo clic en una base de datos), aparece la página Introducción a Microsoft Office Access. Esta página muestra lo que se puede hacer para comenzar a trabajar en Office Access 2007 (véase la figura 15.4).

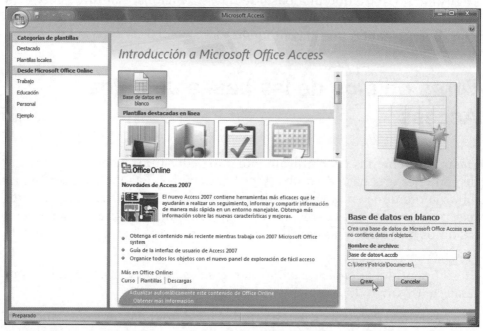

Figura 15.4. Ventana de Introducción a Microsoft Office Access.

Por ejemplo, se puede crear una base de datos en blanco, crear una base de datos a partir de una plantilla o abrir una base de datos reciente. También se puede dirigir a Microsoft Office Online para obtener más información sobre 2007 Microsoft Office y Office Access 2007, o hacer clic en el botón de Microsoft Office y utilizar el menú para abrir una base de datos existente.

Abrir una nueva base de datos en blanco

Para abrir una nueva base de datos en blanco, abra Access desde el menú **Inicio** o desde un acceso directo. Aparecerá la página Introducción a Microsoft Office Access.

- En esta página, haga clic en Base de datos en blanco de la sección Nueva base de datos en blanco.

- En el panel Base de datos en blanco, en el cuadro de texto Nombre de archivo, escriba un nombre de archivo o utilice el nombre proporcionado.

- Haga clic en **Crear**.

Se crea una nueva base de datos y se abre una nueva tabla en la vista Hoja de datos (véase la figura 15.5).

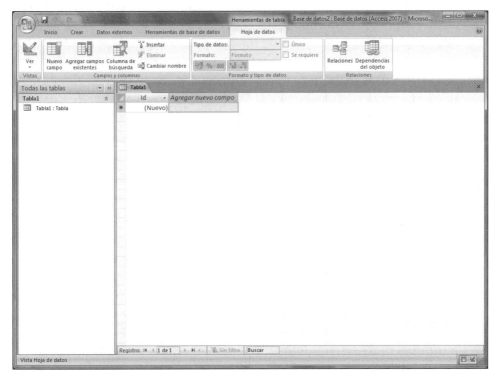

Figura 15.5. Ventana de Access con una base de datos en blanco creada.

En esta ventana aparecen diversos elementos que difieren de las versiones de Access anteriores. Dichos elementos son los siguientes:

- **Cinta de opciones:** Cinta situada en la parte superior de la ventana del programa desde donde se pueden ejecutar los comandos. Estos son sus elementos:

  - **Botón de Office:** Contiene los distintos comandos utilizados para la creación, impresión, guardado, etc. de documentos así como un botón para acceder a las opciones de Access. En cierta medida sustituye al menú Archivo de versiones anteriores de Access.

- **Fichas de comandos:** Contienen los comandos agrupados.
- **Ficha de comandos contextual:** Es una ficha de comandos que aparece según el contexto, es decir, según el objeto con el que se trabaje o la tarea que se esté ejecutando.
- **Galería:** Es un control que presenta visualmente una opción de modo que se ven los resultados que se van a obtener antes de su aplicación.
- **Barra de herramientas de acceso rápido:** Es una sola barra de herramientas estándar que aparece en la cinta de opciones que se puede personalizar y que permite tener acceso a los comandos utilizados con más frecuencia, como **Guardar** y **Deshacer**.
- **Panel de exploración:** Es el área situada a la izquierda de la ventana donde se muestran los objetos de la base de datos. El panel de exploración reemplaza a la ventana Base de datos de las versiones anteriores de Access.

Truco:

Puede cerrar o abrir el Panel de exploración *haciendo clic en las dobles flechas que aparecen en la parte superior del mismo.*

- **Documentos con fichas:** Los formularios, tablas, consultas, informes, páginas y macros se muestran como documentos con fichas.
- **Barra de estado:** Es la barra situada en la parte inferior de la ventana del programa en la que se muestra la información de estado y que incluye botones que permiten cambiar de vista.
- **La minibarra de herramientas:** Es un elemento que aparece de manera transparente encima del texto seleccionado para que se pueda aplicar fácilmente formato al texto (véase la figura 15.6).

Nota:

También puede utilizar una de las plantillas presentadas en la ventana de introducción para trabajar sobre una base de datos que le ayudará en su tarea. Una plantilla de Access es una base de datos previamente diseñada con tablas, formularios e informes de diseño profesional. Las plantillas proporcionan una gran ayuda para crear una nueva base de datos.

Cerrar una base de datos y salir del programa

Para cerrar una base de datos, haga clic en el botón **Cerrar** de la ventana o bien seleccione el comando Cerrar base de datos del menú del **Botón de Office**.

Aparecerá un mensaje preguntándole si desea guardar los cambios en el diseño de la tabla. Para cerrar la base de datos sin guardar ningún cambio haga clic en **No** (véase la figura 15.6).

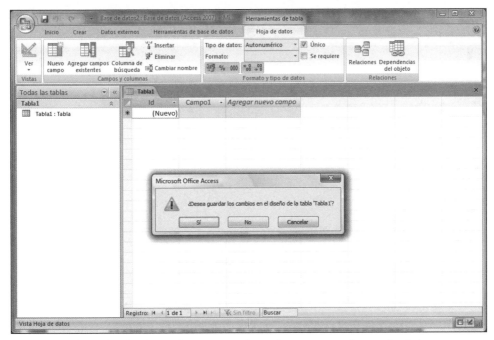

Figura 15.6. Mensaje que se abre al cerrar una base de datos.

Crear tablas y relaciones entre tablas

Como hemos comprobado, el objeto que aparece de forma predetermina-da en Access cuando creamos una nueva base de datos es el objeto Ta-blas. El programa nos ofrece tres procedimientos diferentes para la creación de nuevas tablas que estudiaremos en las siguientes secciones.

Crear una tabla en Vista Diseño

Esta opción permite crear la tabla especificando manualmente todas sus características de configuración. Si selecciona esta opción desde el botón **Ver** del grupo Vistas en la ficha Inicio, se abrirá la ventana que muestra la figura 15.7.

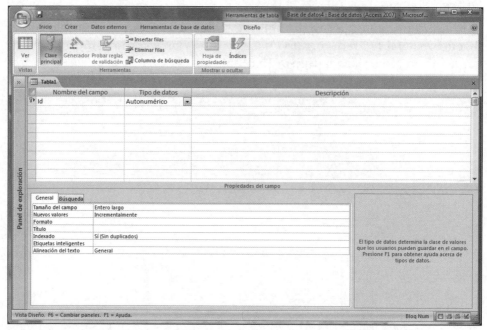

Figura 15.7 Ventana en Vista Diseño de la nueva tabla.

Nota:

*Al cambiar de vista aparecerá un mensaje solicitando que guarde la tabla actual. Haga clic en **Aceptar** para aplicar el nombre predeterminado ofrecido.*

Como puede observar, esta ventana se divide en tres secciones (hemos minimizado el Panel de exploración para evitar confusiones en la explicación). En la superior puede definir los nombres y propiedades de los distintos campos que contendrá la tabla. En la sección inferior izquierda podrá especificar parámetros adicionales para cada campo, tales como su tamaño en caracteres o si se trata o no de un campo obligatorio. Por su parte, la sección inferior derecha le proporcionará ayuda para las distintas operaciones que puede efectuar desde esta ventana.

En la columna **Nombre del campo** de la sección superior, introduzca el nombre de los distintos campos. Lógicamente, es aconsejable que el nombre de los campos se corresponda con su contenido. Una misma tabla no puede contener campos con un mismo nombre. Para insertar el nombre de un campo, sitúese en la primera fila y escriba el texto que desea utilizar.

A continuación, pulse la tecla **Tab** para desplazarse a la columna **Tipo de datos** que le permitirá especificar si los datos que contiene el campo son de texto, numéricos, de fecha y hora, etc. La tabla 15.1 describe los diferentes tipos de datos que se pueden usar en Access. Una vez seleccionado el tipo de dato deseado, pulse de nuevo la tecla **Tab** para, si lo desea, introducir una breve descripción del campo en la columna **Descripción**.

Tabla 15.1. Tipos de datos que puede usar en Access.

Tipo de datos	Descripción
Texto	Opción predeterminada. Utilícela para datos de texto o que combinen letras y números (por ejemplo, para nombres propios, ciudades, nombres de países, etc.).
Memo	Para datos extensos, como notas o comentarios.
Número	Para datos numéricos con los que desee realizar operaciones.
Fecha/Hora	Para guardar fechas y horas. Seleccione el formato exacto que desea utilizar en el panel inferior izquierdo de la ventana.
Moneda	Para guardar precios o cantidades monetarias.
Autonumérico	Cada vez que introduzca un nuevo registro, Access incrementará el valor del campo de forma automática.
Sí/No	Para los datos que solo puedan presentar dos valores, como Sí o No, Verdadero o Falso, etc.
Objeto OLE	Utilizado para objetos incrustados o vinculados en una base de datos de Access (por ejemplo, un documento de Word, una fotografía o una hoja de cálculo Excel).
Hipervínculo	Para insertar datos que funcionen como hipervínculos o enlaces de Internet.

Tipo de datos	Descripción
Datos adjuntos	Para adjuntar imágenes, archivos de hoja de cálculo, documentos, gráficos y otros tipos de archivos admitidos, a los registros de la base de datos de forma similar a como adjunta archivos a los mensajes de correo electrónico.
Asistente para búsqueda	Si selecciona esta opción Access iniciará el Asistente para búsquedas para crear un campo que le permita elegir entre los posibles valores (por ejemplo, si quiere crear un campo Provincia que le permita elegir el valor a utilizar de un cuadro de lista que incluirá los nombres de todas las provincias).

La figura 15.8 muestra el resultado de crear distintos campos para nuestra nueva tabla de proveedores.

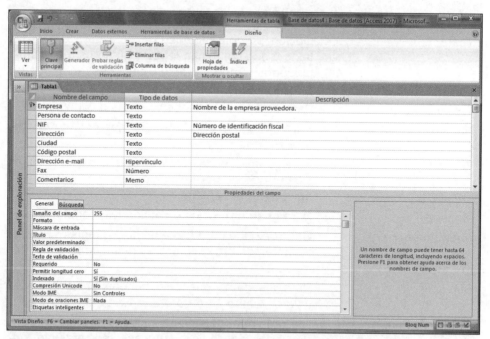

Figura 15.8. Ventana de diseño de una nueva tabla con campos ya definidos.

Tras finalizar la introducción de datos en los campos deseados, es conveniente que la guarde utilizando el botón **Guardar** de la barra de herramientas de acceso rápido o seleccionando el comando Guardar del menú contextual que se abre al hacer clic con el botón derecho del ratón sobre el título de la ficha. Si es la primera vez que guarda la tabla, escriba un nombre para la tabla y, a continuación, haga clic en **Aceptar**.

Truco:

Si desea cambiar el nombre de una tabla tras haberla guardado, haga clic con el botón derecho del ratón sobre la tabla en el Panel de exploración *y seleccione* Cambiar nombre *del menú contextual. Tenga en cuenta que para cambiar el nombre a una tabla, primero debe estar cerrada para lo cual haga clic en el botón **Cerrar** de su ficha.*

Definir una clave principal

La clave principal de una tabla consta de uno o varios campos que identifican de forma única cada fila guardada en la tabla. Normalmente, hay un número de identificación exclusivo, como un número de Id., un número de serie o un código que sirve de clave principal. Por ejemplo, en una tabla de Clientes, cada cliente podría tener un número de Id. de cliente distinto. El campo Id. de cliente sería, en ese caso, la clave principal de la tabla.

Un buen candidato para una clave principal debe tener varias características:

- Identificar inequívocamente cada fila.
- No estar nunca vacío ni ser nulo (siempre debe contener un valor).
- Preferiblemente, no debe cambiar. Access utiliza campos de clave principal para reunir rápidamente los datos de varias tablas.

Siempre se debe especificar una clave principal para una tabla. Access crea automáticamente un índice para la clave principal, que permite agilizar las consultas y otras operaciones.

Asimismo comprueba que cada registro tenga un valor en el campo de clave principal y que éste sea siempre distinto.

Al crear una nueva tabla en la vista Hoja de datos, Access crea automáticamente una clave principal y le asigna un nombre de campo de Id. y el tipo de datos Autonumérico. El campo está oculto en la vista Hoja de datos, pero se puede ver en la Vista Diseño.

Nota:

*Cuando guarde una nueva tabla sin definir ninguna clave princi-pal, Access le pedirá que cree una. Si hace clic en **Sí**, se crea un campo* Id. *con el tipo de datos* Autonumérico *para proporcio-nar un valor exclusivo para cada registro. Si la tabla ya incluye un campo autonumérico, Access lo utiliza como clave principal.*

Modificar la estructura de la tabla

En cualquier momento puede modificar la estructura de la tabla utilizan-do los siguientes procedimientos:

- Si lo que desea es cambiar el nombre o tipo de datos de un campo, haga clic sobre la casilla correspondiente y realice las modificaciones oportunas.

- Para insertar un campo nuevo en una posición determinada haga clic en la fila donde quiera insertarlo y haga clic en el botón **Insertar filas** del grupo Herramientas en la ficha Diseño de Herramientas de tabla en la Vista Diseño. A continuación introduzca el nombre y tipo de datos del campo. Si desea añadir un campo nuevo al final, haga clic en la primera fila libre, escriba el nombre del campo y especifique el tipo de datos que contendrá.

- Para eliminar un campo haga clic en la fila que lo contiene y, poste-riormente, en el botón **Eliminar filas** del grupo Herramientas en la fi-cha Diseño de Herramientas de tabla. También puede seleccionar la fila haciendo clic en el selector de fila de su extremo izquierdo y pulsar a continuación la tecla **Supr**.

- Para eliminar la clave principal sitúese en el campo correspondiente y haga clic en el botón **Clave principal** del grupo Herramientas en la ficha Diseño de Herramientas de tabla.

Crear una tabla a partir de una plantilla de tabla

Para crear una tabla Contactos, Tareas, Problemas, Eventos o Ac-tivos, tal vez desee partir de una de las plantillas de tablas para estos temas incluidas en Office Access 2007. Las plantillas de tablas se han diseñado para ser compatibles con las listas de Microsoft Windows SharePoint Services 3.0 del mismo nombre.

Para crear una tabla a partir de una plantilla, siga estos pasos:

1. Si tiene abierta una base de datos, haga clic en la flecha desplegable de **Plantillas de tabla** del grupo Tablas en la ficha Crear.

2. Seleccione una plantilla de las ofrecidas (nosotros, por ejemplo, hemos seleccionado la plantilla Contactos).

3. Se inserta una nueva tabla basada en la plantilla de tabla seleccionada, lista para la introducción de datos (véase la figura 15.9).

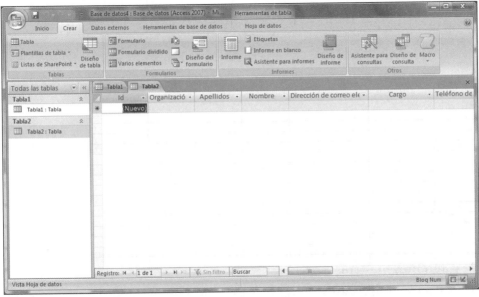

Figura 15.9. Tabla creada a partir de la plantilla Contactos.

Crear una tabla introduciendo datos

Si hace clic en el botón **Tabla** del grupo Tablas en la ficha Crear, se abrirá una tabla en blanco (véase la figura 15.10). Observe que puede empezar a introducir los datos sin haber definido todavía los campos, por lo que éste es un modo muy sencillo de crear una tabla. Tenga en cuenta, sin embargo, que utilizar esta opción no es muy aconsejable pues al final suele acarrear problemas de diseño.

Para definir los campos, haga clic con el botón derecho del ratón sobre cada una de las columnas y seleccione el comando Cambiar nombre de

columna del menú contextual, o bien cambie a la Vista Diseño para definir la estructura de la tabla en dicha vista.

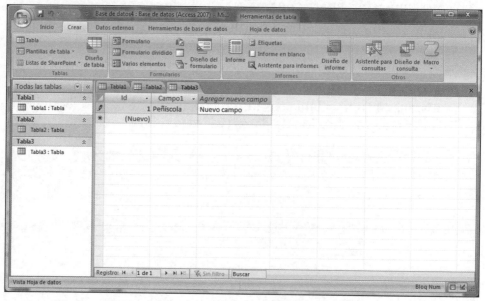

Figura 15.10. Crear una tabla a medida que introduce datos.

Tipos de relaciones entre tablas

Las distintas tablas que componen una base de datos pueden relacionarse
de diferentes maneras:

- **Relación uno a varios:** Es el tipo de relación más habitual. En este tipo
  de relaciones, cada registro de la tabla principal puede tener más de
  un registro enlazado con la tabla secundaria pero cada registro de la
  tabla secundaria solo puede enlazar con un registro de la tabla principal. Por ejemplo, un registro de la tabla principal Clientes puede enlazar con más de un registro de la tabla secundaria Facturas (ya que un
  mismo cliente puede hacer varios pedidos), pero un registro de la tabla Facturas solo puede asociarse a un registro de la tabla Clientes (ya
  que una factura solo puede asociarse a un cliente).

- **Relación de varios a varios:** En este tipo de relaciones, cada registro de la tabla principal puede enlazar con más de un registro de la
  tabla secundaria y viceversa. Por ejemplo, si en lugar de facturas la
  tabla secundaria contuviera diferentes registros de carga de camio-

nes, cada camión podría trasladar pedidos de más de un cliente de la tabla principal.

- **Relación de uno a uno:** Es muy poco habitual, y sería el caso en que un registro de la tabla principal solo pudiera asociarse a un registro de la secundaria, y viceversa.

En todo caso, sea cual sea la relación que creemos entre dos tablas, siempre deberán respetarse las denominadas reglas de la integridad referencial, por las que una tabla secundaria no puede contener registros huérfanos o no asociados a la tabla primaria (es decir, toda factura deberá asociarse a un cliente), y no es posible borrar un registro de la tabla principal que esté relacionado con un registro de la secundaria (por ejemplo, no podrá eliminar los datos de un cliente que tenga asociada una o más facturas).

Estas reglas aseguran que los datos se mantendrán correctamente relacionados y evitan su eliminación accidental.

Crear relaciones en Access

Se puede crear una relación de tabla con la ventana Relaciones o arrastrando un campo en una hoja de datos desde el panel Lista de campos. Cuando se crea una relación entre tablas, los campos comunes no tienen que tener los mismos nombres, aunque sus nombres suelen coincidir. Sin embargo, dichos campos tienen que tener el mismo tipo de datos. No obstante, si el campo de clave principal es un campo Autonumérico, si la propiedad Tamaño del campo de los dos campos tiene el mismo valor, el campo de clave externa puede ser un campo de tipo Número.

Crear una relación de tabla con la ventana Relaciones

Para utilizar la ventana Relaciones, abra una base de datos que contenga tablas y siga estos pasos:

1. Haga clic en el botón **Relaciones** del grupo Mostrar u ocultar en la ficha Herramientas de base de datos.
2. Si todavía no ha definido ninguna relación, aparecerá automáticamente el cuadro de diálogo Mostrar tabla (véase la figura 15.11).

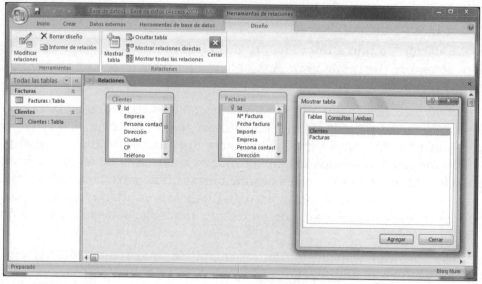

Figura 15.11. Tablas sin relacionar y cuadro de diálogo Mostrar tabla.

3. Si no se abre dicha tabla, haga clic en el botón **Mostrar tabla** del grupo Relaciones en la ficha Diseño.

4. En el cuadro de diálogo Mostrar tabla se muestran todas las tablas y consultas de la base de datos. Para ver únicamente las tablas, seleccione la ficha Tablas. Para ver únicamente las consultas, seleccione Consultas. Para ver las tablas y las consultas, seleccione Ambas.

5. Seleccione una o varias tablas o consultas y haga clic en **Agregar**. Cuando termine de agregar tablas y consultas a la ventana, haga clic en **Cerrar**.

6. Arrastre un campo (normalmente el campo de clave principal) de una tabla al campo común (la clave externa) en la otra tabla. Para arrastrar varios campos, presione la tecla **Control**, haga clic en cada uno de los campos y arrástrelos. Se abrirá el cuadro de diálogo Modificar relaciones (véase la figura 5.12).

7. Compruebe que los nombres de campo son los campos comunes de la relación. Si un nombre de campo es incorrecto, haga clic en él y seleccione otro campo de la lista.

8. Para exigir la integridad referencial de esta relación, active la casilla de verificación Exigir integridad referencial. En este caso, Access configurará la relación de modo que sea obligatorio respetar las reglas de integridad que hemos explicado anteriormente.

9. Haga clic en **Crear**.

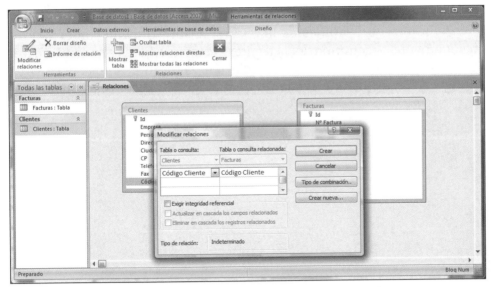

Figura 15.12. Cuadro de diálogo Modificar relaciones.

Se dibujará una línea entre las dos tablas (véase la figura 15.13) en la ventana **Relaciones** representando la nueva relación. En uno de sus extremos, el símbolo 1 indica que en ese lado de la relación está la tabla principal; en el otro, el símbolo infinito (∞) indica cuál es la tabla secundaria.

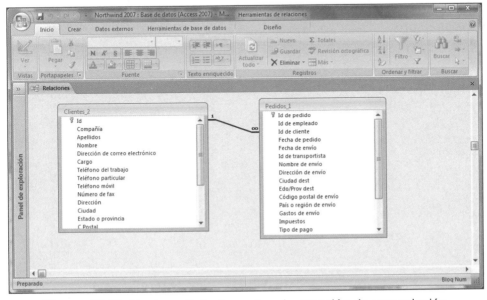

Figura 15.13. Ventana Relaciones tras la creación de una relación.

Para editar o eliminar una relación, en la ventana Relaciones sitúe el puntero del ratón sobre la línea de la relación y abra el menú contextual correspondiente. A continuación, ejecute el comando Eliminar para deshacer la relación o el comando Modificar relación para cambiar sus opciones de configuración utilizando el cuadro de diálogo Modificar relaciones.

Capítulo 16

Trabajar con tablas y formularios

En este capítulo aprenderá a:
- Gestionar las tablas que contiene una base de datos.
- Introducir y editar datos en una tabla de Access.
- Crear y editar formularios.
- Introducir datos en un formulario.

En este capítulo aprenderemos a trabajar con las tablas de Access tras su creación. Así, aprenderemos a administrar las distintas tablas de la base de datos y a introducir y editar los datos que vayan a contener. Los procedimientos que vimos en Excel nos serán de gran utilidad para explicar el trabajo con tablas en Access.

En el apartado dedicado a los formularios aprenderemos a crearlos y modificarlos para facilitar la introducción de los datos de una base de datos.

Administración de las tablas de una base de datos

Una vez creada una tabla, ésta aparecerá en el Panel de tareas al seleccionar la opción Todas las tablas de su flecha de menú desplegable. Si por cualquier motivo desea cambiar su nombre, selecciónela y haga clic en la opción Cambiar nombre de su menú contextual.

También puede hacer una copia de la tabla con solo seleccionarla y ejecutar sucesivamente los comandos Copiar y Pegar del grupo Portapapeles en la ficha Inicio. Al pegar la tabla, Access le pide el nombre que desea dar a la copia, y le da la opción de pegar solamente la estructura de la tabla, o tanto la estructura como los datos que contenga (véase la figura 16.1).

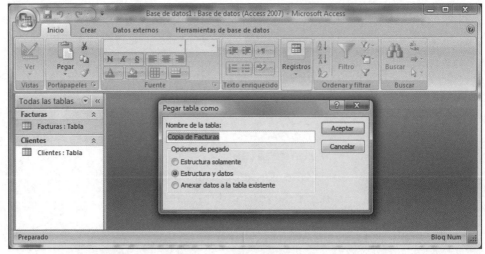

Figura 16.1. Cuadro de diálogo Pegar tabla como.

Para eliminar la tabla, selecciónela y pulse la tecla **Supr** o bien haga clic sobre el botón **Eliminar** del grupo Registros en la ficha Inicio. Si desea imprimir una tabla, selecciónela y, como en el resto de aplicaciones de Office, seleccione Imprimir del **Botón de Office** y especifique cómo desea llevar a cabo el proceso de impresión en el cuadro de diálogo Imprimir.

Introducir y editar datos en una tabla

Para abrir la tabla de modo que pueda empezar a introducir los datos, haga doble clic en ella. La tabla se abrirá en modo Vista Hoja de datos, como puede ver en la figura 16.2, pero en cualquier momento puede pasar a la Vista Diseño si desea modificar su estructura (y viceversa cuando desee introducir o editar los datos que contiene) haciendo clic en el botón correspondiente del menú desplegable del botón **Vistas** en al grupo Vistas de la ficha Inicio.

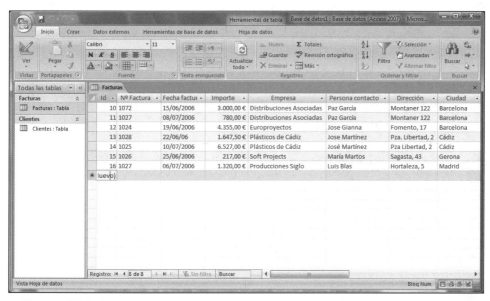

Figura 16.2. Introducción de datos en la Vista Hoja de datos de una tabla.

Los procesos de introducción y edición de datos en las tablas de Access son iguales que en el caso de las tablas de Excel, por lo que no nos detendremos en explicarlos en profundidad. Desplácese por las diferentes celdas utilizando la tecla **Tab** o utilizando el ratón, y escriba los datos correspondientes en los campos. Cuando haya introducido el último campo de un determinado registro, Access creará automáticamente una nueva fila para un registro adicional.

Observe que en la parte inferior de la ventana de la tabla Access le indica en qué registro se encuentra, así como el número total de registros introducidos.

Utilice los botones de flecha situados junto al cuadro de registro para pasar a los registros siguiente o anterior, o para saltar al primer o último registro. Si hace clic el botón con una flecha y un asterisco, Access creará un nuevo registro al final de la tabla.

Truco:

*En el cuadro de registro escriba el número de registro y pulse la tecla **Intro** para poder desplazarse de forma rápida al registro deseado.*

Trabajar con formularios

Acabamos de aprender a introducir los datos que compondrán la base de datos utilizando tablas. Sin embargo, Access incorpora una herramienta que facilita las tareas de introducción y edición de los datos. Por ejemplo, la figura 16.3 muestra un formulario creado para introducir datos sustituyendo a la tabla de la figura 16.2.

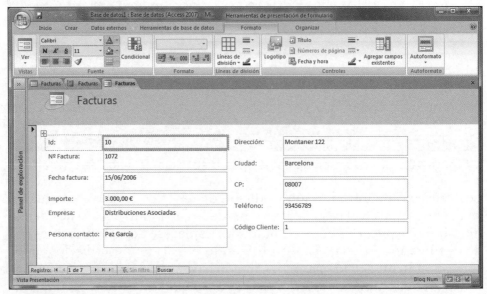

Figura 16.3. Ejemplo de formulario de una tabla Facturas de ejemplo.

Como puede comprobar, la introducción de datos utilizando el formulario es más agradable y fácil al poder ver los nombres de todos los campos y presentar en la pantalla la información de un único registro. Además, en un formulario puede insertar totales y gráficos y, lo que es más importante, puede configurarlos de modo que pueda introducir datos de varias tablas simultáneamente.

Crear un formulario

Para crear un formulario puede utilizar diversas opciones que vamos a presentar en las siguientes secciones.

Formulario

Si desea crear un formulario con un solo clic en su base de datos, utilice el botón **Formulario** del grupo Formularios en la ficha **Crear**. Al utilizar esta herramienta, todos los campos del origen de datos (tabla activa) se colocan en el formulario (véase la figura 16.3). Puede comenzar a utilizar inmediatamente el nuevo formulario, o bien, puede modificarlo en la Vista Presentación o en la Vista Diseño para ajustarlo a sus necesidades.

En la Vista Presentación, puede realizar cambios de diseño en el formulario mientras presente datos, como ajustar el tamaño de los cuadros de texto para que quepan los datos si es necesario. Si Access encuentra una sola tabla que tenga una relación uno a varios con la tabla o consulta utilizada para crear el formulario, agregará una hoja de datos al formulario basado en la tabla o consulta relacionada. Puede eliminar la hoja de datos del formulario si no es necesaria. Si hay más de una tabla con una relación uno a varios con la tabla utilizada para crear el formulario, Access no agrega ninguna hoja de datos al formulario.

Formulario dividido

El formulario dividido es una nueva opción de Access 2007 que permite obtener dos vistas de los mismos datos simultáneamente: una Vista Formulario y una Vista Hoja de datos.

Para crear un formulario dividido haga clic en el botón **Formulario** dividido del grupo **Formularios** en la ficha **Crear**. Access crea el formulario y lo muestra en la Vista Presentación. En esta vista puede realizar cambios de diseño en el formulario mientras muestre datos. Por ejemplo, puede ajustar el tamaño de los cuadros de texto si es necesario (véase la figura 16.4).

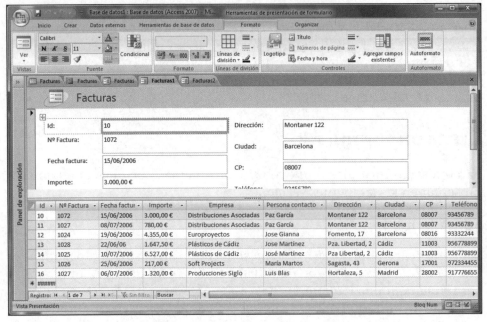

Figura 16.4. Formulario dividido.

Las dos vistas se conectan al mismo origen de datos y están en todo momento sincronizadas entre sí. Al seleccionar campo en una parte del formulario, se seleccionará el mismo campo en la otra parte del formulario. Se pueden agregar, editar o eliminar datos de ambas partes (siempre y cuando el origen de registros se pueda actualizar y el formulario no esté configurado para evitar estas acciones).

Los formularios divididos aportan las ventajas de los dos tipos de formularios en uno sólo ya que, por ejemplo, puede utilizar la parte correspondiente a la hoja de datos para buscar rápidamente un registro y la parte correspondiente al formulario para ver o editar el registro.

Varios elementos

También puede crear un formulario que muestre varios registros en una hoja de datos, con un registro por fila, con ayuda del botón **Varios elementos** del grupo Formularios en la ficha Inicio. Cuando crea un formulario con el botón **Formulario**, éste muestra solo un registro a la vez. Si desea crear un formulario que muestre varios registros pero que se pueda personalizar más que una hoja de datos, utilice el botón **Varios elementos**. Al hacer clic en dicho botón, Access crea el formulario y lo presenta en la

Vista Presentación. En dicha vista puede realizar cambios de diseño en el formulario mientras muestre datos, como ajustar el tamaño de los cuadros de texto (véase la figura 16.5).

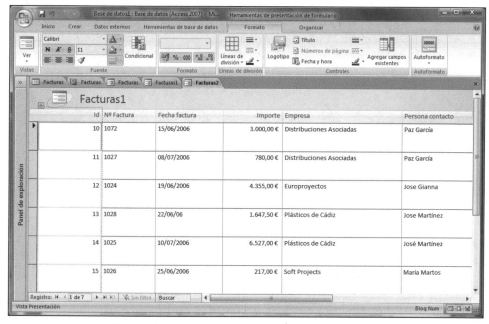

Figura 16.5. Formulario de Varios elementos.

Al utilizar esta opción el formulario creado por Access se parece a una hoja de datos. Los datos se organizan en filas y columnas y se visualiza más de un registro a la vez. Sin embargo, un formulario de varios elementos proporciona más opciones de personalización que una hoja de datos, como la posibilidad de agregar elementos gráficos, botones y otros controles.

Asistente para formularios

Puede utilizar el Asistente para formularios para crear un formulario y así seleccionar más detalladamente los campos que van a aparecer en un formulario. Asimismo, este asistente le permite definir cómo se agrupan y se ordenan los datos, y utilizar campos de más de una tabla o consulta siempre y cuando defina con antelación las relaciones entre las tablas y consultas. Para utilizar el Asistente para formularios haga clic en el botón desplegable de **Más formularios** en el grupo Formularios de la ficha Crear y seleccione Asistente para formularios del menú. Siga las instrucciones

que aparecen en las páginas del Asistente para formularios (véase la figura 16.6). En la última página del asistente, haga clic en **Finalizar**.

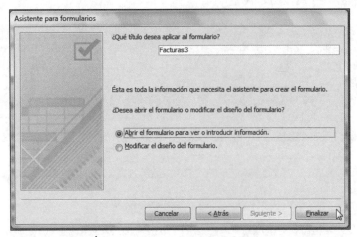

Figura 16.6. Última hoja del Asistente para formularios.

Truco:

*Si desea incluir en el formulario campos de varias tablas y con-
sultas, no haga clic en **Siguiente** ni en **Finalizar** después de seleccionar los campos de la primera tabla o consulta en la primera
página del Asistente para formularios. Repita los pasos para
seleccionar otra tabla y haga clic en los demás campos que desee
incluir en el formulario. Por último, haga clic en **Siguiente** o
Finalizar.*

Formulario en blanco

Si el asistente o las herramientas de creación de formulario no se ajustan a
sus necesidades, puede utilizar la opción de Formulario en blanco para
crear un formulario. Se trata de un método que puede llegar a ser una forma muy rápida de crear un formulario, especialmente si está pensando en
incluir sólo unos pocos campos. Para crear un formulario en blanco haga
clic en el botón **Formulario en blanco** del grupo Formulario en la ficha
Crear. Access abre un formulario en blanco en la Vista Presentación y
muestra el panel Lista de campos a la derecha (véase la figura 16.7).

En el panel Lista de campos, haga clic en el signo más (+) situado junto a la
tabla o las tablas que contienen los campos que desee ver en el formulario.

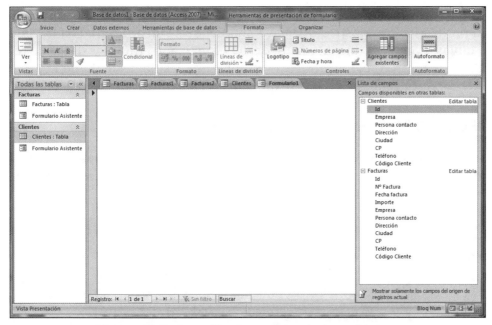

Figura 16.7. Creación de un formulario en blanco.

Para agregar un campo al formulario, haga doble clic en él o arrástrelo hasta el formulario. Para agregar varios campos a la vez, mantenga pulsada la tecla **Control**, haga clic en varios campos y arrástrelos todos hasta el formulario.

Nota:

El orden de las tablas en el panel Lista de campos *puede cambiar dependiendo de la zona del formulario que esté seleccionada actualmente. Si no puede agregar un campo al formulario, seleccione una parte distinta del mismo y pruebe a agregar el campo de nuevo.*

Introducir datos en el formulario

Para introducir datos en el formulario, las teclas para desplazarse entre los distintos campos son las mismas que en Excel, y lo más recomendable es utilizar el ratón o las teclas **Tab** y **Mayús-Tab**. Cuando llegue al último campo del registro activo, pulse la tecla **Tab** y pasará automáticamente al siguiente registro.

Al pasar de un registro a otro, Access guarda los datos de forma automática por lo que los registros que vaya añadiendo se incorporarán en la tabla o tablas origen del formulario. Si desea visualizar o editar los datos de registros ya introducidos, utilice los botones de desplazamiento de la parte inferior de la ventana tal como explicamos al introducir los datos en tablas.

Modificar la estructura del formulario

Si desea modificar la estructura del formulario tras su creación, abra el formulario, haga clic con el botón derecho del ratón sobre su ficha con el nombre y seleccione Vista Diseño del menú contextual (véase la figura 16.8).

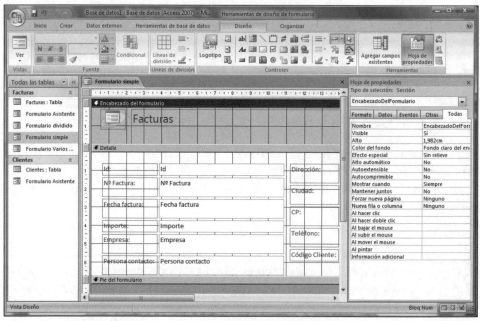

Figura 16.8. Vista Diseño de un formulario simple con la Hoja de propiedades abierta.

Observe que la ventana de diseño está dividida mediante varias barras horizontales. Éstas separan el formulario en secciones. Las tres secciones habituales de un formulario son el Detalle (muestra el contenido en sí del formulario y se repite una vez por cada registro), el Encabezado (contendrá lo que desea que aparezca una única vez al principio del formulario) y el Pie del formulario (lo que desea que aparezca también una sola vez al final del formulario). Para configurar las secciones como desee, haga doble clic sobre la barra horizontal correspondiente. Se abrirá un panel Hoja de propiedades donde podrá modificar distintas opciones.

La regla y la cuadrícula de la ventana de diseño del formulario le permitirán colocar los distintos campos y etiquetas en el lugar deseado con precisión. En la ventana de diseño del formulario, los distintos elementos que éste contiene se denominan controles. Con las opciones que ofrece el grupo Controles de la ficha Formato de Herramientas de diseño de formulario, puede agregar al formulario diversos controles, como un logotipo, un título, números de páginas o la fecha y la hora.

Para modificar los controles del formulario, debe aprender a configurarlos como desee. Para ello, utilice los siguientes procedimientos:

Tabla 16.1. Trabajar con controles.

Operación	Procedimiento
Seleccionar un control	Haga clic sobre el control que desee seleccionar.
Seleccionar varios controles	Haga clic sobre ellos manteniendo pulsada la tecla **Mayús**.
Mover un control	Una vez seleccionado, utilice las teclas del cursor del teclado o bien sitúe el ratón sobre cualquier borde del control y arrástrelo hasta su nueva situación.
Mover solo el control o la etiqueta	Observe que al mover un control se mueve tanto el cuadro de texto como su etiqueta. Si desea mover solo la etiqueta o solo el control, sitúe el ratón sobre la esquina superior izquierda del elemento a mover y arrástrelo con el ratón a la nueva ubicación.
Alinear varios controles	Selecciónelos y utilice la opción deseada del grupo Alineación de controles de la ficha Organizar de Herramientas de diseño de formulario.
Añadir un nuevo control	Haga clic en el tipo de control deseado en el grupo Controles de la ficha Diseño de Herramientas de diseño de formulario y haga clic en la posición del formulario donde desee insertarlo.
Eliminar controles	Tras seleccionarlos, pulse la tecla **Supr**.

Truco:

También puede utilizar los comandos Copiar, Cortar *y* Pegar *de la forma habitual para modificar el formulario.*

Capítulo 17

Consultas e informes en Access

En este capítulo aprenderá a:
- Crear diversos tipos de consultas.
- Familiarizarse con el uso de expresiones y operadores booleanos para definir consultas complejas.
- Crear y editar informes para lograr una impresión atractiva de sus bases de datos.

En este capítulo finalizaremos el estudio de las principales características de Access aprendiendo a trabajar con las consultas y los informes. Las primeras permiten "hacer preguntas" a Access sobre los datos de las tablas que cumplen determinadas condiciones.

Por su parte, los informes se utilizan para imprimir los datos guardados en las tablas de un modo más atractivo que utilizando solamente el comando Imprimir.

Las consultas

En Access, las consultas permiten obtener un listado de los registros que cumplen una serie de condiciones de selección. En los ejemplos que hemos venido utilizando, podríamos utilizar consultas para obtener los registros de los clientes de la provincia de Cádiz, o el total facturado a un determinado cliente.

Crear una consulta

Para crear una consulta utilizaremos los mismos procedimientos que hemos utilizado para crear tablas y formularios. Así, con el grupo Otros de la ficha Crear, podemos crear una consulta utilizando la herramienta **Diseño de consulta** o con ayuda del **Asistente para consultas**.

Imaginemos, por ejemplo, que queremos obtener la relación de todos los clientes de Cádiz. Haciendo clic en el botón **Asistente para consultas** se abrirá el cuadro de diálogo Nueva consulta mostrado en la figura 17.1.

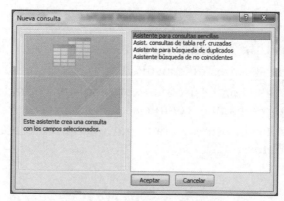

Figura 17.1. Cuadro de diálogo Nueva consulta del Asistente para consultas.

En este cuadro de diálogo seleccionaremos la opción Asistente para consultas sencillas y, tras hacer clic en **Aceptar**, se abrirá la primera pantalla del Asistente para consultas sencillas (véase la figura 17.2).

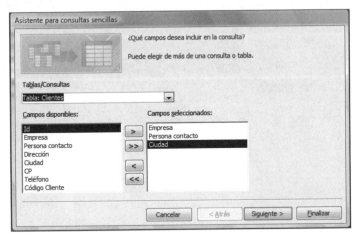

Figura 17.2. Primera pantalla del Asistente para consultas sencillas.

En esta pantalla seleccionaremos en primer lugar la tabla que contiene los datos que deseamos obtener. Tenga en cuenta que puede seleccionar más de una tabla (por ejemplo, si quisiera obtener la relación de clientes de Cádiz a los que les ha facturado un importe mayor de 20.000 euros debería seleccionar la tabla Clientes y la tabla Facturas).

A continuación seleccionaremos los campos de la tabla seleccionada que nos interesa obtener. En el ejemplo, seleccionaremos únicamente los campos Empresa, Persona de contacto y Ciudad. Una vez elegidos los campos, haga clic en el botón **Siguiente** para abrir la segunda pantalla del asistente donde deberá escribir un nombre para la consulta.

Advertencia:

Si elige incluir algún campo numérico en la consulta, el asistente le preguntará además si desea obtener como resultado el dato numérico o si desea realizar con él algún tipo de cálculo resumen (suma, promedio, valor máximo o valor mínimo).

Haga clic en **Finalizar**. Access le mostrará la ventana de Hoja de datos de la consulta, (véase la figura 17.3) de estructura idéntica a la vista Hoja de datos de una tabla normal. Tenga en cuenta que si modifica los distintos datos en esta ventana, también se modificarán en la tabla de origen de la consulta.

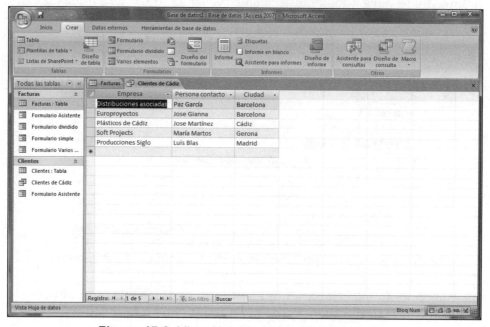

Figura 17.3. Vista Hoja de datos de la consulta.

Observe que la figura 17.3 muestra los datos de los campos Empresa, Persona de contacto y Ciudad de todos los registros de la tabla. Sin embargo, aún no hemos conseguido el objetivo final que nos habíamos propuesto (obtener sólo los clientes de Cádiz).

Para indicar las condiciones que deben cumplir los registros que muestra el resultado de la consulta debemos acudir a la Vista Diseño. Para ello, haga clic en la lista desplegable del botón **Ver** en el grupo Vistas de la ficha Inicio y seleccione Vista Diseño. Access le mostrará la ventana ilustrada en la figura 17.4

El panel superior de la ventana muestra un esquema de la tabla de origen de la consulta con una lista de todos sus campos. En la cuadrícula del panel inferior se muestran en columnas los campos solicitados en la consulta.

En esta cuadrícula, la primera y segunda fila de cada columna nos muestra, respectivamente, el nombre del campo incluido en la consulta y la tabla a la que pertenece. En la tercera fila puede configurar la consulta de modo que sus resultados se presenten ordenadamente según un campo, en sentido ascendente o descendente.

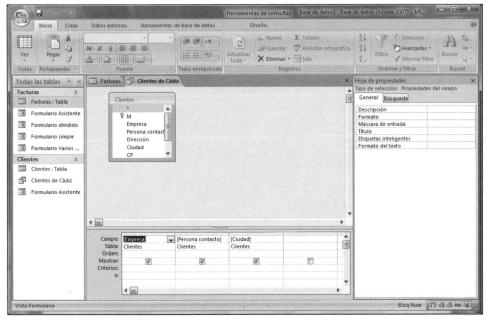

Figura 17.4. Vista Diseño de la consulta.

Al seleccionar o anular la selección de las casillas de la fila Mostrar podrá establecer si el campo correspondiente debe aparecer o no en el resultado de la consulta.

El resto de filas (Criterios y fila o) contendrán la definición de las condiciones que deben cumplir los resultados de la consulta.

En nuestro ejemplo, el criterio que deben seguir los resultados de la consulta es que el campo Ciudad sea Cádiz, por lo que en la fila Criterios escribiremos ="Cádiz" (véase la figura 17.5).

Para obtener los resultados finales de la consulta vuelva a la VistaHoja de datos o bien ejecute la consulta haciendo clic en el botón **Ejecutar** del grupo Resultados en la ficha contextual de Diseño de Herramientas de consulta. El resultado final se muestra en la figura 17.6.

Nota:

Puede cerrar el panel Hoja de propiedades *que se abre a la derecha de la ventana haciendo clic en su botón* **Cerrar** *o haciendo clic en el botón* **Hoja de propiedades** *del grupo* Mostrar u ocultar *de la ficha contextual* Diseño *de* Herramientas de consultas.

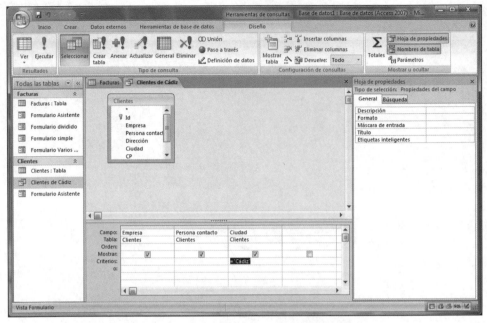

Figura 17.5. Definición del criterio de la consulta.

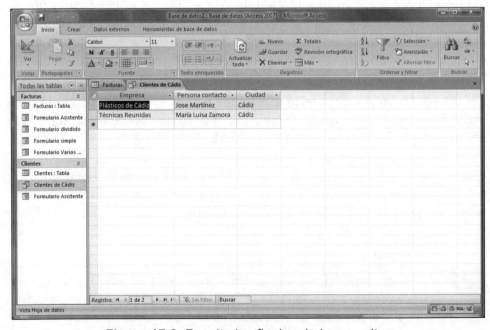

Figura 17.6. Resultados finales de la consulta.

Especificar los criterios de la consulta

Para especificar los criterios que debe seguir la consulta debe utilizar las denominadas expresiones. Así, en el ejemplo anterior, la expresión utilizada para definir el criterio de selección ha sido ="Cádiz".

La ayuda de Access le proporcionará toda la información que necesita para generar todo tipo de expresiones. Además, desde la Vista Diseño puede utilizar el botón **Generador** del grupo Configuración de consultas de la ficha Diseño en Herramientas de consultas para introducir la expresión deseada, y Access le guiará a lo largo de todo el proceso de definición de la expresión (véase la figura 17.7).

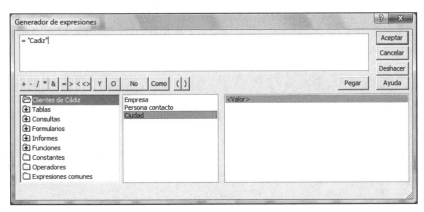

Figura 17.7. Cuadro de diálogo Generador de expresiones.

En todo caso, al escribir expresiones debe tener en cuenta las siguientes normas básicas:

- Los textos deben escribirse entrecomillados (" ").
- Las fechas se escriben entre signos de almohadilla (#).
- Las expresiones de los controles calculados empiezan siempre con el signo igual (=).
- Los nombres de campos, tablas, consultas, formularios, informes y controles se escriben entre corchetes ([ ]).

Especificar varias condiciones a la vez

Si desea que los resultados de la consulta cumplan varias condiciones a la vez, deberá utilizar los operadores booleanos Y u O. El primero de ellos obliga a que se cumplan todas las condiciones especificadas, mientras que el segundo devuelve los registros que cumplen, al menos, una de ellas.

Al utilizar estos operadores, tenga en cuenta las siguientes normas generales:

- Si las condiciones se refieren a un mismo campo (por ejemplo, que los clientes sean de Cádiz o de Barcelona), escríbalas seguidas en la celda correspondiente a ese campo de la fila Criterios.

- Si se refieren a campos distintos y tienen que cumplirse todas (operador booleano Y), utilice distintas celdas de la misma fila de criterios (las referidas a los campos correspondientes).

- Si se refieren a campos distintos pero basta con que se cumpla una de las condiciones (operador booleano O), escriba las condiciones en distintas celdas de filas de criterios diferentes. La figura 17.8 ilustra los resultados de una consulta que utiliza varios criterios de selección.

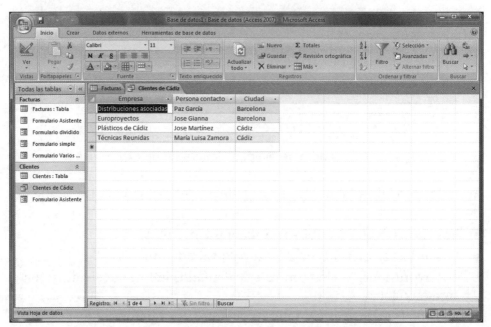

Figura 17.8. Consulta con criterios de selección múltiple.

Consultas sobre varias tablas

Como ya indicamos con anterioridad, una de las principales ventajas de la utilización de tablas en Access es que permiten visualizar información de varias tablas diferentes de forma simultánea. El programa utilizará la estructura de relaciones de la base de datos para vincular correctamente los datos. Siguiendo el esquema de ejemplos que hemos desarrollado en apartados anteriores, la próxima pregunta que podríamos plantearnos es, por ejemplo, ¿a cuánto han ascendido nuestras ventas en la provincia de Cádiz?

Lo primero que tendremos que hacer es incluir la tabla Facturas al diseño de nuestra consulta. En la Vista Diseño, haga clic en el botón **Mostrar tabla** del grupo Configuración de consultas de la ficha Diseño en Herramientas de consulta en la barra de herramientas. En el cuadro de diálogo Mostrar tabla (véase la figura 17.9) seleccione la ficha que contiene el elemento que desea incorporar a la consulta (en este caso, para incorporar la tabla Facturas, la ficha Tablas o bien la ficha Ambas). A continuación, seleccione la tabla o consulta que desea incorporar al diseño y haga clic sobre el botón **Agregar**. Cuando haya terminado, haga clic sobre el botón **Cerrar** para cerrar el cuadro de diálogo Mostrar tabla.

Figura 17.9. Cuadro de diálogo Mostrar tabla.

La tabla Facturas aparecerá ahora representada en el panel superior del diseño de la consulta. Dado que existe una relación ya establecida entre ambas tablas, ésta será representada mediante una línea que une ambas representaciones.

Para completar la consulta, arrastre los campos Nº Factura e Importe a la cuadrícula de diseño (véase la figura 17.10.

Observe los resultados de esta consulta. Como puede ver, no existe ningún registro disponible para la empresa Técnicas Reunidas de Cádiz, ya que dicha empresa no ha realizado ninguna compra y, por lo tanto, no le ha sido emitida ninguna factura.

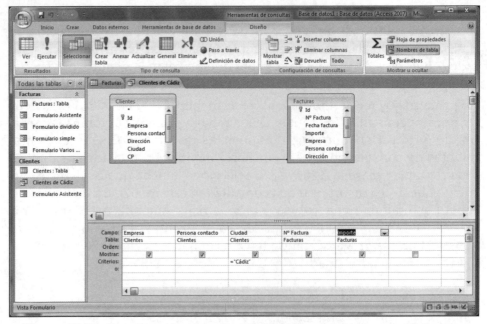

Figura 17.10. Diseño de la consulta tras incorporar los campos Nº Factura e Importe.

Cálculo de totales

Avanzando un escalón más en el desarrollo de nuestra consulta en este apartado estudiaremos la forma de obtener la suma total de ventas para nuestros clientes de Cádiz. La forma de obtener esta información es convertir nuestra consulta de selección en una consulta de cálculo de totales.

Como paso previo, eliminaremos de la cuadrícula de diseño el campo N° Factura. Nuestro objetivo es obtener una suma total de facturas para cada proveedor de Cádiz. Si mantenemos el campo N° Factura obtendremos como resultado la suma de facturas organizada por proveedor y, además, por número de factura o lo que es lo mismo, el resultado que ya tenemos.

Seleccione la columna Nº Factura de la cuadrícula de diseño haciendo clic sobre cualquiera de sus celdas y, a continuación, pulse **Supr**.

Para convertir la consulta actual en una consulta de cálculo de totales, haga clic sobre el botón **Totales** del grupo Mostrar u ocultar en la ficha Diseño de Herramientas de consultas. Una nueva fila, Total, se incorporará a la cuadrícula de diseño. El valor contenido en la fila Total para los distintos campos ya incluidos en la consulta es Agrupar por. Esto significa que los resultados de la consulta se "agruparán por" los distintos resultados que ofrezca el campo al que corresponden. Es decir, por nombre de empresa, dentro de cada empresa por nombre de la persona de contacto, etc.

Abra la lista desplegable de la fila Total correspondiente a la columna Importe. Como observará, la fila Total puede tomar diferentes valores.

Además de la opción Agrupar por que vimos anteriormente, el programa permite realizar diferentes cálculos matemáticos tales como sumas, cálculo de promedios, cálculo de máximos y mínimos, etc. Seleccione la opción Suma y observe los resultados (véase la figura 17.11).

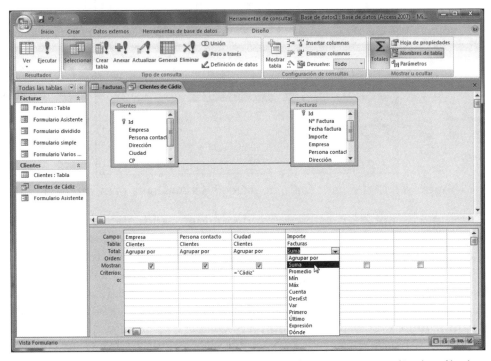

Figura 17.11. Resultado de convertir la consulta en una consulta de cálculo de totales.

Los informes

Como ya hemos indicado, los informes de Access sirven para mostrar la información que contienen las tablas y las consultas de modo que presenten un formato de impresión atractivo y de fácil lectura.

Crear un informe

Como en el caso del resto de herramientas de las bases de datos de Access, la aplicación nos permite crear informes mediante asistentes o utilizando la Vista Diseño.

En el primer caso, tras hacer clic en el botón **Asistente para informes** en el grupo Informes de la ficha Crear, aparecerá en la pantalla el cuadro de diálogo mostrado en la figura 17.12.

Figura 17.12. Primer cuadro de diálogo del Asistente para informes.

Como puede apreciar, este cuadro de diálogo es idéntico al que hemos visto en el caso de las consultas, y sirve para especificar las tablas y/o consultas de origen del informe así como los campos que éste debe contener.

El siguiente cuadro de diálogo le permite especificar las opciones de agrupamiento de los diversos campos que incluirá el informe. El agrupamiento permite definir un criterio de clasificación para los campos que deseemos mostrar juntos en el informe impreso. Observe en la figura 17.13 que el mismo cuadro de diálogo le ofrece una vista previa de las agrupaciones que haya establecido.

Haga clic en el botón **Siguiente** para acceder al tercer cuadro de diálogo del asistente, en el que podrá ordenar la aparición de los registros en el documento impreso en función de los campos escogidos.

Advertencia:

Sólo podrá ordenar el informe por los campos que no hayan sido agrupados.

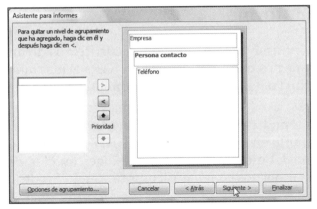

Figura 17.13. Segundo cuadro de diálogo del Asistente para informes.

Los últimos cuadros de diálogo del asistente le permiten elegir el formato que utilizará el informe para presentar los datos. Utilice las vistas previas del asistente para decidirse por el que más se ajuste a sus preferencias hasta finalizar el proceso. El informe ya creado se abrirá en modo de Vista previa. La figura 17.14 muestra un ejemplo de informe creado a partir de la tabla Clientes.

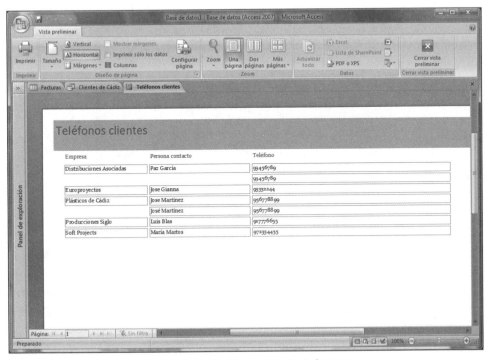

Figura 17.14. Ejemplo de informe.

Editar un informe

Para editar el informe tras su creación, recurriremos de nuevo a la Vista Diseño, vista que nos permitirá configurar hasta el más mínimo detalle de la apariencia final del informe del mismo modo que hicimos en el caso de los formularios.

Como entonces, podremos añadir nuevos controles al informe, modificar los existentes tanto en su apariencia (color, tamaño, etc.) como funcionamiento (campo del que dependen, expresiones que los definen, etc.), e incluso incrustar objetos como gráficos, otros archivos de Office, etc.

Imprimir un informe

El objetivo final de cualquier informe es obtener una copia impresa de la información que contiene. En la Vista Diseño o la Vista preliminar del informe, haga clic el botón **Imprimir**. Se abrirá el cuadro de diálogo Imprimir (véase la figura 17.15) que nos permitirá configurar todas las características del trabajo de impresión.

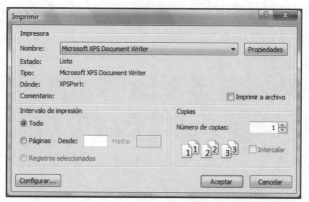

Figura 17.15. Cuadro de diálogo Imprimir.

En la sección Impresora, seleccione el nombre de la impresora (si dispone de más de una instalada en su sistema) a la que desea enviar el trabajo de impresión. El botón **Propiedades** le permitirá establecer las propiedades concretas de cada impresora, tales como orientación del papel, selección de bandeja, etc.

La sección Intervalo de impresión le permite especificar el rango de páginas del informe generado que desea imprimir. Así pues, puede seleccionar la opción Todo para imprimir la totalidad del informe o la opción Páginas para indicarle al programa la página inicial y final del trabajo.

La sección Copias establece el número de copias impresas que obtendrá del informe, así como el orden en que éstas se generarán en la impresora.

Finalmente, el botón **Configurar** le proporciona acceso a las opciones de configuración de página del informe. Como se muestra en las figuras 17.16 y 17.17 el cuadro de diálogo Configurar página controla los márgenes del documento (figura 17.16) y la distribución de columnas del mismo (figura 17.17).

Figura 17.16. Ficha Opciones de impresión del cuadro de diálogo Configurar página.

Figura 17.17. Ficha Columnas del cuadro de diálogo Configurar página.

Una vez completadas todas las tareas de configuración deseadas, haga clic en el botón **Aceptar** del cuadro de diálogo Imprimir para iniciar la copia de impresión.

Capítulo 18

Microsoft Office Publisher 2007

En este capítulo aprenderá a:

- Crear una publicación y guardar una publicación.
- Imprimir una publicación.
- Enviar la publicación por correspondencia o por correo electrónico.
- Convertir una publicación en un sitio Web.

Microsoft Office Publisher 2007 es el programa de Microsoft Office 2007 diseñado para ayudar a las empresas y a personas individuales a crear publicaciones internas y profesionales de forma rápida y personalizada. Con Publisher, puede crear, diseñar y publicar materiales profesionales de marketing y comunicación para imprimir, enviar por correo electrónico y publicar en Web. Con Publisher descubrirá lo fácil que es crear una publicación.

En Office Publisher 2007 puede abrir publicaciones creadas en versiones anteriores y utilizar las nuevas funciones ofrecidas por este programa.

Características más destacadas

Office Publisher 2007 simplifica los procesos de crear y abrir publicaciones rápidamente. Con las plantillas de Publisher, diseñadas profesionalmente, puede crear sus propias publicaciones, personalizarlas si es necesario e incluso cambiar de un tipo de publicación a otro con tan solo un clic de botón.

Las características más destacadas de esta nueva versión son las siguientes:

- Microsoft Office Publisher 2007 ofrece un nuevo panel de tareas, **Tareas de Publisher**, con sugerencias para la creación de publicaciones y vínculos rápidos a funciones utilizadas con frecuencia, como la sección de combinación de colores del panel de tareas **Formato de publicación**. Los artículos de **Tareas de Publisher** le proporcionan ayuda para utilizar Publisher para comunicarse con los clientes y administrar la asistencia de un modo más eficaz.

- Puede escribir publicaciones eficaces, personalizar una publicación con los colores y las fuentes del logotipo de su empresa, preparar una publicación para una lista de correspondencia o de correo electrónico, hacer un seguimiento de la eficacia de sus campañas de marketing y realizar un marketing por correo electrónico. Por ejemplo, puede hacer clic en **Tareas de Publisher** y utilizar las sugerencias que encuentre para crear un boletín para su empresa.

- Puede guardar sus publicaciones como archivos de Formato de Documento Portátil (PDF) y archivos de Especificación de Papel XML (XPS) y compartirlos como publicaciones de sólo lectura. Así podrá compartir con facilidad sus documentos con clientes, compañeros o familiares que no tengan instalado Publisher en sus equipos. Para utilizar esta opción deberá instalar un complemento.

- Puede simplificar la impresión de la publicación, minimizando las sorpresas de impresión. Publisher no sólo admite el formato de archivo PDF que utilizan las impresoras comerciales para sus tareas de impresión previa sino que además le notifica de los posibles errores de diseño que pueden producir problemas durante el proceso de impresión, sugiriéndole la solución del problema antes de enviar el archivo a imprimir.

- Con la pantalla inicial de Microsoft Publisher, podrá abrir una presentación recientemente creada en su equipo haciendo simplemente clic en su icono en el panel Publicaciones recientes, o seleccionar una de las diversas plantillas ofrecidas en sus distintas secciones.

Estas son algunas de las características más destacadas, aunque evidentemente no todas. Familiarícese con el programa y podrá crear enseguida publicaciones profesionales de forma eficaz con este programa.

Crear una nueva publicación

Puede crear una nueva publicación en blanco o utilizar uno de los tipos de publicación de Tipos de publicaciones y personalizarla a su gusto para posteriormente guardarla como plantilla para su uso futuro. Si desea crear una nueva publicación basada en una plantilla, siga estos pasos.

1. Inicie Publisher a través del menú Iniciar de Windows o haciendo clic en uno de los accesos directos del programa.

2. Se abrirá la pantalla de inicio del programa, que contiene tres zonas claramente diferenciadas: un panel con los tipos de publicaciones en la parte izquierda, un panel central que refleja los elementos del tipo de publicación seleccionado en el panel izquierdo y un panel derecho con los tipos de publicaciones recientes (véase la figura 18.1).

3. Haga clic en el icono de la publicación **Boletines** en la parte izquierda o en el panel central.

4. En el catálogo Boletines, haga clic en el diseño que desee en el panel central, seleccione cualquier otra opción que prefiera, como una combinación de colores o un conjunto de información empresarial, y haga clic en **Crear** (véase la figura 18.2).

5. Se abrirá la ventana de la publicación que contiene los siguientes elementos principales (véase la figura 18.3):

- Barras de herramientas y de menús en la parte superior de la ventana: Barra de menús, barra de herramientas Estándar, barra de herramientas Formato, botón **Tareas de Publisher**.
- En la parte izquierda de la ventana, una barra de herramientas Objetos y un panel de tareas, con el panel Formato de publicación activo. Para cambiar de panel, haga clic en la flecha desplegable y seleccione el panel deseado.
- En la parte inferior, una barra de tareas con distintas indicaciones, como el número de página, y las coordenadas donde se encuentra el puntero del ratón.
- La zona más amplia es el área de trabajo, donde se visualiza la hoja de la publicación seleccionada actualmente.

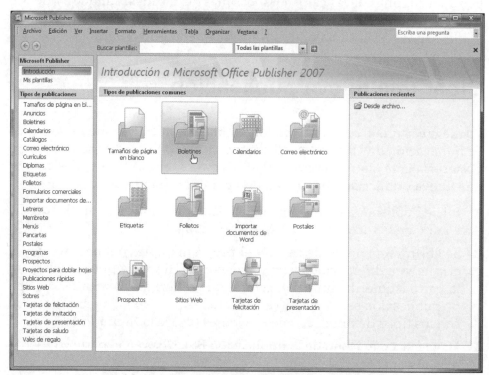

Figura 18.1. Pantalla de inicio de Publisher.

6. Personalice a su gusto la plantilla (por ejemplo, puede cambiar el logotipo por el de su empresa, incluir algún objeto desde la barra de herramientas Objetos, etc.), haciendo clic en los diversos marcadores de texto o de otros elementos, como de figuras o logotipos y reemplazarlos por los suyos propios (véase la figura 18.4).

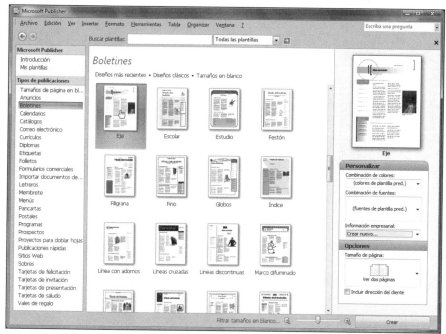

Figura 18.2. Seleccione un diseño y haga clic en el botón Crear.

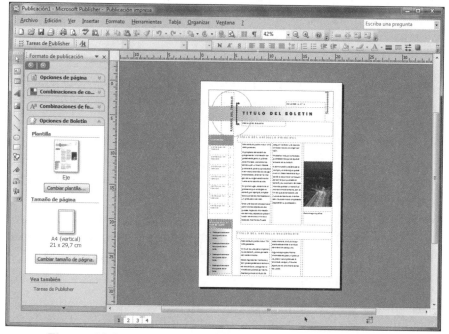

Figura 18.3. Ventana de Publisher con un Boletín abierto.

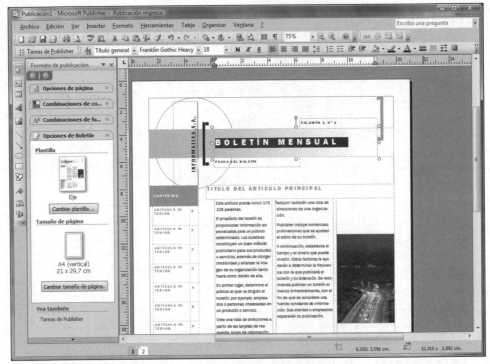

Figura 18.4. Personalización del boletín.

Nota:

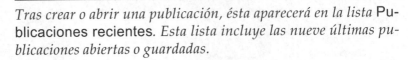

Tras crear o abrir una publicación, ésta aparecerá en la lista Publicaciones recientes. *Esta lista incluye las nueve últimas publicaciones abiertas o guardadas.*

7. Para guardar el boletín como plantilla con el fin de poderlo utilizar una y otra vez con los diferentes elementos personalizados, seleccione la opción Archivo>Guardar como. Se abrirá el cuadro de diálogo Guardar como.

8. Escriba un nombre para su plantilla en el cuadro Nombre y seleccione Plantilla de Publisher de la lista desplegable del cuadro Tipo.

9. Haga clic en **Guardar**.

La próxima vez que necesite utilizar la plantilla, sólo tiene que hacer clic en Mis plantillas en la ventana de inicio de Publisher y seleccionarla desde ahí.

Crear rápidamente una plantilla

Imagínese que está creando un boletín pero le interrumpen para crear una tarjeta de visita. En este caso, puede hacer clic en el botón **Cambiar plantilla** en la ficha Opciones de boletín del panel Formato de publicación y seleccionar Tarjetas de presentación como nuevo tipo de publicación. La nueva tarjeta de presentación contiene sus combinaciones de colores y fuentes, su conjunto de información empresarial y cualquier otra información que agregue a la publicación del boletín.

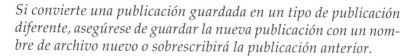

Advertencia:

Si convierte una publicación guardada en un tipo de publicación diferente, asegúrese de guardar la nueva publicación con un nombre de archivo nuevo o sobrescribirá la publicación anterior.

Utilizar Contenido adicional

Al realizar la conversión de un tipo de publicación a otro, Publisher envía cualquier contenido que no entre en el nuevo tipo de publicación a la sección Contenido adicional del panel de tareas Formato de publicación. Cuando intenta cerrar una publicación que tiene contenido en dicha sección, Publisher se lo notifica para que no pierda su trabajo. Por ejemplo, si crea un boletín y luego cambia la plantilla a una tarjeta de presentación, se crea la tarjeta pero se abre la sección Contenido adicional y debe decidir si inserta, elimina o mueve el contenido adicional a la biblioteca de contenido antes de poder cerrar la publicación (véase la figura 18.5).

Biblioteca de contenido

Si crea logotipos, listas de servicios, relatos de éxito, planos de ubicación de un negocio, testimonios e imágenes que desea reutilizar en futuras publicaciones para su negocio, puede guardar todos estos elementos en la Biblioteca de contenido. Para ello, haga clic con el botón derecho del ratón en el elemento que desea agregar a la biblioteca y seleccione la opción Agregar a la biblioteca de contenido para abrir el cuadro de diálogo Agregar elemento a la biblioteca de contenido mostrado en la figura 18.6.

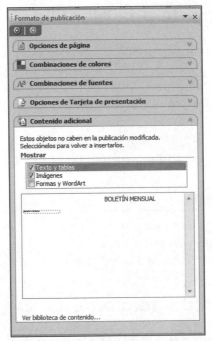

Figura 18.5. Contenido adicional de una publicación.

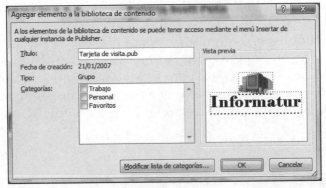

Figura 18.6. Cuadro de diálogo Agregar elemento a la biblioteca de contenido.

Estas son las secciones del cuadro de diálogo:

- **Título:** Escriba un nombre para el contenido que está agregando a la Biblioteca de contenido. Cada título puede contener un máximo de 128 caracteres.

- **Fecha de creación:** Muestra la fecha en la que se está agregando el contenido.

- **Tamaño:** Muestra el tamaño del contenido que se está agregando.

- **Tipo:** Muestra el tipo de contenido, como imagen, forma, grupo, tabla, texto o WordArt, que está agregando.

- **Categorías:** Selecciona la casilla de verificación de cada categoría en la que desea que aparezca el contenido. Las tres categorías predeterminadas son Trabajo, Personal y Favoritos.

- **Modificar lista de categorías:** Haga clic para abrir el cuadro de diálogo Modificar lista de categorías.

Nota:

Como hemos indicado, existen tres categorías predefinidas en la lista Categorías, *pero puede crear hasta 64 categorías y darles nombre de hasta 128 caracteres. También puede modificar el orden de las categorías seleccionando cualquiera de ellas y desplazándola hacia arriba o hacia abajo en la lista. Las categorías se administran mediante el cuadro de diálogo* Modificar lista de categorías *que se abre al hacer clic en el botón del mismo nombre dentro del cuadro de diálogo* Agregar elemento a la biblioteca de contenido.

Guardar y reutilizar el contenido en la Biblioteca de contenido

Vamos a realizar un ejercicio práctico para utilizar las opciones explicadas, centrándonos en las opciones disponibles de le Biblioteca de contenido. Para ello, vamos a crear nuestra propia tarjeta de visita y la vamos a personalizar.

En primer lugar, abra Publisher y seleccione la opción Tarjetas de presentación del panel central o izquierdo en la ventana de inicio de Publisher. Seleccione un diseño de tarjeta y, si lo desea, personalice sus combinaciones de color y fuente. Cuando haya terminado, haga clic en **Crear**. Aparecerá una tarjeta parecida a la mostrada en la figura 18.7.

Ahora seleccione los distintos marcadores de texto y escriba los datos requeridos, como el nombre del trabajo, su dirección, su nombre, etc.

Haga clic con el botón derecho del ratón sobre el logotipo y seleccione Cambiar imagen y una de las opciones propuestas, dependiendo de dónde tenga guardado el logotipo que desea insertar.

Si lo desea, desplace uno de los cuadros de texto por la tarjeta y organice el diseño a su gusto.

Nota:

Para seleccionar elementos, haga clic sobre el elemento deseado y muévalo con el ratón a la ubicación deseada cuando el puntero se convierta en una flecha de cuatro puntas.

Figura 18.7. Tarjeta de presentación para la creación de una tarjeta personalizada.

La imagen predeterminada de la tarjeta se reemplazará con la imagen seleccionada. Ahora haga clic con el botón derecho sobre dicha imagen con el botón derecho del ratón y seleccione Agregar a la biblioteca de contenido. Seleccione una categoría y haga clic en el botón **OK**.

El icono recién insertado se agregará dicha biblioteca, como puede ver en la figura 18.8.

Como cualquier otro programa de Office, Publisher ofrece otros métodos más rápidos que el que acabamos de explicar para agregar contenido a la

Biblioteca de contenido. Dichos métodos se encuentran dentro del propio panel de tareas de Biblioteca de contenido:

- Seleccione un elemento de la publicación y pulse **Control-C** para copiarlo al Portapapeles de Office. A continuación, haga clic en el vínculo Agregar elemento del Portapapeles a la biblioteca de contenido que se encuentra en la parte inferior del panel de tareas Biblioteca de contenido. Se agregará a la biblioteca el elemento copiado.

- Seleccione un elemento de la publicación y haga clic en Agregar elementos seleccionados a la biblioteca de contenido, que se encuentra en la parte inferior del panel Biblioteca de contenido. Se agregarán los elementos seleccionados a la Biblioteca de contenido.

Figura 18.8. Biblioteca de contenido con un elemento agregado.

Siga agregando elementos a la biblioteca siguiendo uno de los tres métodos explicados anteriormente y cuando haya terminado, compruebe que todos los elementos se han agregado a la biblioteca y que se han clasificado en la categoría apropiada.

Si desea cambiar la categoría de un elemento, seleccione dicho elemento haciendo clic en su miniatura y seleccionando Propiedades del menú de la flecha desplegable que se muestra. Se abre el cuadro de diálogo **Propie-dades del elemento**, donde puede seleccionar otra categoría distinta en la sección **Categorías** (véase la figura 18.9). Cuando haya terminado, haga clic en el botón **OK**.

Figura 18.9. Cuadro de diálogo Propiedades del elemento.

Para insertar un elemento guardado en la **Biblioteca de contenido**, abra una publicación y seleccione **Biblioteca de contenido** del menú desplegable del panel de tareas.

Nota:

Para abrir y cerrar el panel de tareas, seleccione o anule la selección de **Ver>Panel de tareas**.

- Para buscar el elemento que desea, utilice los cuadros ofrecidos en la sección **Buscar contenido** seleccionando la opción deseada de los menús desplegables.

- Para ordenar la lista de elementos de la biblioteca, seleccione una de las opciones de la lista desplegable del cuadro **Ordenar por**.

- Para insertar el elemento seleccionado, seleccione la ubicación en la que desea insertar el elemento en la publicación, seleccione el elemento a insertar en la biblioteca y haga clic en **Insertar** en el menú ofrecido por la flecha desplegable que se muestra al seleccionar el elemento. El elemento elegido se insertará en la ubicación seleccionada.

Guarde la publicación haciendo clic en **Archivo>Guardar como** y escribiendo un nombre y una ubicación apropiada. Por último, haga clic en **Guardar** para guardar la publicación y cerrar el cuadro de diálogo **Guardar como**.

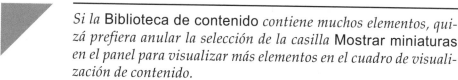

Truco:

Si la Biblioteca de contenido *contiene muchos elementos, qui-zá prefiera anular la selección de la casilla* Mostrar miniaturas *en el panel para visualizar más elementos en el cuadro de visuali-zación de contenido.*

Utilizar el Verificador de diseño

El Verificador de diseño revisa diversos problemas de diseño y presenta-ción en la publicación. Identifica los posibles problemas y proporciona opciones para corregirlos.

Puede especificar los tipos de problemas buscados por el Verificador de diseño en el cuadro de diálogo Opciones de Verificador de diseño que se abre al hacer clic en el botón del mismo nombre que se encuentra en la par-te inferior del panel de tareas Verificador de diseño (véase la figura 18.10).

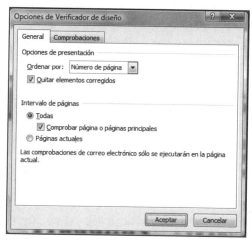

Figura 18.10. Cuadro de diálogo Opciones de Verificador de diseño.

Este cuadro de diálogo está formado por dos fichas, General y Compro-baciones, que le ayudan a personalizar la determinación de problemas.

Además de estas opciones, el panel de tareas Verificador de diseño tiene las siguientes características (véase la figura 18.11):

- Al abrir el panel de tareas Verificador de diseño, se actualiza automá-ticamente toda la lista de problemas, según se van produciendo o co-rrigiendo.

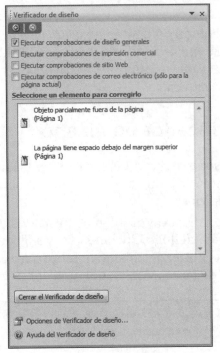

Figura 18.11. Panel de tareas Verificador de diseño.

- **Ejecutar comprobaciones de diseño generales** comprueba problemas de diseño, como cuadros de texto vacíos, que puedan tener un impacto negativo en la publicación.

- **Ejecutar comprobaciones de impresión comercial** corrige problemas, como imágenes en modo RGB, que puedan tener un impacto negativo en la impresión de la publicación en un servicio de impresión comercial.

- **Ejecutar comprobaciones de sitio Web** comprueba problemas, como imágenes sin texto alternativo, que puedan tener un impacto negativo en la publicación del sitio Web.

- **Ejecutar comprobaciones de correo electrónico (sólo para la página actual)** comprueba problemas como texto que contiene división con guiones, que puede insertar espacios en el mensaje cuando se ve en algunos visores de correo electrónico.

- **Seleccionar un elemento para corregirlo** muestra los problemas encontrados en la publicación. Todos los problemas enumerados incluyen una descripción y el lugar donde se encuentran. La mayoría de los problemas se produce en una página específica. No obstante, algunos problemas afectan a toda la publicación. Haga clic en un problema para ver las opciones disponibles para la solución del mismo.

- **Cerrar el Verificador de diseño** detiene el Verificador de diseño y cierra el panel de tareas.

Una vez cerrado, el Verificador de diseño no se ejecutará en segundo plano hasta que lo vuelva a iniciar seleccionando Herramientas>Verificador de diseño.

Imprimir una publicación

Tras la creación de una publicación lo más probable es que desee imprimirla. En este sentido, existen diversas opciones de impresión que vamos a explicar en las siguientes secciones.

Imprimir en una impresora de escritorio

Para imprimir de una publicación existente, seleccione Archivo>Imprimir. En el cuadro de diálogo Imprimir mostrado en la figura 18.12 siga estos pasos:

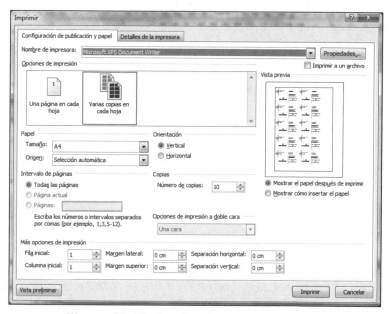

Figura 18.12. Cuadro de diálogo Imprimir.

- Para especificar las copias que desea imprimir utilice el cuadro Número de copias que se encuentra en la sección Copias de la ficha Configuración de publicación y papel.

- Para imprimir páginas específicas, en la sección Intervalo de páginas de la ficha Configuración de publicación y papel, seleccione Página actual para imprimir la página que está viendo, seleccione Páginas y escriba un intervalo de páginas de la publicación, por ejemplo, **1,3** ó **5-12**, para imprimir un intervalo o **2** ó **3** para imprimir una página individual.

- Si va a imprimir etiquetas o tarjetas de presentación, la opción predeterminada será Varias copias en cada hoja. Con esta opción, puede ajustar las guías de márgenes para aumentar o reducir el número de copias de la publicación que pueden caber en una sola hoja de papel.

- Para cambiar los márgenes, en la ficha Configuración de publicación y papel reduzca los valores de los cuadros Margen lateral y Separación horizontal. Puede que también sea necesario ajustar el valor de la separación vertical. Para reducir el número de copias que se podrán incluir, aumente los valores de los cuadros Margen lateral, Separación horizontal y Separación vertical. Al cambiar los márgenes y las separaciones, en la ventana Vista previa se muestra la cantidad de copias que se podrán incluir en la hoja de papel impresa.

Truco:

Para imprimir en un producto de un determinado fabricante, por ejemplo una hoja de etiquetas, imprima primero en una hoja de papel en blanco para asegurarse de que la publicación quedará correctamente alineada en el producto.

- Para imprimir marcas de recorte, deberá imprimir en una hoja de papel que sea mayor que las dimensiones finales deseadas para el recorte posterior de la página. Para ello, en la ficha Configuración de publicación y papel, compruebe el tamaño del panel de la lista Tamaño de la sección Papel y seleccione la opción deseada. En la ficha Detalles de la impresora, haga clic en **Configuración avanzada de impresora** y seleccione la ficha Configuración de página (véase la figura 18.13).En la sección Marcas de impresora, seleccione la casilla Marcas de recorte. Seleccione el resto de las opciones que desee y haga clic en Aceptar.

Figura 18.13. Configuración de página avanzada.

Existen otras opciones de impresión, por supuesto, pero estas son las más destacadas.

Los distintos proyectos de impresión pueden requerir métodos de impresión diferentes. Por ejemplo, imprimir en una impresora de escritorio no es costoso si sólo necesita algunas copias pero imprimir proyectos que requieren muchas copias puede resultar más económico cuando se realizan en copisterías y servicios de impresión comerciales. Además del costo, hay que tener en cuenta las opciones de calidad, calendario, papel, así como de encuadernación y finalización. Puede consultar su proyecto con el experto en impresión de una copistería o un servicio de impresión comercial ya que ofrecen una gran variedad en los servicios ofrecidos. Existe una gran variedad en los servicios que se ofrecen.

Imprimir como un archivo PDF

Puede guardar como un archivo PDF o XPS de un programa 2007 Microsoft Office sólo tras instalar un complemento. Para ello, en el cuadro de ayuda, escriba **Instalar y utilizar Publish como complemento de PDF o XPS desde Microsoft** y busque el vínculo Complemento Guardar como

PDF o XPS de Microsoft para programas de Microsoft Office 2007 que le conducirá a la página específica para instalar dicho complemento y siga las instrucciones de dicha página (véase la figura 18.14).

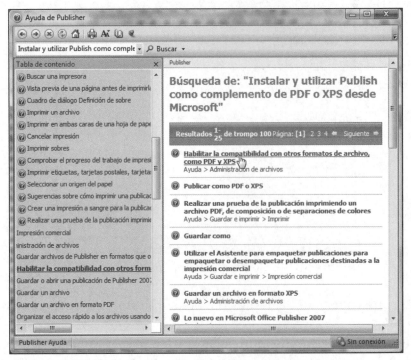

Figura 18.14. Ayuda para instalar el complemento Publish como complemento PDF o XPS.

Tras instalar Publish como complemento de PDF o XPS, puede exportar el archivo como PDF o XPS:

1. Haga clic en Publicar como PDF o XPS en el menú Archivo.

2. Escriba un nombre para la publicación en el cuadro denominado Nombre de archivo.

3. Seleccione PDF de la lista Tipo.

4. Haga clic en el botón **Cambiar** para abrir el cuadro de diálogo Opciones de publicación y especifique cómo se va a imprimir o a distribuir esta publicación. Haga clic en **Aceptar**.

5. Si desea abrir el archivo en Adobe Reader tras guardarlo, seleccione la casilla **Abrir archivo** después de publicar en el cuadro de diálogo Publicar como PDF o XPS. Si selecciona Servicio de impresión comercial

en el cuadro de diálogo Opciones de publicación, esta casilla no estará disponible.

6. Haga clic **Publicar**. En Adobe Acrobat o Reader, seleccione Archivo> Imprimir y, tras seleccionar las opciones de impresión, haga clic en **Aceptar** (véase la figura 18.15).

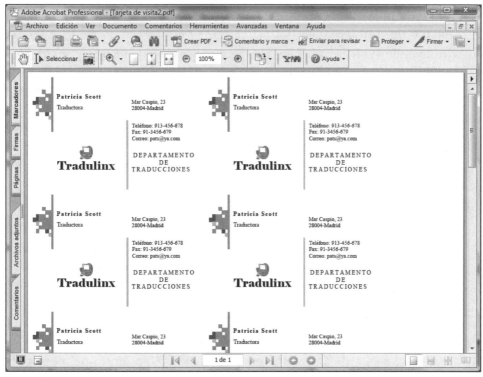

Figura 18.15. Publicación impresa en un archivo PDF.

Crear un sitio Web a partir de un boletín impreso

Puede convertir un boletín impreso en una publicación Web, pero antes de iniciar la conversión del boletín a una publicación Web, es importante realizar todos los cambios deseados en el boletín impreso ya que tras iniciar la conversión algunas opciones de edición ya no están disponibles.

Estas son las modificaciones que podría realizar en el boletín impreso antes de convertirlo en una publicación Web:

- Si el texto de un artículo abarca varias páginas, considere la posibilidad de facilitar la lectura del artículo ajustando el texto para que quepa en una sola página, o bien, tras la conversión, utilice hipervínculos para conectar secciones del artículo con otras.

- Si la última página del boletín impreso contiene marcadores de posición de texto para la dirección de correo del cliente y la información de contacto de la empresa, podría eliminar esta página, cambiar la información de contacto o trasladarla a otras páginas.

- Como en la Web es más fácil leer una columna que varias, considere la posibilidad de cambiar el diseño de varias columnas del boletín impreso a una publicación Web de una sola columna utilizando la opción **Columnas** del panel de tareas **Opciones de página**.

- Los boletines impresos tienen características de diseño específicas para la impresión que no son necesarias en la Web, como los números de página de la tabla de contenido y de cada página de la publicación o la información de correo del cliente.

Tras realizar todas las modificaciones deseadas, siga estos pasos:

1. En Publisher, abra el archivo del boletín impreso que desea convertir.

2. Realice los cambios en el contenido o el diseño del boletín (como cambiar un artículo de varias páginas a otro de una sola página, cambiar un diseño de varias columnas a una publicación de una sola columna, quitar el área de direcciones de correo de los clientes, eliminar características de diseño específicas para la impresión, etc.).

3. Seleccione Archivo>Convertir en publicación Web.

4. Se abre el asistente Convertir en publicación Web. En la primera pantalla, seleccione si desea o no guardar las modificaciones en el archivo original antes de continuar.

Nota:

Si elige guardar la publicación con el mismo nombre de archivo utilizado para la publicación original, ésta se sobrescribirá.

5. Haga clic en **Siguiente**.

6. En Agregar barra de exploración, seleccione Sí, agregar una barra de exploración para agregar una barra de exploración a la publicación Web convertida. En caso contrario, haga clic en No, no agregar una barra de exploración (véase la figura 18.16).

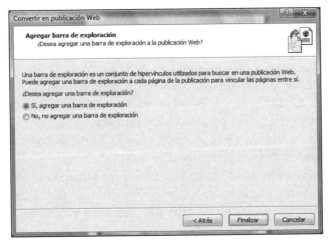

Figura 18.16. Segunda ventana del asistente para Convertir en publicación Web.

Advertencia:

Sin la barra de exploración, los usuarios que visiten el sitio Web no podrán acceder a las demás páginas de la publicación Web. No obstante, podrá agregar una barra de exploración tras la conversión del boletín.

7. Haga clic en **Finalizar**.
8. Haga clic en Guardar como y guarde la publicación con un nombre diferente al del boletín impreso para garantizar que no se realiza ningún cambio en él.

Propiedades de la barra de exploración

Como hemos visto, la barra de exploración es una herramienta de gran ayuda para la publicación Web convertida.

- Si ha elegido agregar una barra de exploración al convertir la publicación, puede ajustar su posición para que se mantenga en la misma ubicación en cada página. El margen superior de cada página suele ser una buena ubicación, especialmente si se crea una barra de exploración horizontal para que se ajuste mejor al espacio.

- Si ha elegido no agregar una barra de exploración al convertir la publicación, puede agregarla seleccionando Insertar>Barra de exploración>Nuevo. En el cuadro de diálogo Galería de diseño, seleccione las opciones deseadas. En Actualización automática seleccione la casilla Actualizar esta barra de exploración con vínculos a las nuevas páginas que se agregan a esta publicación para actualizar la barra de exploración incluyendo un vínculo a cada una de las páginas de la publicación. Si desea especificar manualmente las páginas que están vinculadas desde la barra de exploración, anule la selección de dicha casilla y especifique las páginas que deben vincularse con las opciones del cuadro de diálogo Propiedades de la barra de exploración. Haga clic en Insertar objeto para crear la barra.

- Para cambiar el texto de la barra de exploración, seleccione dicha barra en cualquier página, seleccione el texto que desea cambiar y escriba el nuevo texto. El texto modificado cambia en la barra de exploración de todas las páginas.

Para obtener una vista previa del sitio Web seleccione Vista previa de la página Web del menú Archivo. Se abrirá el sitio Web en una ventana del explorador (véase la figura 18.17). Puede desplazarse entre las páginas haciendo clic en los hipervínculos y vínculos de las barras de exploración Web.

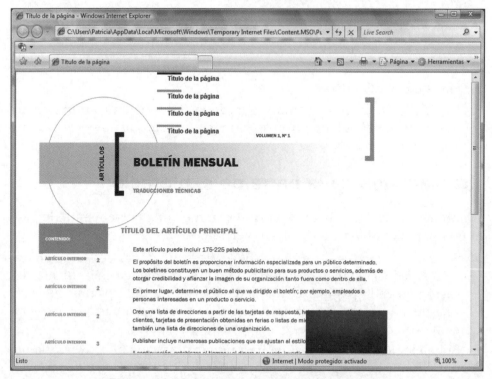

Figura 18.17. Vista previa de la página Web.

Capítulo 19

Otros programas y herramientas de Office

En este capítulo aprenderá a:
- Utilizar Microsoft Office OneNote 2007.
- Utilizar Microsoft Office Groove 2007.
- Conocer las Herramientas de Microsoft Office 2007.

Ya hemos analizado los programas más destacados de Microsoft Office 2007. En este capítulo vamos a explicar dos programas más: Microsoft Office OneNote 2007 y Microsoft Office Groove 2007. Asimismo, explicaremos las distintas herramientas incluidas en la carpeta Herramientas de Microsoft Office 2007.

Introducción a Office OneNote

Microsoft Office OneNote 2007 es una utilidad de Office independiente que permite crear y administrar notas como si de un bloc de notas real se tratase. Las notas se pueden introducir utilizando el teclado e incluso utilizando un Tablet PC. No es necesario guardar el trabajo en ningún momento ya que, al igual que ocurre con un bloc de notas normal, la información que se escriba, quedará escrita. Asimismo, el programa permite la grabación de comentarios y su vinculación de forma automática a nuestras anotaciones, con lo que resulta ideal para reuniones o conferencias, o cualquier otro evento al que asistamos. Al abrir por primera vez el programa desde el menú Iniciar o desde un icono de acceso directo, Microsoft Office OneNote abre la ventana que muestra la figura 19.1. Esta ventana está diseñada para obtener información sobre de OneNote y de sus características más importantes. Asimismo nos ayudará a guardar las notas que escribamos en un bloc de notas determinado y a administrar los distintos bloc generados. Consulte las distintas fichas que se encuentran a la derecha de la página o haga clic en cualquier vínculo de la ficha Más características interesantes para familiarizarse con el programa.

Ya puede cerrar la ventana principal haciendo clic en el botón **Cerrar de la aplicación**. Compruebe que a pesar de cerrar la aplicación, queda un icono de la misma en la barra de tarea de Windows. Este será el lugar al que debemos acudir para todo lo relacionado con OneNote.

Tomar notas

Para tomar notas con esta aplicación sólo tiene que hacer clic en el icono del programa en la barra de tarea de Windows escribir la nota.

Los distintos botones de la barra de herramientas proporcionan comandos para realizar diversas tareas. Para ver una indicación del comando, sitúe el puntero del ratón sobre un icono. Aparecerá una sugerencia en pantalla con el nombre del botón. Asimismo, para ver más botones, haga clic en la flecha desplegable del menú de opciones de la barra de herramientas y seleccione el botón deseado (véase la figura 19.2.)

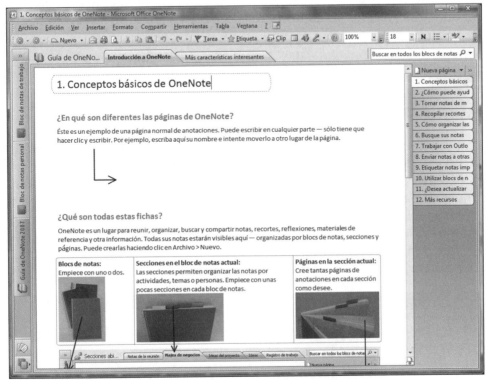

Figura 19.1. Ventana principal de OneNote 2007.

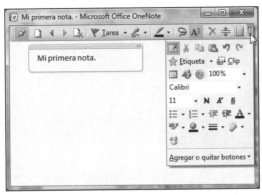

Figura 19.2. Botones del menú de opciones desplegable de la barra de herramientas.

Tras escribir la nota, ésta quedará siempre visible en pantalla. Si desea ocultarla, active o desactive el botón **Mantener siempre visible** (primer botón de la barra de herramientas de la nota).

Cuando termine realmente de escribir la nota, con ayuda de los distintos botones, podrá cambiar su formato, etiquetarla, añadirla a una tarea, etc.

Haga clic en el botón **Cerrar** para cerrar la nota. Aparecerá u mensaje de Microsoft Office OneNote 2007 indicando que la nota quedará en la sección de notas sin archivar, debajo de los blocs de notas.

Administrar las notas

Para administrar las notas escritas y guardadas en la sección de notas sin archivar, abra OneNote. Para ello, haga clic con el botón derecho del ratón sobre el icono del programa en la barra de tareas y seleccione Abrir OneNote. Se abrirá la aplicación con la ficha Bloc de notas de trabajo abierta. Haga clic en el botón **Notas sin archivar** que se encuentra debajo de Guía de OneNote2007 en el panel de exploración y expanda el panel de exploración haciendo clic en las dos flechas de la esquina superior izquierda para ver la pantalla mostrada en la figura 19.3

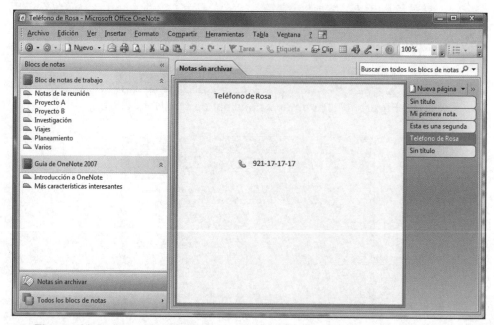

Figura 19.3. Pantalla de notas sin archivar con el panel de exploración expandido.

Guarde cada una de las notas escritas que se encuentran en el panel de notas sin archivar arrastrando su título hasta el bloc de notas deseado que se encuentra en la sección Blocs de notas del panel de exploración expandido. Si desea eliminar una nota, haga clic sobre su título con el botón derecho del ratón y seleccione **Eliminar** del menú contextual.

Puede crear fácilmente un bloc de notas haciendo clic en el botón **Nuevo** de la barra de herramientas Estándar y seleccionando Bloc de notas. En la primera ventana del Asistente para nuevo bloc de notas, escriba un nombre para su bloc, seleccione una de las plantillas existentes y haga clic en **Siguiente**. En la segunda ventana del asistente, seleccione la opción apropiada y haga clic en **Siguiente**. Confirme o escriba una nueva ubicación para el bloc de notas en la última ventana del asistente y haga clic en **Crear**.

Insertar audio y vídeo

Office OneNote permite grabar audio mientras se toman notas. Al reproducir la grabación, se mostrarán las notas que se tomaron en un momento concreto de la grabación. Los archivos de audio se guardan en la carpeta Mi bloc de notas. Para grabar audio, abra una nota desde la barra de tareas de Windows, haga clic en la flecha desplegable del icono con la imagen de un micrófono en la barra de herramientas y seleccione Grabar sólo audio. A continuación grabe el audio deseado. Al terminar, haga clic en el botón **Detener**. Aparecerá una nota de la grabación dentro de la propia nota de OneNote.

Para grabar vídeo, siga los mismos pasos que para grabar audio pero en lugar de seleccionar Grabar audio en el icono del micrófono, seleccione Grabar vídeo.

Introducción a Microsoft Office Groove 2007

Microsoft Office Groove 2007 es un software de Internet para establecer conexiones directas con diversas personas. Con Office Groove 2007 se puede reunir a los miembros de un equipo, tanto si están en la empresa como si están fuera de ella, sin preocuparse de los servidores, la seguridad o el acceso a la red. Asimismo, se puede conocer la ubicación virtual del resto de miembros o su presencia en línea para poder mantener una conversación de forma rápida.

Iniciar el programa

Para abrir por primera vez el programa, siga estos pasos:

1. Haga clic en el botón **Iniciar** de Windows y, posteriormente, seleccione Todos los programas>Microsoft Office>Microsoft Office Groove o bien haga clic en uno de los iconos de acceso directo al programa. Se abrirá el Asistente para configuración de cuenta de Microsoft Groove.

2. Seleccione la opción Crear una cuenta de Groove nueva para crear una cuenta por primera vez y haga clic en **Siguiente**.

3. Seleccione una opción de código de configuración y haga clic en **Siguiente**.

4. Especifique la configuración de la cuenta y haga clic en **Siguiente**.

5. Se abrirá un cuadro de notificación que se cerrará automáticamente al finalizar la tarea (véase la figura 19.4).

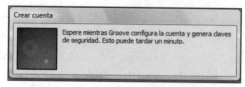

Figura 19.4. Cuadro de notificación de configuración de la cuenta de Groove.

6. Seleccione una opción en Mostrar esta información y haga clic en **Finalizar**.

7. Se abrirá un cuadro preguntando si se desea ver una película de demostración. Haga clic en la opción deseada.

Nota:

Al instalar Microsoft Groove, se abre un icono nuevo en la barra de tareas de Windows desde donde se puede abrir el programa en sucesivas ocasiones y seleccionar otras opciones desde su menú contextual.

Crear un área de trabajo

Para crear un área de trabajo en Microsoft Office Groove 2007, siga estos pasos:

1 Abra el programa haciendo clic con el botón derecho del ratón sobre su icono en la barra de tareas de Windows y seleccionando **Barra de inicio**.

2 Haga clic en el enlace **Nueva área de trabajo** en la **Barra de inicio**.

3. Asigne un nombre al área de trabajo.

4. Seleccione un tipo de área de trabajo.

5. Lea la descripción del tipo de área de trabajo seleccionado para ver detalles sobre su contenido y finalidad.

6 En la lista desplegable **Plantillas**, seleccione **Personalizar** para seleccionar las herramientas iniciales para el área de trabajo.

7. Para ver otras opciones del área de trabajo, haga clic en **Opciones**. (El botón **Opciones** sólo está disponible si existen diversas identidades en la cuenta de Groove).

8. Seleccione la versión de Groove que deben tener todos los invitados para unirse a esta área de trabajo.

9. Seleccione la identidad que desea utilizar en esta área de trabajo.

10. Haga clic en **Aceptar**.

Nota:

Groove crea el área de trabajo y le muestra como miembro inicial con la función de Administrador. Ahora puede personalizar los componentes del área de trabajo y enviar invitaciones a la misma.

Para invitar a otro usuario a un área de trabajo, abra el área de trabajo, escriba el nombre o dirección de correo electrónico del destinatario en el cuadro **Invitar al área de trabajo** en el panel **Miembros del área de trabajo** y haga clic en **Más** para ver más opciones de adición y búsqueda de destinatarios en el cuadro de diálogo **Agregar destinatarios**. Haga clic en **Ir** para abrir el cuadro de diálogo **Enviar invitación**, agregue texto al mensaje, si lo desea y haga clic en **Invitar** para enviar la invitación. Los invitados recibirán una invitación para entrar en el área de trabajo (véase la figura 19.5).

Nota:

Para invitar a diversos contactos y asignarles funciones diferentes, envíe invitaciones diferentes por cada función.

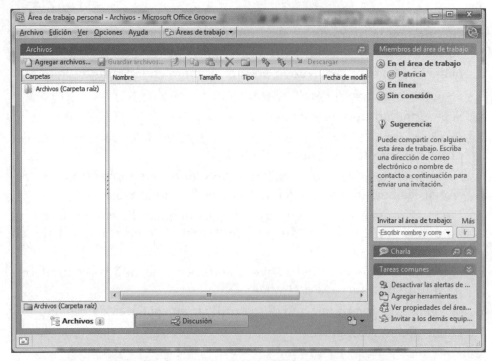

Figura 19.5. Configuración de invitación a un área de trabajo.

Copiar una invitación al Portapapeles

Si se recibe un mensaje de error tras intentar enviar una invitación a una dirección de correo electrónico, aún lo podrá enviar si copia la invitación en el Portapapeles y, a continuación, la pega en el cliente de correo electrónico o sistema de mensajería elegido. Para ello, sin cerrar la invitación de Groove, seleccione Archivo>Copiar invitación en el Portapapeles. A continuación seleccione la configuración de la invitación deseada y haga clic en **Aceptar**.

Nota:

El mensaje pegado incluye el texto repetitivo estándar enviado a los destinatarios que incluye información sobre la descarga de Groove, así como un vínculo para aceptar la invitación.

Alertas de invitación

Cuando se envía una invitación, Groove informa sobre su progreso mediante alertas. Para establecer una alerta haga clic en Opciones>Establecer alertas>Área de trabajo y seleccione la opción deseada. Cuando haya terminado, haga clic en **Aceptar**.

Nota:

En el caso de los destinatarios de correo electrónico, no se verán alertas de progreso hasta que los destinatarios no abran el archivo adjunto.

Certificado digital para proyectos de VBA

Esta es la primera de las herramientas de Microsoft Office 2007 que vamos a explicar brevemente. Tanto ésta como las siguientes herramientas que vamos a presentar se abren haciendo clic en el botón **Iniciar** de Windows y seleccionando Todos los programas>Microsoft Office>Herramientas de Microsoft Office>[Nombre de la herramienta].

Esta herramienta en concreto, crea un certificado digital con una firma personal que se puede utilizar para macros personales. Al seleccionar la herramienta se abrirá el cuadro de diálogo Crear certificado digital mostrado en la figura 19.6. Escriba un nombre y haga clic en **Aceptar**. Se abrirá un mensaje indicando que se ha creado con éxito el certificado. Haga clic en **Aceptar** para cerrarlo.

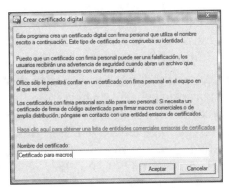

Figura 19.6. Cuadro de diálogo Crear certificado digital.

Diagnósticos de Microsoft Office

Con esta herramienta puede identificar y corregir causas habituales de inestabilidad y rendimiento bajo del equipo. Al seleccionarla, se abre el cuadro de diálogo Diagnósticos de Microsoft Office con una nota informativa. Haga clic en **Continuar** para ir a la segunda ventana. En esta ventana (véase la figura 19.7), se muestran los diagnósticos que se van a ejecutar. Haga clic en **Ejecutar diagnósticos** para proceder.

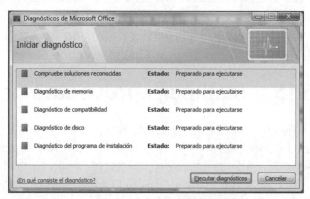

Figura 19.7. Cuadro de diálogo Diagnósticos de Microsoft Office.

Galería multimedia

La Galería multimedia de Microsoft contiene una serie de archivos de imagen y multimedia (clips de audio o vídeo y animaciones) que pueden agregarse fácilmente a los documentos de Office. Con esta herramienta puede agregar clips o imágenes prediseñadas, fotografías, archivos de sonido y de movimiento, organizar los elementos de la galería, acceder a las carpetas en las que se clasifica el contenido multimedia y ver las miniaturas de todas las imágenes.

Para localizar una imagen o un clip en este cuadro de diálogo (figura 19.8), haga clic en el botón **Buscar** de la barra de herramientas, escriba una palabra clave en el cuadro Buscar dentro del panel del mismo nombre que se abre a la izquierda de la ventana y haga clic en el botón **Buscar**. Aparecerán todas las imágenes, clips o imágenes en movimiento (según las opciones seleccionadas en la sección introduzca una palabra clave en el cuadro Buscar en).

Microsoft Office 2007 Configuración de idioma

Para cambiar la configuración de idioma en las aplicaciones de Office, seleccione esta herramienta. Se abrirá el cuadro de diálogo Configuración de idioma de Microsoft Office 2007 con la ficha Idiomas de edición abierta (véase la figura 19.9).

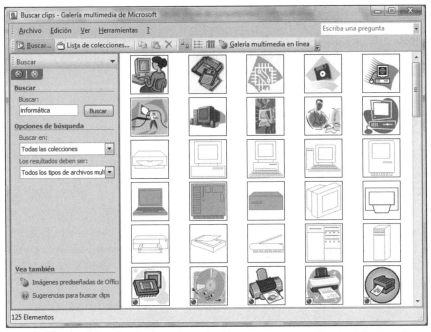

Figura 19.8. Buscar clips en la Galería multimedia de Microsoft.

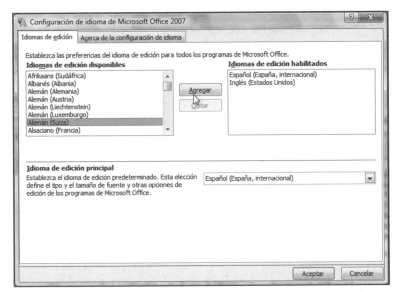

Figura 19.9. Cuadro de diálogo Configuración de idioma de Microsoft Office 2007.

Establezca las preferencias del idioma de edición seleccionando un idioma desde la lista de Idiomas de edición disponibles y haciendo clic en **Agregar** para añadir el idioma seleccionado a la lista Idiomas de edición habilitados.

También puede cambiar el idioma principal haciendo clic en la flecha desplegable del cuadro de la sección Idioma de edición principal y seleccionando otro idioma.

Microsoft Office Picture Manager

Microsoft Office Picture Manager permite retocar imágenes y fotografías, aplicar distintos efectos y realizar diversas modificaciones, así como compartirlas.

Abra la herramienta para poder realizar distintas operaciones entre las que destacan claramente las ofrecidas por el panel de tareas Editar imágenes que puede abrir seleccionándolo desde el menú desplegable del panel de tareas que se encuentra a la derecha de la ventana (véase la figura 19.10).

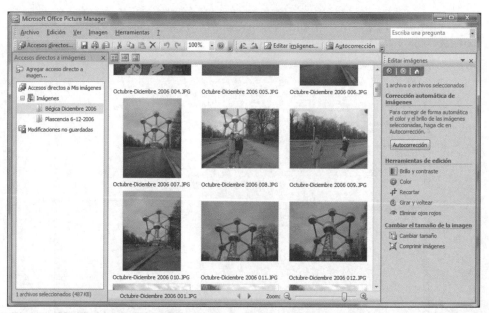

Figura 19.10. Microsoft Office Picture Manager con el panel Editar imágenes abierto.

Las opciones que muestra el panel Editar imágenes se recogen en la tabla siguiente.

Tabla 19.1. Opciones del panel Editar imágenes.

Opción	Función
Autocorrección	Corrige automáticamente el color y el brillo de las imágenes seleccionadas.
Brillo y contraste	Permite definir estas características de las imágenes.
Color	Permite configurar la cantidad, el matiz y la saturación de los colores de la imagen.
Recortar	Permite modificar el tamaño de la imagen.
Girar y voltear	Permite dar la vuelta, girar las imágenes.
Eliminar ojos rojos	Permite eliminar este antiestético efecto producido por el flash de muchas cámaras.
Cambiar tamaño	Abre el panel que le ayudará a cambiar el tamaño de la imagen seleccionada.
Comprimir imagen	Abre el panel que le ayudará a comprimir las imágenes seleccionadas.

Apéndice A

Instalación de Office 2007

En este capítulo aprenderá a:
- Conocer los requisitos del sistema para la instalación de Office 2007.
- Ejecutar el proceso de instalación en su ordenador.
- Mantener y mejorar funciones de Office.
- Desinstalar Microsoft Office.

Estas páginas están diseñadas para facilitarle los conocimientos necesarios a la hora de instalar Microsoft Office 2007 en su ordenador. Pero también para ofrecerle las claves más importantes para el mantenimiento del paquete de programas que integran Microsoft Office 2007 en el caso de que, tras su instalación, necesite añadir alguna de las utilidades implementadas en la familia de programas.

Para la instalación, no basta con el simple copiado de los archivos contenidos en el CD-ROM de Office en el disco duro del ordenador, es preciso que vaya ejecutando las órdenes que aparezcan por pantalla a fin de completar el proceso correctamente.

El buen funcionamiento del programa exige que el sistema operativo de su ordenador contenga toda la información necesaria sobre sus características, algo sólo posible tras su instalación. Una vez finalizada ésta, el usuario podrá utilizar cualquiera de las aplicaciones que integran el paquete.

Requisitos del sistema

La instalación de Microsoft Office 2007 exige el cumplimiento de una serie de requisitos. En algunas ocasiones, se trata más bien de recomendaciones, pues podrá instalar el programa en ordenadores con características inferiores. Sin embargo, para el mejor aprovechamiento de su potencia y el óptimo funcionamiento del programa, es aconsejable cumplirlos y hasta superarlos.

Tenga en cuenta que si, por ejemplo, trabaja simultáneamente con varios documentos o aplicaciones, o maneja documentos largos y con muchas imágenes, el funcionamiento del programa puede ralentizarse. De hecho, la respuesta de Office será mejor cuanta más velocidad de procesamiento y más memoria RAM posea su ordenador.

Para instalar Microsoft Office 2007, la configuración del sistema recomendada será:

- **Equipo y procesador:** Procesador de 500 megahercios (MHz) o superior. [1].

---

[1]   Para la Búsqueda de audio de OneNote se recomienda un procesador de 2 gigahercios o superior y 1 GB de RAM como mínimo. Se necesita un micrófono para hablar de cerca. La búsqueda de audio no está disponible en todos los idiomas.

- **Memoria:** 256 megabytes (MB) de RAM como mínimo.[1],[2],[3]
- **Disco duro:** 3 gigabytes (GB); una parte de este espacio se liberará después de la instalación si se elimina el paquete de descarga original del disco duro.
- **Unidad:** Unidad CD-ROM o DVD.
- **Pantalla:** Monitor con una resolución de 1024x768 o superior.
- **Sistema operativo:** Sistema operativo Microsoft Windows(R) XP con Service Pack (SP) 2, Windows Server(R) 2003 con SP1 o posterior. [4]
- **Otros:** Algunos programas y funciones requieren una configuración más completa. Dicha configuración es la siguiente:
  - Algunas funciones de introducción de datos requieren la ejecución de Microsoft Windows XP Tablet PC Edition o posterior.
  - La funcionalidad de reconocimiento de voz requiere un micrófono para hablar de cerca y un dispositivo de salida de audio.
  - Las funciones de Information Rights Management requieren acceso a un servidor Windows 2003 con SP1 o posterior que ejecute los Servicios de Windows Rights Management.
  - Para algunas funciones avanzadas de Outlook 2007, se necesita la conectividad a Microsoft Exchange Server 2000 o posterior.
  - Para la búsqueda instantánea, se necesita Microsoft Windows Desktop Search 3.0.
  - Los calendarios dinámicos requieren la conectividad del servidor.
  - Para algunas funciones de colaboración avanzadas, se requiere la conectividad a Microsoft Windows Server 2003 con SP1 o posterior ejecutando Microsoft Windows SharePoint Services u Office SharePoint Server 2007.

---

[1]   Para la Búsqueda de audio de OneNote se recomienda un procesador de 2 gigahercios o superior y 1 GB de RAM como mínimo. Se necesita un micrófono para hablar de cerca. La búsqueda de audio no está disponible en todos los idiomas.

[2]   Para Business Contact Manager se recomienda un procesador de 1 gigahercio (GHz) o superior y 512 MB de RAM como mínimo. Business Contact Manager no está disponible en todos los idiomas.

[3]   Para la Búsqueda instantánea de Outlook, se recomienda 512 MB de RAM como mínimo. El corrector gramatical y ortográfico contextual de Word no se activará si el equipo no tiene como mínimo 1 GB de memoria.

[4]   El controlador de impresión para enviar a OneNote 2007 no está disponible en los sistemas operativos de 64 bits. La sincronización de carpetas de Groove no está disponible en los sistemas operativos de 64 bits. El Asistente para limpieza de Office no está disponible en los sistemas operativos de 64 bits.

- La biblioteca de diapositivas de PowerPoint requiere Office Share-Point Server 2007.

- La conectividad con Office SharePoint Server 2007 es necesaria para los formularios de InfoPath habilitados para explorador y otras funciones de colaboración.

- La integración de Groove con Messenger requiere Windows Messenger 5.1 o una versión posterior, o bien Communicator 1.0 o una versión posterior. Incluye una suscripción de 5 años al servicio de retransmisión de Groove.

- La biblioteca de diapositivas de PowerPoint requiere Office Share-Point Server 5.

- Algunas funciones requieren: Microsoft Windows Desktop Search 3.0, Microsoft Windows Media Player 9.0, Microsoft DirectX 9.0b y Microsoft Active Sync 4.1; un micrófono, un dispositivo de salida de audio, un dispositivo de grabación de vídeo (por ejemplo, una cámara Web), un escáner o una cámara digital compatible con TWAIN; un Smartphone basado en Windows Mobile 2003, Windows Mobile 5 o Pocket PC, o bien un enrutador compatible con Plug and Play universal (UPnP).

- Para compartir los blocs de notas los usuarios tienen que estar en la misma red.

- Internet Explorer 6.0 o posterior, sólo exploradores de 32 bits. La funcionalidad de Internet requiere acceso a Internet (puede estar sujeto a cuotas).

- **Adicional:** Los requisitos actuales y la funcionalidad del producto pueden variar en función del sistema operativo y la configuración del sistema.

Nota:

En este libro hemos utilizado Microsoft Office 2007 con Windows Vista, opción que le recomendamos que utilice.

Instalación

Antes de instalar Microsoft Office 2007 debe tener instalado el sistema operativo Windows Vista o alguno de los sistemas compatibles (consulte la relación anterior). Encienda el ordenador e inserte el CD-ROM o DVD de instalación de Office en la unidad lectora correspondiente. Al cerrarla, se iniciará automáticamente el proceso de instalación (véase la figura A.1).

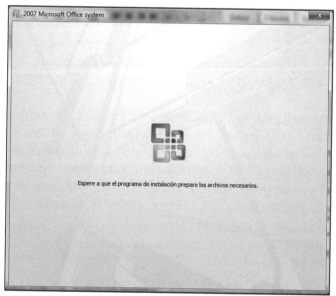

Figura A.1. Preparación de los archivos necesarios para la instalación de Microsoft Office 2007.

En caso de que la opción de ejecución automática no funcione, ejecute el comando Ejecutar del menú Iniciar de Windows que se encuentra en Todos los programas>Accesorios. Se abrirá el cuadro de diálogo Ejecutar, en cuyo cuadro de texto podrá escribir el nombre del archivo que iniciará el proceso: Setup.exe (véase la figura A.2).

La unidad lectora de CD-ROM o DVD suele denominarse D, aunque este nombre puede variar en su ordenador dependiendo de la cantidad de dispositivos que contenga. Haga clic en el botón **Aceptar** para que se ejecute, **Cancelar** para salir sin ejecutar o **Examinar** para seleccionar la ruta del archivo de instalación.

Advertencia:

Para no interferir en el proceso de instalación, es recomendable cerrar todos los programas que tenga abiertos y desactivar los programas antivirus.

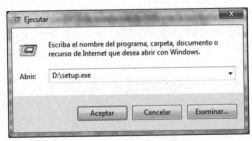

Figura A.2. Cuadro de diálogo Ejecutar para instalar Office 2007.

La primera pantalla de la instalación solicita la clave del producto, que debe escribir en el cuadro de texto dividido en cinco partes. Se trata de los 25 caracteres alfanuméricos que encontrará en la etiqueta del reverso de la caja del CD-ROM o DVD. Escríbalos correctamente, respetando las mayúsculas y el orden pues, de lo contrario, la instalación no podrá continuar. A continuación, haga clic sobre el botón **Siguiente**.

La siguiente pantalla le solicita la información de usuario: su nombre, iniciales y organización en la que trabaja. Cuando finalice su introducción, pulse el botón **Siguiente**.

Si todos los datos son correctos, aparecerá una nueva ventana con las condiciones del contrato de licencia de Microsoft. Si no acepta las condiciones, no podrá continuar la instalación.

En el cuadro de diálogo que aparece a continuación podrá decidir el tipo de instalación que desea y el directorio donde se copiarán los archivos del programa. Este directorio, por defecto, es C:\Archivos de programa\Microsoft Office\. Aunque si prefiere que se ubiquen en otro lugar, solo tiene que seleccionarlo por medio del botón **Examinar**.

Las opciones de instalación que se le ofrecen tienen características distintas. La recomendada, que aparece seleccionada al abrirse el cuadro, es la instalación típica. Con ella podrá ejecutar desde su ordenador los programas más utilizados de Office 2007: Word, Excel, PowerPoint, Outlook, Publisher y Access. En general, esta opción es suficiente, pero pueden darse circunstancias que le obliguen a usar otras:

Nota:

*Puede cancelar el proceso de instalación de Office en cualquier momento haciendo clic sobre el botón **Cancelar**. También es posible modificar la información introducida haciendo clic en el botón **Atrás** y cambiando sus opciones.*

Cuando haya elegido su instalación, haga clic en **Siguiente** y comenzará, propiamente, el proceso de instalación. Una vez finalizado el proceso, aparecerá un cuadro de diálogo informando de tal hecho y le permite comprobar si hay actualizaciones y descargas adicionales disponibles en la Web además de eliminar los archivos de instalación. Seleccione las casillas, si así lo desea, y pulse el botón **Finalizar**. Desde ese momento, podrá acceder a cualquiera de las aplicaciones Office que acaba de instalar.

Cambiar la instalación de Microsoft Office 2007

Después de instalar Office 2007, quizás tenga que volver a utilizar los discos de instalación. Puede que le interese añadir un nuevo programa o, por el contrario, eliminarlo o, incluso, precisar la instalación de alguna función avanzada que no esté incluida en la instalación típica.

En cualquier caso, el procedimiento que debe seguir es el siguiente: inserte el primer CD-ROM o DVD de instalación en la unidad lectora y espere hasta que se muestre la ventana Opciones del modo de mantenimiento (véase la figura A.3).

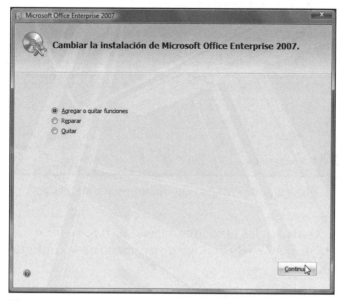

Figura A.3. Pantalla de mantenimiento de Office 2007.

En el cuadro de diálogo que aparece, puede seleccionar la opción que necesite.

Si desea agregar o quitar funciones, seleccione la opción Agregar o quitar funciones. Para eliminar el programa, seleccione la opción Quitar y para reparar algunas opciones que pudieran estar dañadas, seleccione Reparar.

Si para continuar selecciona la opción Agregar o quitar funciones y hace clic en **Continuar**, automáticamente se abrirá un cuadro de diálogo en el que podrá seleccionar el idioma de instalación (en la pestaña Idioma) y las distintas opciones de instalación en la pestaña del mismo nombre (véase la figura A.4).

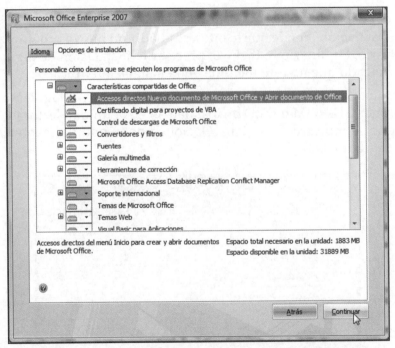

Figura A.4. Pantalla de opciones de instalación.

Una vez seleccionadas las opciones deseadas, haga clic en el botón **Continuar**. Se abrirá un cuadro de diálogo de progreso de la configuración (véase la figura A.5).

Al finalizar la instalación, se mostrará un cuadro que le indica que Microsoft Office 2007 se ha configurado correctamente.

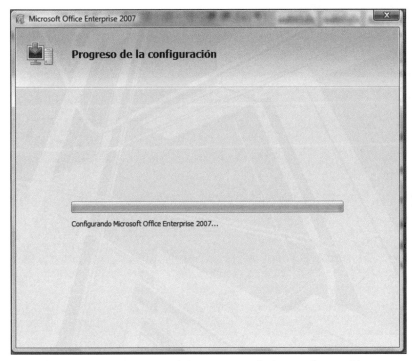

Figura A.5. Ventana del progreso de la configuración.

Apéndice B

Contenido del CD-ROM

En el CD-ROM encontrará la siguiente estructura de carpetas:

- **Ejemplos:** Se trata de algunos archivos de práctica utilizados en el libro y que podrá reconocer por sus distintas extensiones.

- **Plantillas:** Contiene plantillas de utilidad para las diferentes aplicaciones de Office 2007. Para descargarse más plantillas le recomendamos que visite el sitio Web Microsoft Office Online: `http://office.microsoft.com/es-es/templates`.

- **Vídeos:** Contiene vídeos explicativos de las nuevas características que presenta la suite ofimática Office 2007.

- **Office:** Aquí encontrará una versión de prueba de Microsoft Office Professional 2007, operativa durante un período de 60 días y en castellano. Para poder instalarla, es necesario observar los requerimientos mínimos que se adjuntan en la página siguiente.

Requisitos mínimos del sistema

Elemento	Requisitos mínimos
Sistema operativo:	Microsoft Windows(R) XP con Service Pack (SP) 2, Windows Server(R) 2003 con SP1 o posterior.
Equipo:	500 MHz de procesador o superior; 256 megabyte y procesador (MB) de RAM o superior; Unidad de DVD; 1 gigahertz (GHz) y 512 MB of RAM o superior.
Disco:	2 gigabytes (GB); una parte de este espacio se liberará después de la instalación si se elimina el paquete de descarga original del disco duro.
Pantalla:	Monitor con una resolución de 1024x768 o superior.
Conexión:	Conexión de 128 Kbps o superior, para la descarga a Internet del código de activación del producto.
Componentes:	Internet Explorer 6.0 o posterior, sólo exploradores de 32 bits adicionales. La funcionalidad de Internet requiere acceso a Internet (puede estar sujeto a cuotas).

Para algunas funciones avanzadas de Outlook 2007, se necesita la conectividad a Microsoft Exchange Server 2000 o posterior. Para la búsqueda instantánea, se necesita Microsoft Windows Desktop Search 3.0. Los calendarios dinámicos requieren la conectividad del servidor. Para algunas funciones de colaboración avanzadas, se requiere la conectividad a Microsoft Windows Server 2003 con SP1 o posterior ejecutando Microsoft Windows SharePoint Services u Office SharePoint Server 2007. La biblioteca de diapositivas de PowerPoint requiere Office SharePoint Server 2007. La conectividad con Office SharePoint Server 2007 es necesaria para los formularios de InfoPath habilitados para explorador y otras funciones de colaboración.

Algunas funciones de entrada manuscrita requieren la ejecución de Microsoft Windows XP Tablet PC Edition o posterior. La funcionalidad de reconocimiento de voz requiere un micrófono para hablar de cerca y un dispositivo de salida de audio. Las funciones de Information Rights Management requieren acceso a un servidor Windows 2003 con SP1 o posterior que ejecute los Servicios de Windows Rights Management.

Índice alfabético

B

P

R